JN118851

Following the History of
Homo sapience
through Beads

ビーズでたどる
ホモ・サピエンス史

美の起源に迫る

池谷和信 編
IKEYA Kazunobu

昭和堂

ビーズの誕生とその展開

1　西アジアの旧石器時代のビーズ。ホタテ貝殻の殻頂に溝状の穴があいている（トール・ハマル遺跡、1万5000年前。門脇誠二撮影）

3　ビーズの未成品（浙江省田螺山遺跡、秦小麗提供）

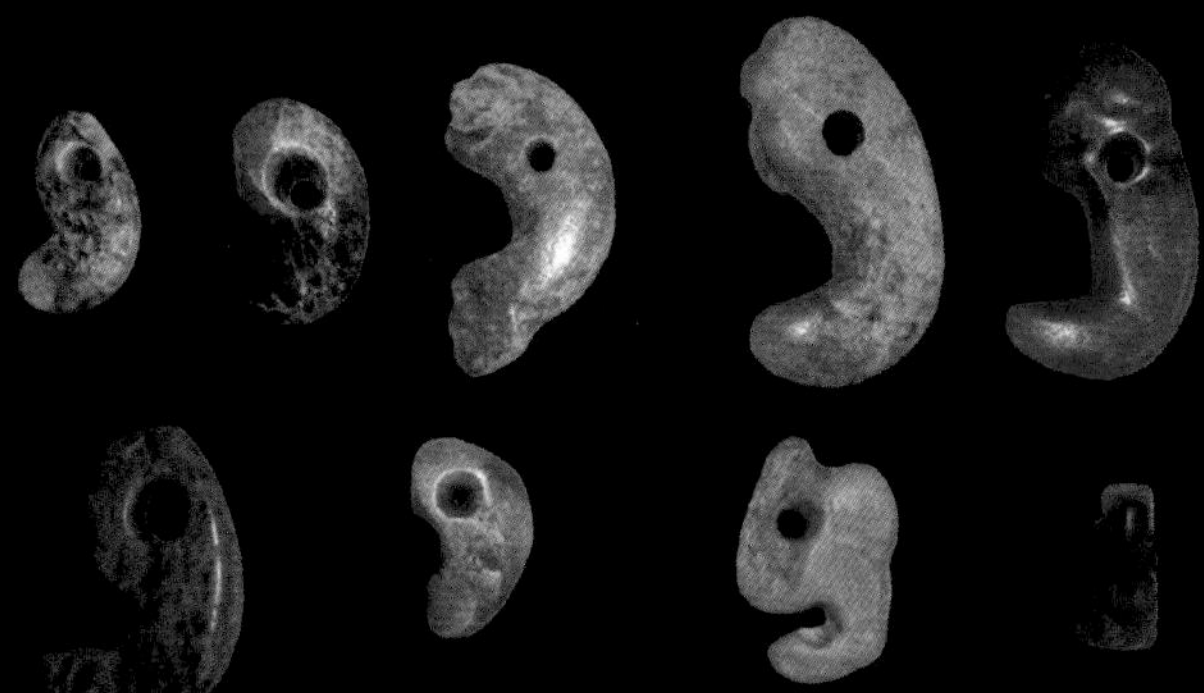

4　縄文時代後晩期（紀元前2000～1000年頃）のヒスイビーズ。右上のもので全長4.5cm（大形品）。ヒスイは糸魚川産（北海道余市町大川遺跡、河村好光撮影）

2　縄文時代のストーンアクセサリー（福井県あわら市桑野遺跡、福井県あわら市郷土資料館写真提供）

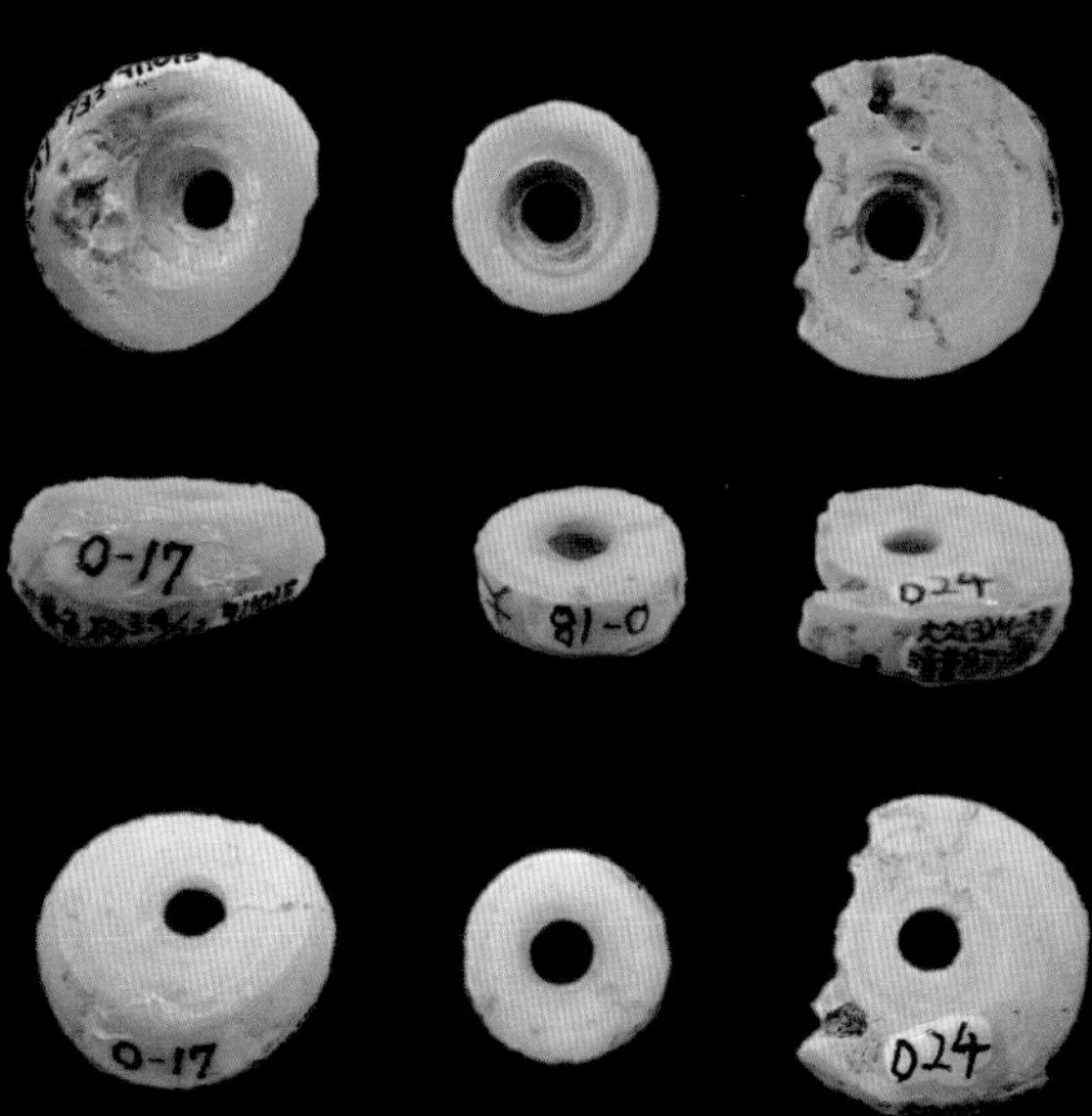

5　先史琉球のイモガイ貝珠（沖縄県読谷村大久保原遺跡、木下尚子撮影）

古代国家・古代文明とビーズ

6　弥生時代のガラスビーズ（小姓島3号箱式石棺墓、対馬市教育委員会蔵、奈良文化財研究所写真提供）

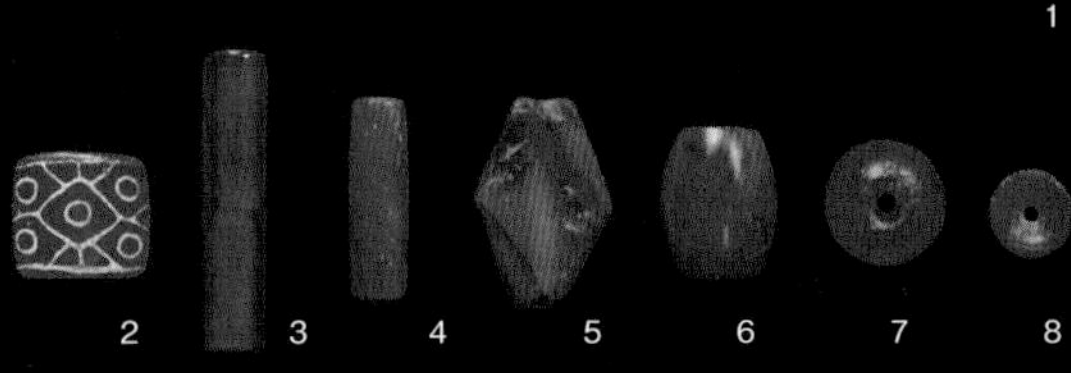

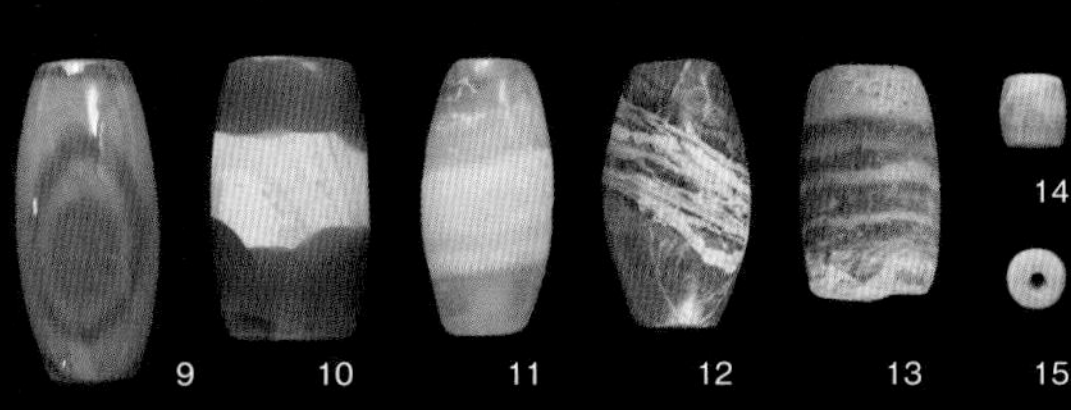

7　インダス文明の準貴石製ビーズ。1～8はカーネリアン、9～11は瑪瑙、12～13はジャスパー、14～15はアマゾナイト（1：現在の複製品、2：ファルマーナー遺跡、3～15：カーンメール遺跡。遠藤仁撮影）

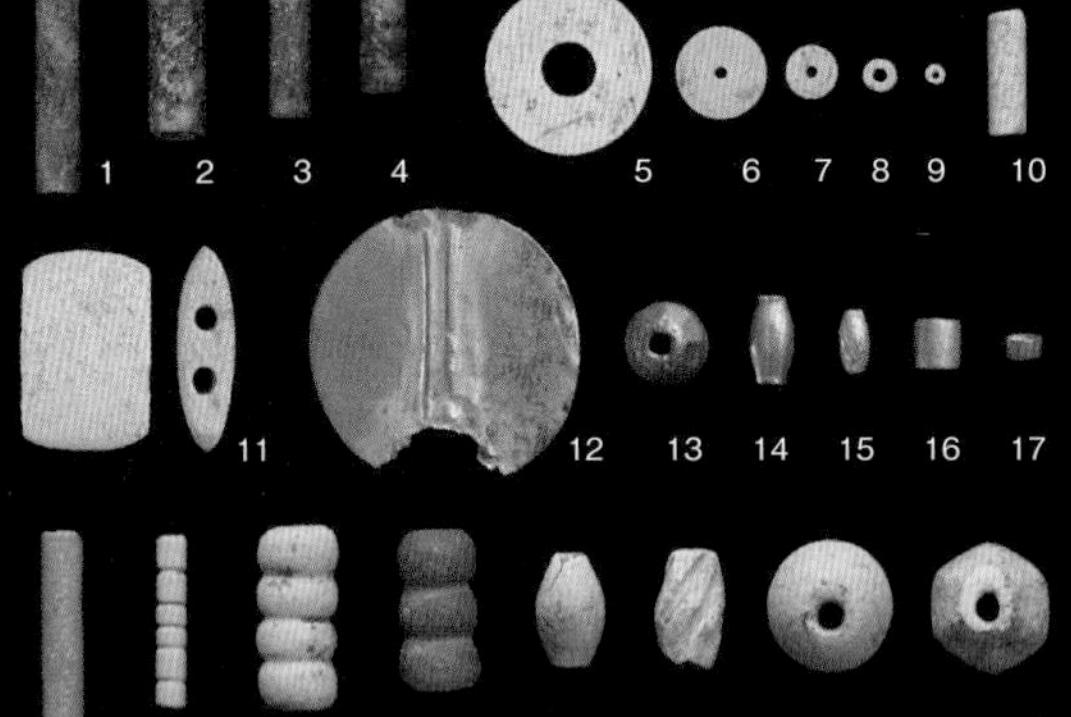

8　インダス文明のビーズ。1～4はラピスラズリ、5～10はステアタイト、11はステアタイト製スペーサー、12～17は金、18～25はファイアンス（すべてカーンメール遺跡。遠藤仁撮影）

10　敦煌莫高窟第 57 窟南壁菩薩図
（敦煌文物研究所編『中国石窟　敦煌莫高窟
第 3 巻』平凡社、1981、19 頁）

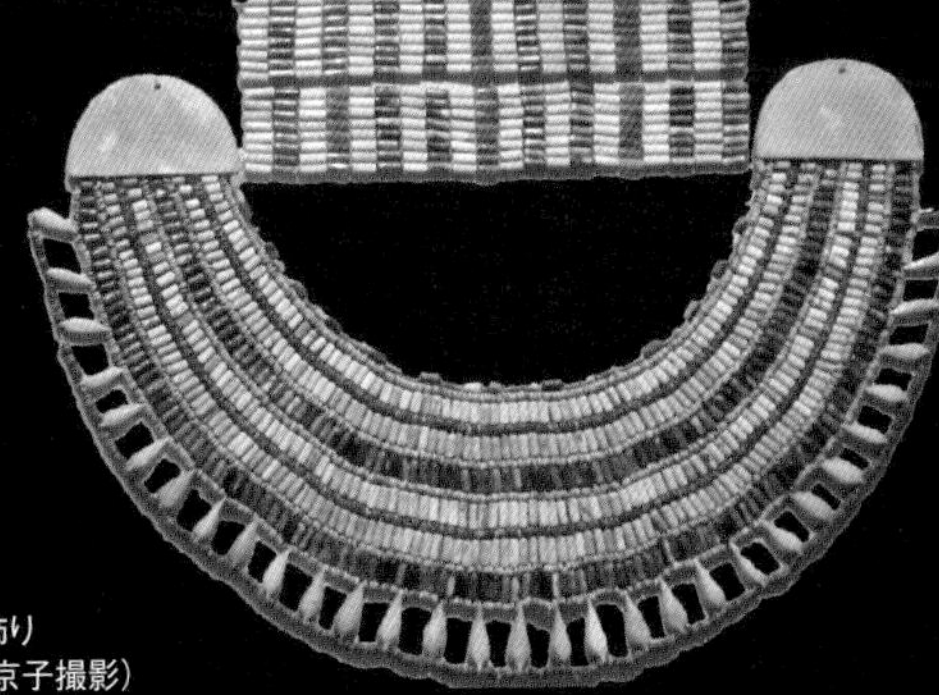

9　古代エジプトのウセク広襟飾り
（メトロポリタン美術館蔵、山花京子撮影）

大航海時代からグローバル化時代へ

11　ナイジェリア・ヨルバのガラスビーズで描かれたゾウ
（以下、特記のないかぎり写真は国立民族学博物館提供）

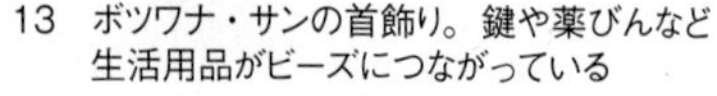

13　ボツワナ・サンの首飾り。鍵や薬びんなど生活用品がビーズにつながっている

12　カメルーン・バミレケのゾウを象った仮面

14　コンゴ民主共和国クバの通過儀礼の仮面

15　ケニア・サンブルの女性用首飾り

16　ケニア・サンブルのビーズの首飾りをつけた女性
（中村香子撮影）

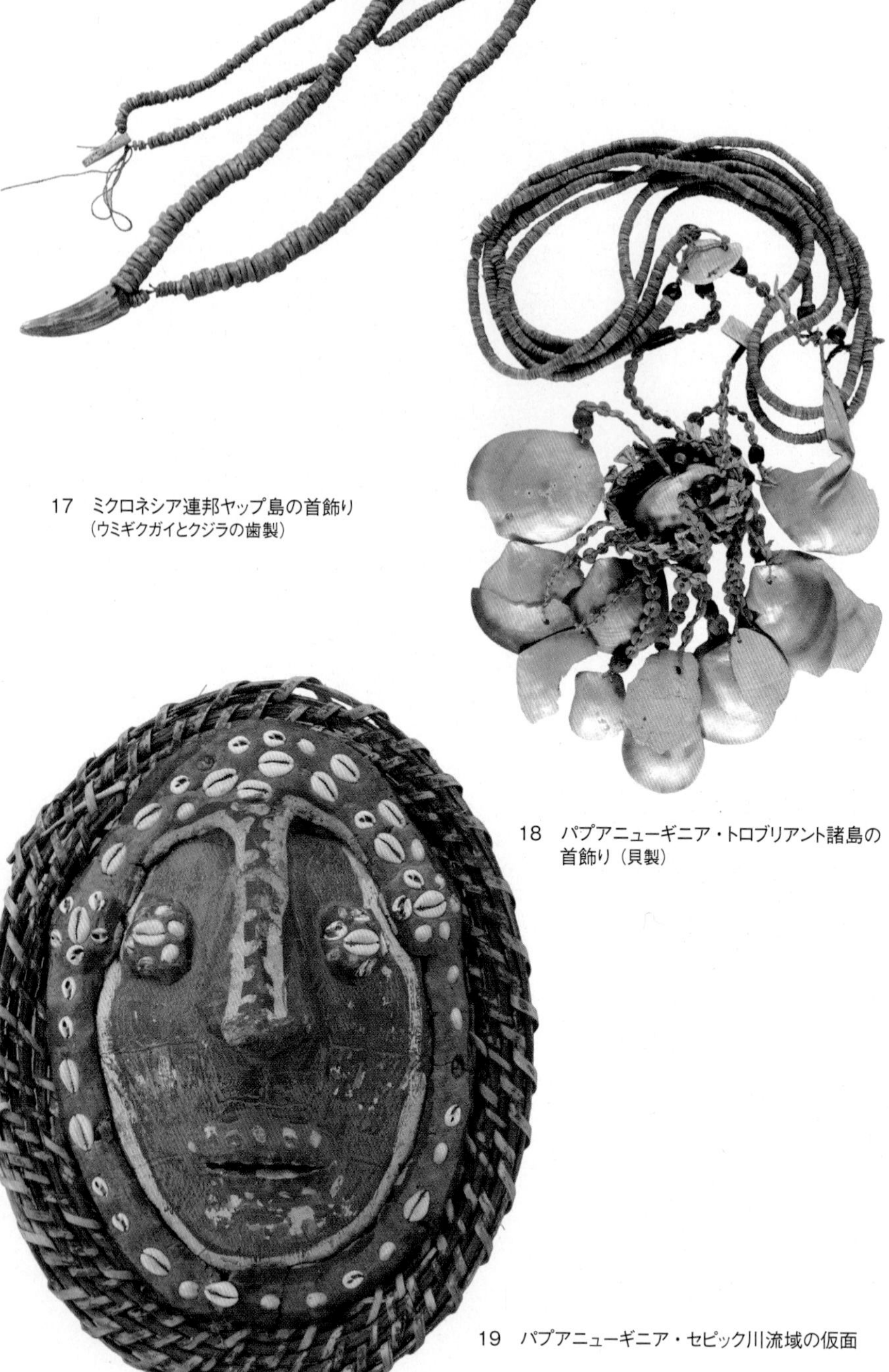

17　ミクロネシア連邦ヤップ島の首飾り
（ウミギクガイとクジラの歯製）

18　パプアニューギニア・トロブリアント諸島の首飾り（貝製）

19　パプアニューギニア・セピック川流域の仮面

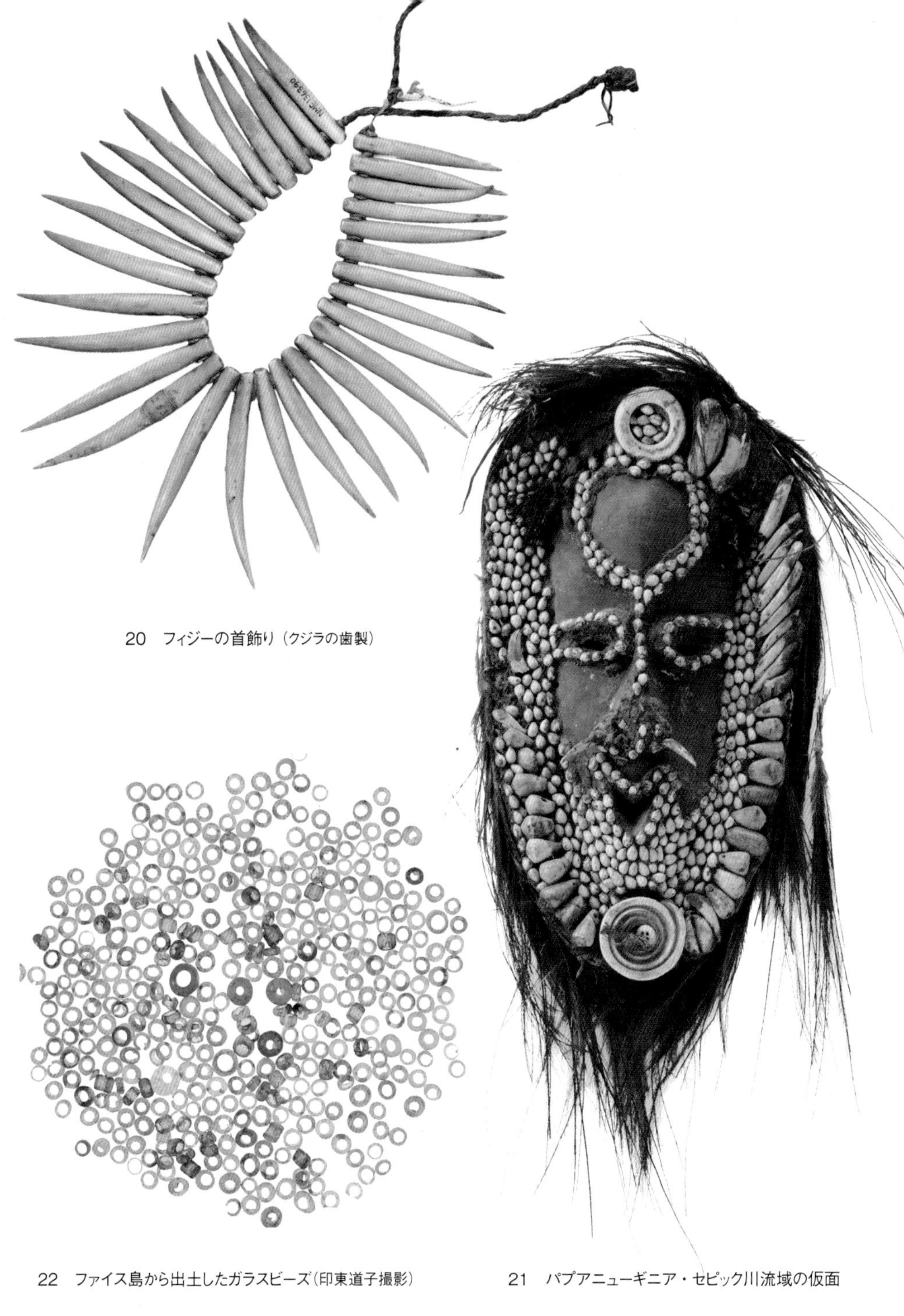

20　フィジーの首飾り（クジラの歯製）

22　ファイス島から出土したガラスビーズ（印東道子撮影）

21　パプアニューギニア・セピック川流域の仮面

23　ロシアの首飾り(陶器製)

24　ブルガリアのスリッパ

25　イギリスのバッグ

アメリカのビーズ

27　カナダ東部クリーの手袋

26　アメリカ合衆国平原地域先住民の靴
（ガラスビーズとヤマアラシのとげ製）

28　ボリビア・ラパスでの
悪魔踊りの衣裳

30　コロンビア・ティクナの首飾り

29　メキシコ・ウィチョルの祭儀供物用仮面

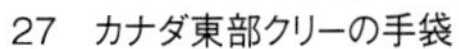

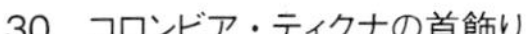

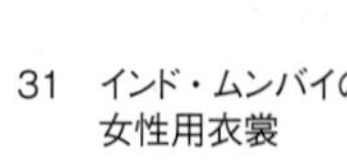

31　インド・ムンバイの女性用衣裳

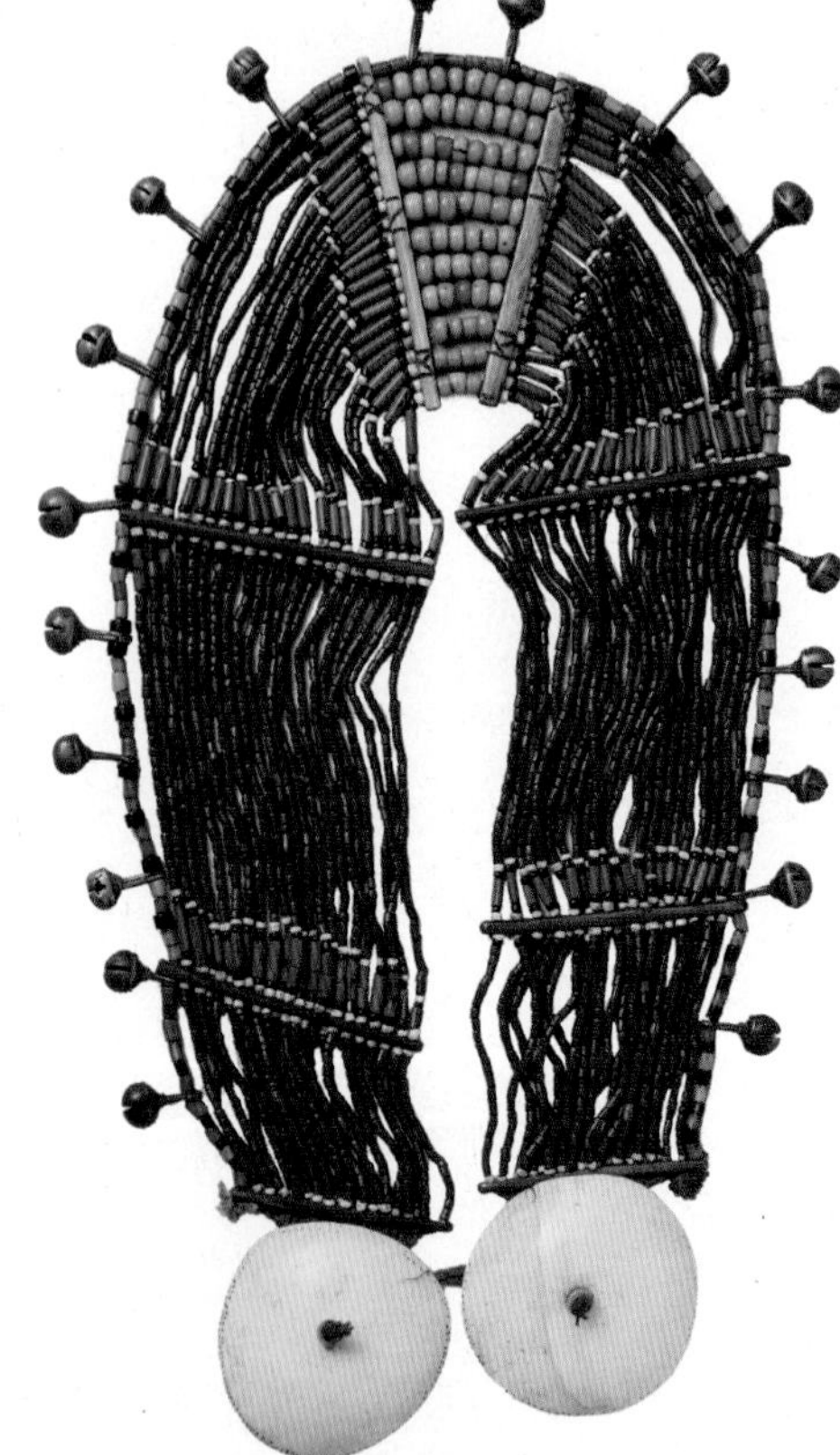

33　インド北東部に住むコニャック・ナガの首飾り

32　インド北東部に住むタンクール・ナガの首長用帽子

35　ロシア・カムチャッカ半島に住むイテリメンの首飾り

34　ウズベキスタン・ウズベクの花嫁用胸飾り

37　タイの土製ビーズのネックレス（中村真里絵撮影）

36　インドネシア・スンバの副葬用バッグ

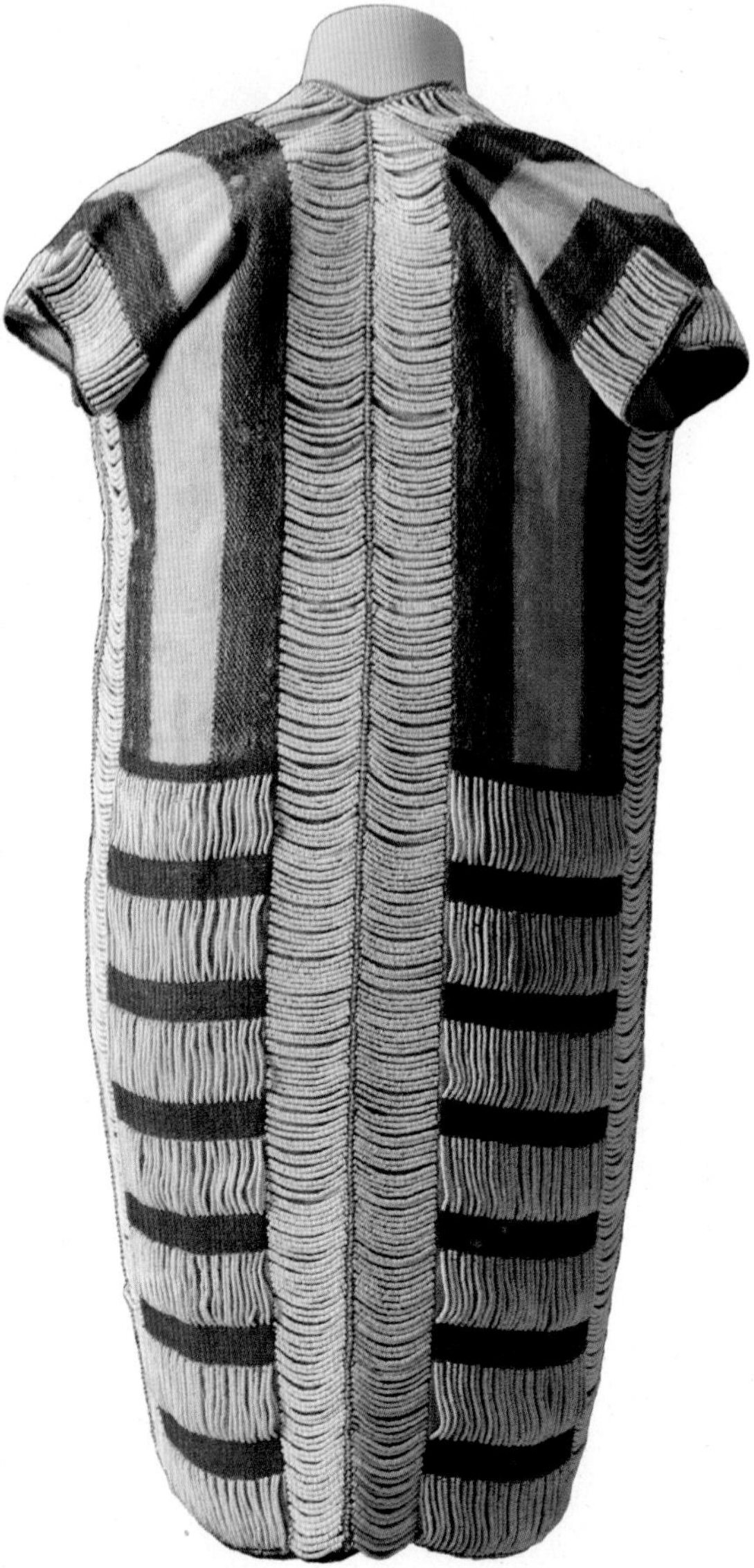

39　台湾タイヤル族の長衣（シャコガイ製）

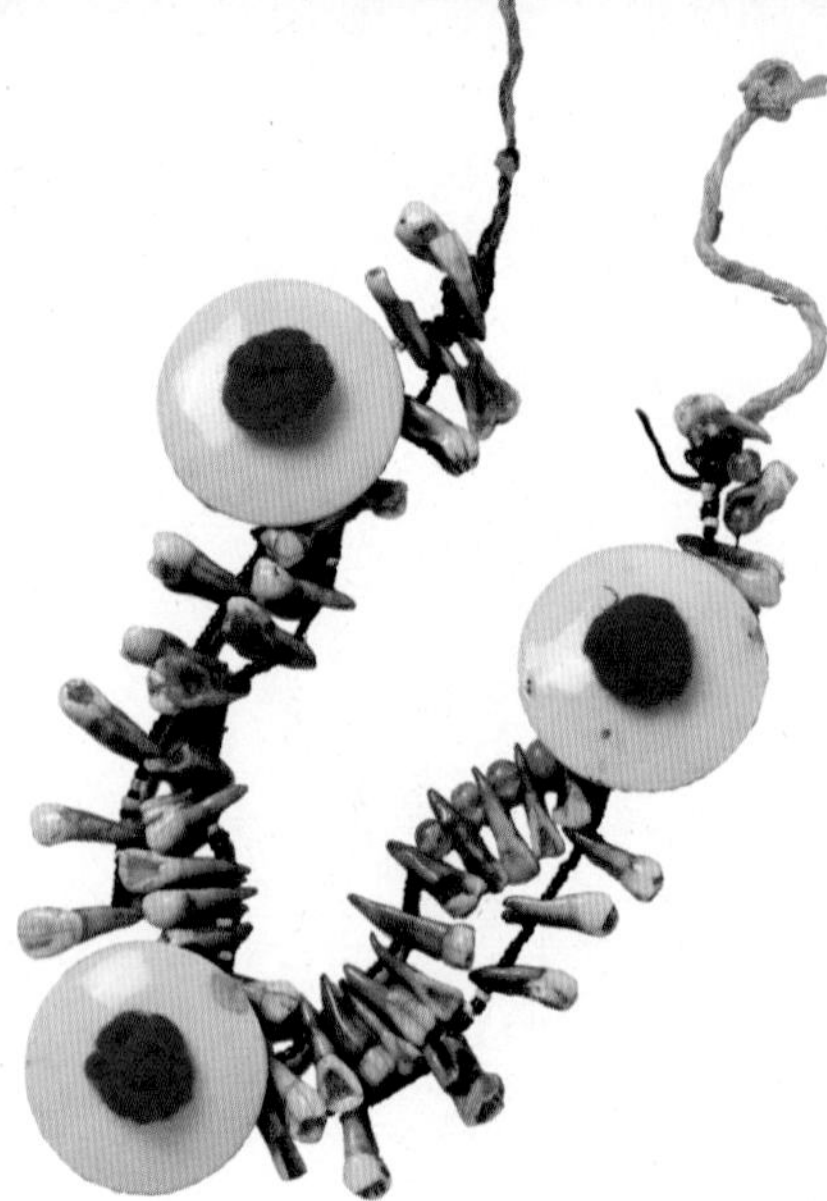

38　台湾タイヤル族の首飾り（人の歯製）

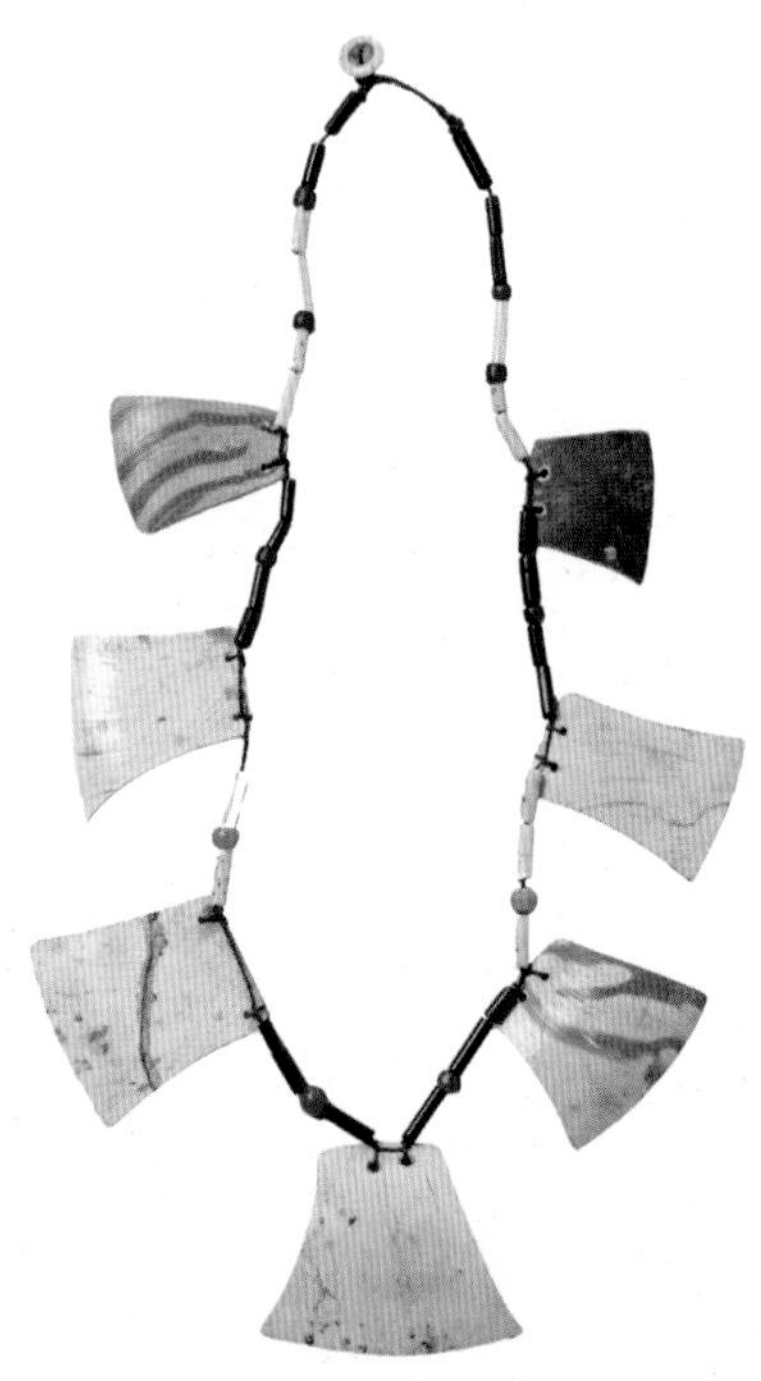

40　台湾蘭嶼ヤミ族の首飾り（オウムガイ製）

41　アイヌの首飾りの出土状況（釧路市幣舞遺跡 43 号墓、釧路市教育委員会・同埋蔵文化財調査センター提供）

42　アイヌのシトキ様式の首飾り。青玉と黒・白・透明のガラスビーズ。玉は丸玉とみかん玉の２種。中央には竿秤の皿部分を転用。その両縁に瑶珞の装飾（18～19 世紀に綴られたと推定。個人蔵）

43　近年、古式に模して新しく作られたアイヌの首飾り（寮美千子撮影）

現代日本で華開くビーズ文化
——日本のビーズバッグ

44

45

46

はじめに

多くの皆様のお宅では、真珠のネックレスや仏事に使う数珠をお持ちのことでしょう。あるいは華やかなビーズのバッグや財布をお持ちの方がいらっしゃるかもしれません。これらをよく見ると、個々の素材は異なるものの部材と部材とを線状や面状につなぎあわせたものであることに気がつくでしょう。本書では、こうした共通点を持つものに対して「ビーズ Beads」という言葉が使われます。

さて、私たち現在の人類（ホモ・サピエンス）は、どうしてこのビーズを身につけてきたのでしょうか。どうしてものを飾るために利用してきたのでしょうか。ホモ・サピエンスは、三〇万年前にアフリカで誕生して、一〇万年前にアフリカから外へ移動し始めました。人類がビーズを生み出したのはその頃だといわれます。その後、ビーズは、世界各地で様々な形に展開してきました。ビーズは、人類の生存のために必要な食糧などとは大きく異なっています。なくても困るものではないかもしれません。

しかしながら、私たち人類の歴史をふりかえると、先史時代から現在に至るまで世界の隅々において、多種多様な目的のためにビーズが利用されてきたのです。たとえば、わが国の先住民族アイヌにとってガラスの首飾り（タマサイ）は、母親から娘に譲られて儀礼の際には欠かせないものです。ビーズは、単なる美しさを求めるだけではなく、ものとものの、ものと人、人と人をつないできたといえるでしょう。

本書では、古今東西のビーズと人との関わりに注目して、ビーズから見たホモ・サピエンス史を構築し、人類にとっての美の起源を探ることをねらいとします。これまで、化粧、衣装、音楽、絵画、ダンスなどに焦点を当てて、人類は美しさを求めてきたことはよく知られています。しかしながら、「装身具としてのビーズ」「ものを飾るためのビーズ」にこだわることで人類の美の起源を探る試みはほとんどありませんでした。

読者の方々には、わずか直径が数ミリの部材から生み出された美しさの世界にふれてほしい。私たちが「どうしてビーズにこだわってきたのか」「ビーズから見える人間らしさとは何か」について、本書が考える機会になれば幸いです。

池谷和信

目　次

序章　人類とビーズ

池谷和信

1 人類の「認知革命」と美の追究

現生人類の歴史を総合的に把握するホモ・サピエンス史。本書は、装身具として知られるビーズに焦点を当てて、ホモ・サピエンス史の視点から「人類にとってのビーズとは何か」を追究することがねらいである。そして、これらを通して人類にとっての美のあり方について考える試みでもある。

現生人類の約三〇万年の歴史は、認知革命、農業革命、産業革命の三つを区切りとして分類することができる（ハラリ 二〇一六a、二〇一六b）。これまで、農耕および家畜飼育の革命や産業革命については多くの本が刊行されてきた（ベルウッド 二〇〇八、チャイルド 一九五一ほか多数）。人類は、農耕によって食糧を安定的に生産するようになり、産業化によって急増する全人類の食を支えることができるようになっている。しかしながら、これまで認知革命を正面にすえて論じることは、ほとんどなかった。後藤は、認知革命の事例として世界と人間の起源に関する神話は、旧石器時代に生まれたものとした（後藤 二〇一七）。

認知革命とは、今から七万年前の旧石器時代に、ホモ・サピエンスの脳で突然変異が起きたことによって実現した（ハラリ 二〇一六a）。この突然変異によって、人類は眼前のものを記憶することのみならず、脳内の情報をつなげることで、眼前に存在しないものを想像して説話や神話のような物語を作ることができるようになった。同時に、言葉で共有することで目に見えないことを他者に伝承することもできるようになった（ハラリ二〇一六a）。認知革命によって人類にもたらされたものは、海産物の食、アクセサリーなどの装飾品、言葉、ダンス、楽器を使用する音楽、絵画、神話など多様である。このなかで装飾品としてのビーズは、考古遺跡から見出されるために年代が明らかにされている（池谷編 二〇一七a、二〇一七b）。最古とされるビーズは、およそ一〇万年前のものである（第一章では一二万年前）。つまり、ハラリの言及する認知革命の年代に対応しておらず、約三万年前の絵画などに比べて古い時代に形成されたものになる。

ここで、ホモ・サピエンスの美の追求を考えるうえで、どうしてビーズ研究が重要なのかを説明しておこう。つまり、それはホモ・サピエンスが美という観念を持ちえた起源や理由に迫ることができるということである。その背景にはビーズの美的魅力が存在し、それが集団内や集団間での価値の共有の求心力の一つとなり、社会ネットワークが形成された可能性を考えることができる。

一般に人類の美しさの追求は、化粧や装身具や衣装などで男性や女性を飾ることとして認められる。このほかにも、絵画や音楽や舞踊から美を追求している人々がいる。装飾には、身体を塗る装飾とビーズのような身体以外のものにおいても適用される装飾とが見られるが、以下のような理由でビーズは注目に値する。

たとえば、三万年前のサピエンスの遺跡から地中海や大西洋の沿岸から運ばれる貝殻が見つかっている。これらは異なる集団間の長距離交易を通して導入されたと見られている。しかし、ネアンデルタール人の場合には、このような交易を示す証拠は見つかっていない（ハラリ　二〇一六ａ：五三）。このことから、交易はホモ・サピエンス以外の人類には見られない独特のものであり、これによってホモ・サピエンスは他の人類と比べてより広範な情報を収集できたと推察される。そして、その背景にはビーズの美的魅力が存在したために社会ネットワークが形成されたものと考えられる。

ビーズはまさに、人類の身体や様々な形のものを飾るためのみならず、人間集団において社会的な役割をもっている場合が多い（池谷　二〇〇一）。ビーズを身につけることは、対象が人やものの違いがあるにしても、美を追求する行為として見なされる。しかも、貝殻や動物の骨、ガラスなど素材が多様で、美の追求に加えて富の違いや民族意識を示すなど役割もまた多様である。私たちは、ビーズを通して個々の民族がもつ美しさの感覚の違いを窺い知ることができる。

2　ホモ・サピエンス史とビーズ

これまでの先史時代の研究では、フランスのラスコー洞窟の岩絵のような絵画の存在がよく知られている。しかしながら、それよりも古い歴史をもつとされる装身具・ビーズを対象にして人類史を構築することをめざす研究は皆無である。これまで世界のビーズ研究では、『ビーズの歴史』（Dubin 1987）に代表されるようにガラスビーズの歴史が中心的に扱われてきた（Francis 1994, Morris 1994, 谷・工藤　一九九九、クラブトゥリー／スタールブラス二〇〇三ほか多数）。また地理的・歴史的な視点から個々のビーズの事例の紹介に焦点がおかれ、それらを統合するような試みはほとんどなかった。本書では、ビーズが誕生した約一〇万年前から現在までの歴史、およびビーズが利用されてきた地球という地理空間、これら二つの視野から、古今東西に見られるビーズと人類との関わり方を把握する。同時にこれらの試みは、ビーズの歴史と現在から見たホモ・サピエンス史を辿ることにつながるであろう。

さて、なぜ今ホモ・サピエンス史なのかについて述べておこう。近年、現生人類の歴史を総合的に把握するホモ・サピエンス史が注目されている。その理由には、以下の三点があげられる。

まず現生人類は、およそ三〇万年前にアフリカで誕生した後、約一〇万年前にアフリカを出て地球全体に拡散することに成功し、その後農耕や牧畜を開始して文明を構築した。そうした文明の延長線上にある現代世界は、自然破壊や社会関係の崩壊、価値観の変化など多くの問題をかかえている。このため、人類の過去を長期的に理解することで、これから人類がどこへ行くのかを展望する視点が地球の将来を考える際に欠かせない。現在の人類社会は、今後ますます増加する七〇億以上の人口を支えていけるのか否か、これは地球レベルの関心事である。人類は、いつからどのようにして地球の自然とのバランスを崩してきたのか、ホモ・サピエンス史のアプローチによって明らかにすべき問いである。

二つ目は、「人新世（アントロポセン）」への注目である。現在の地球の地質年代は、現在、二五〇万年間続いた更新世および一万年以上続いた完新世に続いて、開始年代には論議があるものの産業革命以降には人新世という新たな時代に入っているという（クリガン＝リード 二〇一八）。この時期には、大地や大気、海洋、土壌などの地球を構成する地域では人類活動の影響を強く受けてきた結果、地球と人類との関わり方の再考が問われてきた

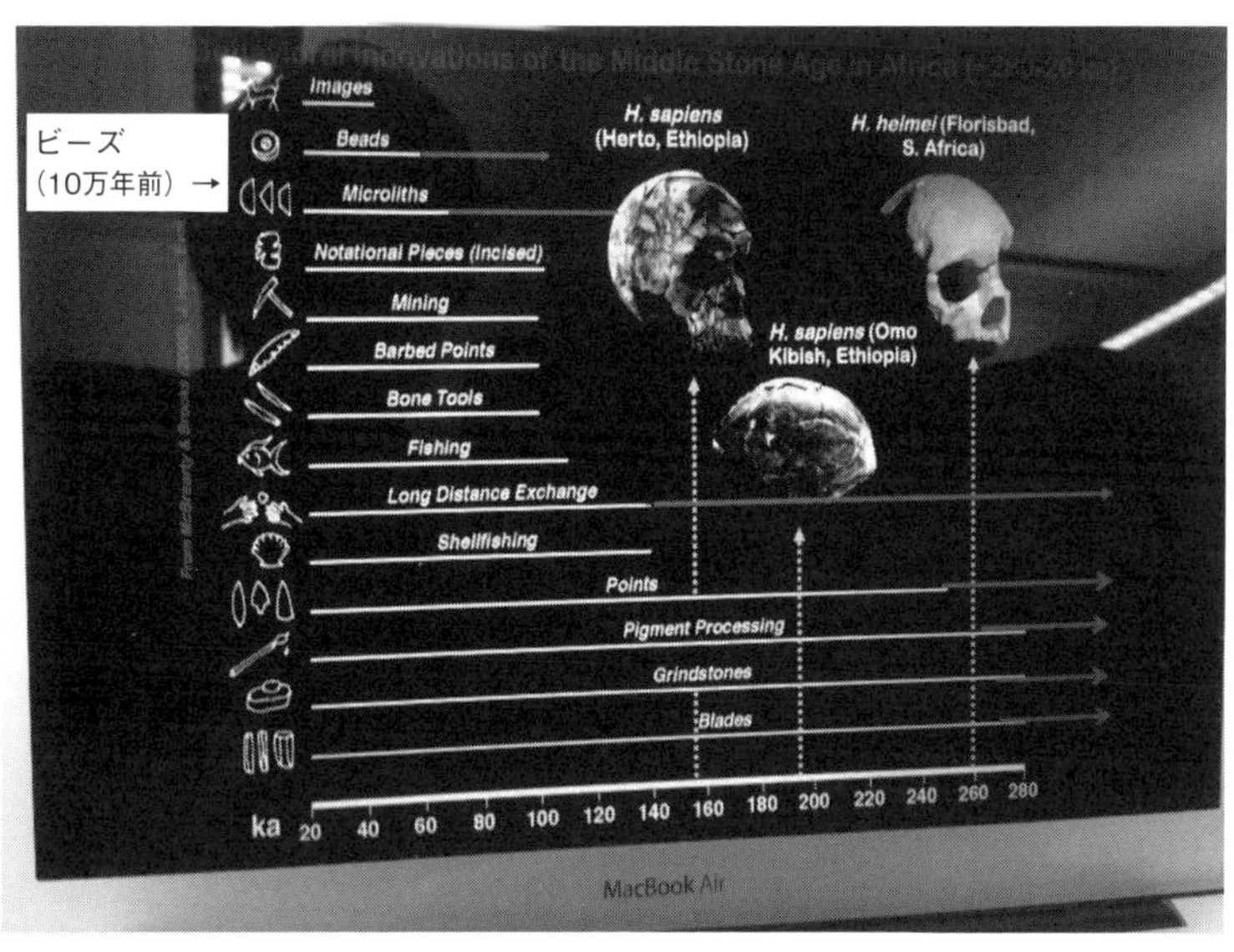

写真0-1　アフリカにおける中期石器時代の人類の革新的行動（スミソニアン自然史博物館の展示を筆者撮影）

（伊藤 二〇〇二、星野 二〇〇九）。地球が誕生して現在に至るまでの長期間の歴史のなかで三〇万年のホモ・サピエンス史を位置づけること、およびそのなかの人新世における人の生き方の是非を追究することが人類の重要課題として見なされている。

三つ目は、ビーズが人類の文化的営為のなかでも比較的早期に現れたものとして、ホモ・サピエンス史のなかで注目されてきたことである。これまで述べてきた二つの視点は、人類と地球環境との関係や、生態学的適応からホモ・サピエンス史を捉えるものであった。それに対して、文化的営為がホモ・サピエンスの生活世界をどのようにつくりあげ、それがさらには、生態環境や地球環境にどのような影響を及ぼしていくのかを考える方向をビーズから読み取ることができる。

その一方でビーズは、約一〇万年前に誕生して世界中に広がった、現生人類の最初のアートとも呼ばれる（写真０－１）。ここでは、まずビーズを「素材に穴をあけて紐でつなげたもの」として定義する（池谷編 二〇一七b）（考古学からのビーズの定義については、第六章を参照されたい）。その素材は、木の実、植物の種、動物の歯や骨、貝殻、ダチョウの卵殻、石や金や琥珀のような鉱物、鉄、ガラス、粘土、プラスティックなど多様である。またビーズ細工には、首飾りのような線状のものからバッグのような面状のものまで形も様々で、単に美しさを求める装身具としてのみならず、富の象徴や社会的威信、集団のアイデンティティを示すなどの社会的役割をもってきたといわれる（池谷 二〇〇一）。

私たち人類の歴史を把握するために、これまでの研究では、中期石器時代の人間の行動が注目されてきた。なかでもビーズは、およそ一〇万年前に誕生したものであり世界中に広く見られることもあって、人間の象徴行動の芽生えを考える素材として見なされてきた（McBrearty and Brooks 2000）。たとえば、アメリカ・スミソニアンの自然史博物館の常設展示でもビーズの情報が見られるが、その起源は七万五〇〇〇年前から一〇万年へというように修正されている（写真0－1）。この図からも、この時期には、骨角器の利用や漁撈なども開始されていることが分かる。しかし、ホモ・サピエンス人が誕生してから一〇万年を経過して、どのような状況が要因になってビーズなどが生まれたのかなど、多くの疑問が残される。同時に、人類がアフリカを出て拡散したアジア各地においてもビーズが発見されており、これらが独立発生であるのか文化伝播であるのか論議になるであろう。

その後、世界には、貝の道、ガラスの道、石の道などがつくられてきた。「ガラス革命」によって世界の諸地域がつながり新たな地域システムが構築されたが、そこにビーズも貢献している。そのなかで、社会のなかでのビーズの形成・衰退過程とその要因はさかんに議論されている。同時に、石からガラスへの移行、卵殻と貝殻、真珠とコットンパールのような共存状況など、素材を変えることでビーズ文化が維持されてきた点にも注目してよいであろう。

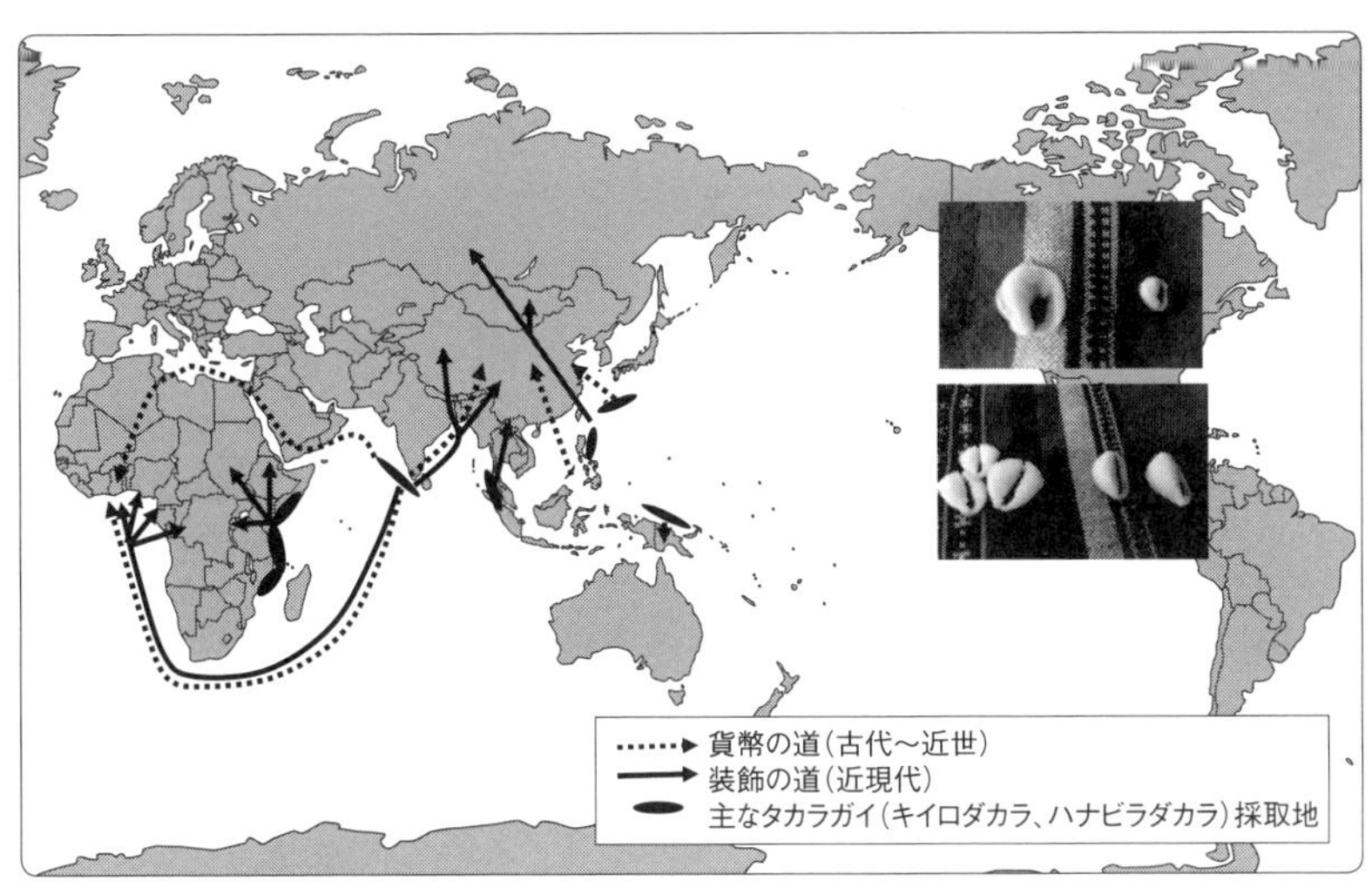

図0-1　タカラガイの道
出所）池谷 2018：41。

たとえば貝の道の場合、タカラガイが注目される（第一三章）。アフリカやユーラシア大陸、オセアニアには何本もタカラガイの貝の道があった（図0－1）（池谷 二〇一八）。とくに西アフリカのカメルーンやナイジェリア、中部アフリカのコンゴ、エチオピアにてこの貝の需要が大きい。近くの大西洋にはタカラガイが少ないため、遠くインド洋から運ばれてきたという。カメルーンのバミレケの王様の椅子、コンゴのクバの仮面（口絵14）や帽子などに多数のタカラガイが利用されてきた。エチオピアでは、様々な民族の生活のなかにこの貝が入っている。とくに子どもの背負い袋には大量のタカラガイが縫いつけられている。オロモの人々は、この袋を家のなかの壁に貼っている。またニューギニアでは、タカラガイのみならずムシロガイなども神像の装飾に使われている。

ビーズの道は「貝ビーズの道」以外にも石や鉄やガラスなど、それぞれの道が見出せる（図0－2）（池谷編 二〇一七b、池谷 二〇一八）。なかでもガラスビーズは、大航海時代においてヨーロッパ人が未開の地域に暮らす民族に接

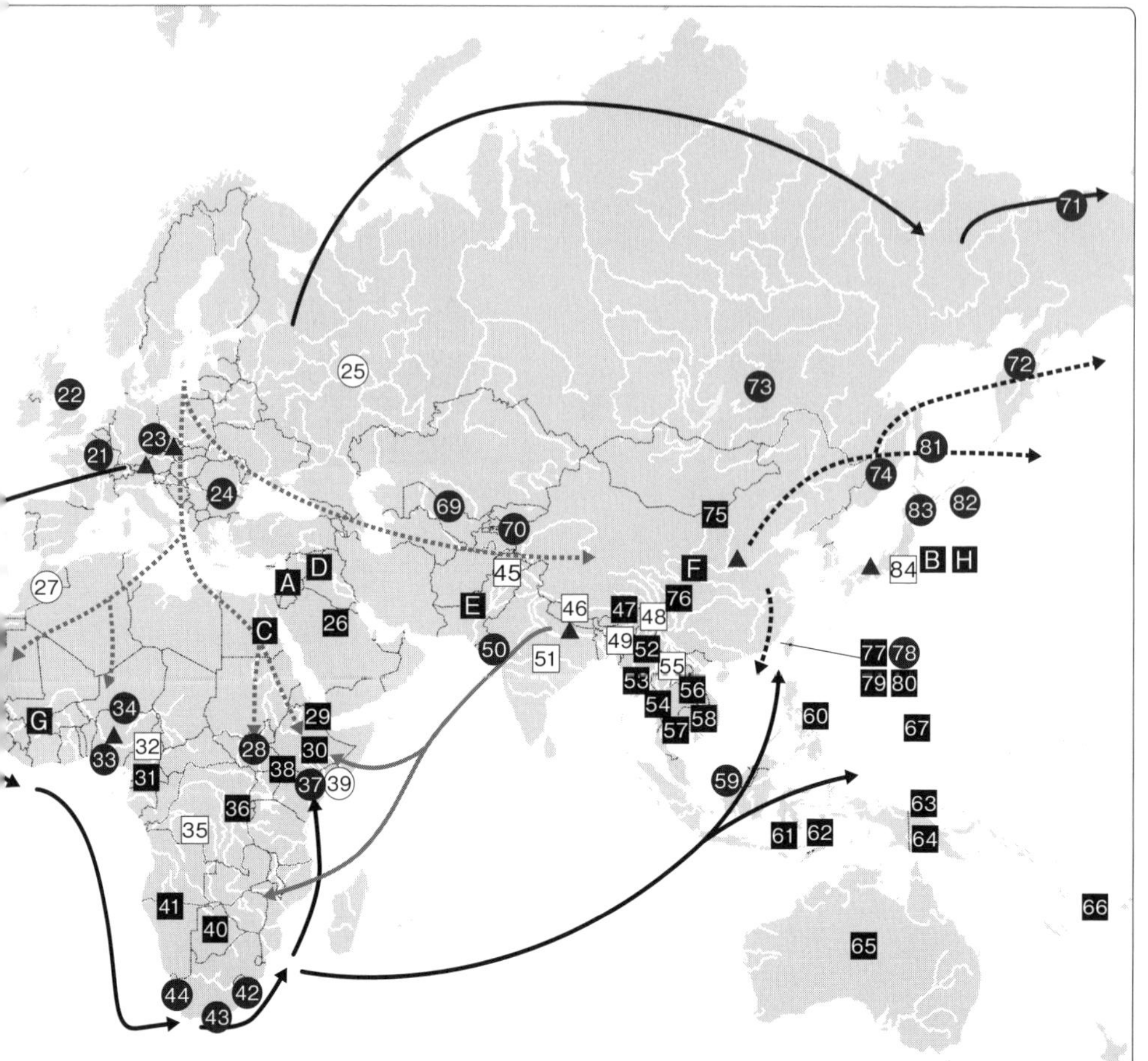

56タイ・ルー（ラオス）
57タイ（タイ）【第17章 中村】
58アカ（ラオス）
59オラン・ウル（マレーシア）
60ティボリ（フィリピン）
61スンバ（インドネシア）
62トラジャ（インドネシア）

◉オセアニア
63イワム（パプアニューギニア）
64シシミン（パプアニューギニア）
65オーストラリア・アボリジニ（オーストラリア）
66フィジー（フィジー）
67ヤップ（ミクロネシア）【第12章 印東】
68ハワイ（アメリカ）【第12章 印東】

◉中央・北アジア、東アジア
69ウズベク（ウズベキスタン）
70タジク（タジキスタン）
71チュクチ（ロシア）
72イテリメン、カムチャダール（ロシア）
73エヴェン（ロシア）
74ウデヘ（ロシア）
75モンゴル（中国）
76ナシ（中国）
77タイヤル（台湾）【第15章 野林】
78パイワン（台湾）【第15章 野林】
79アミ（台湾）【第15章 野林】
80ヤミ（台湾）【第15章 野林】
81樺太アイヌ（ロシア・サハリン西海岸）
82千島アイヌ
83北海道アイヌ（日本）【第11章 大塚、第16章 齋藤】
84日本（日本）【第3章 山本、第4章 木下、第18章 池谷】
その他：西アジア【第1章 門脇】、東アジア【第2章 河村】、
オセアニア【第12章 印東、第13章 後藤】

図0-2　近現代のガラスの道、琥珀の道および本書の各章の対象地

出所）池谷 2017b：8-9の地図を加筆・修正。

する際に交換のための財として使われた。ガラスビーズを通じて、アフリカやアジアや南米の辺境地が当時の中心のヨーロッパや中国、インドと結びつくことになった（杉山 一九三六）。いわゆる世界システムの形成である（池谷編 二〇一七b）。これは、現代社会における世界のガラスビーズの流通にも継承されている。

以上のようなビーズの歴史と現代を把握することからホモ・サピエンス史の一つの側面を提示することができる。

3 ビーズを捉える三つの枠組み

ここでは、ビーズというものを、ホモ・サピエンス史を把握する際にどのような研究枠組みから見たらよいのか、文化人類学の視点を中心にすえて理論的枠組みを提示する。私は、数多くのビーズを観察すると同時に、世界各地の主として辺境地での人類学的・地理学的な現地調査を行ってきた（池谷 二〇〇二）。その結果は『世界のビーズ』（池谷 二〇〇二）に結実している。ここでは、個々の事例を整理するための枠組みとして、以下、①素材論、②技術論、③社会文化論の順に述べていく。その理由は、本書における、「どのように美を捉えることができるのか」という問いに密接に関わっているからである。つまり、素材や技法に見出せる美、美的なものとして捉えられたゆえに交易や流通が進展して美的価値を介して構築される社会的ネットワーク、世界の諸社会で異なる美意識の状況とその歴史的変遷などが、人類の美の追求に関与している。

素材論——部材、つなぐもの

まずビーズを、すでに述べたように「何らかの素材に穴をあけて紐でつなげたもの」と定義する（池谷編 二〇一七b)。また個々のビーズの部材に関しては、カゴ形ビーズ(三三頁)、ストーンビーズ(三七頁)、管形ビーズ(四六頁)、滑石ビーズ(五五頁)、貝ビーズ(六五頁)、インド・パシフィックビーズ(八四頁)、管玉(四六頁)、勾玉(一一二頁)、船載ビーズ(一一三頁)、ガラス小玉(八六頁)、トンボ玉(由水 一九八〇)など、数多くの用語が見出せる。

人類は、どれほど多様な素材や形、目的のビーズを使用してきたのだろうか。その総数は、現時点では明らかになっていない。ただ、自然素材と人工素材とに分けられることは間違いない。自然素材には、ジュズダマやスイカの種のような植物種子、イノシシやジャガーやイルカやサルなどの動物の歯、タカラガイやムシロガイのような貝類、ダチョウのような卵の殻などがあげられる。また、地域の特殊性としては、オオスズメバチの頭部(第一五章)、ピラルクのウロコ、ヘビの骨なども興味深い(池谷編 二〇一七b)。また、採取・加工に労力はかかるが、カーネリアン(紅玉髄)、翡翠、碧玉(ジャスパー)、ステイアタイト(凍石)のような石も無視することはできない。インダス文明ではカーネリアン(第六章)が、縄文時代の日本では翡翠(第三章)が、生産地から遠方に運ばれて利用されてきた。このほかにも、琥珀、サンゴ(第一〇章)、瑪瑙、ラピスラズリ(瑠璃)などが、それぞれの地域の美の追求に合わせて利用されてきた(大坪 二〇一五、川崎 二〇一八)。

一方で、人工資源はどうだろうか。この場合、ガラスが代表的である。最初のガラス製作は西アジアが起源とされていて、現在では世界の隅々にまでガラス利用は広がっている。たとえば、イタリアのヴェネチアでは、ムラノ島においてのみガラスの製作技術が伝承されてきた。日本国内においても、ガラス産業は現在でも生きている。ガラスのほかには鉄があげられる。鉄ビーズは、ケニア北部とナミビア北部の牧畜民(トゥルカナ、ヒンバ)のなかで共通に見出せる(池谷編 二〇一七b)。

ビーズには、自らが成り立つためには部材をつなぐための紐や糸が欠かせない。それには植物繊維が便利であることは、いうまでもない。しかし、これもまた考古資料としては残存しにくい。植物繊維のほか、大型の野生動物の腱が取り出されて、糸のようにつなげてビーズに利用されていた。カラハリ砂漠の狩猟採集民サン（ブッシュマン）においては、ゲムズボッグ（大型のアンテロープ類）の腱が利用されている（池谷編 二〇一七b）。

以上のように、部材には地域の条件に応じて多様な素材を見つけることができる。そして、部材のみならず、つなぐものの素材においても残存しにくい動植物素材などが使われており、その存在にもビーズ研究では注意が必要である。

技術論

ビーズの技術は、①ビーズの部材に穴をあける（穿孔（せんこう））技術と、②部材と部材をつなげる技術とに分けられる（池谷編 二〇一七b）。石やガラスなどの部材の生産地では穿孔技術の情報が製作のために欠かせないが、石やガラスの消費地ではつなぎ方の方が製作上重要なポイントになる。ビーズ細工の技術では線状から面状への技術の展開が見られ、日本のビーズ史のなかで見ると、古代エジプトの面状のビーズのようなものは（第八章の広襟飾り）、ようやく近代に入ってからビーズバッグが生まれた程度である（似内 二〇一四）。

ここでは、穴をあけるための道具の素材と使い方や担い手の記述が分析のために欠かせない。カラハリ砂漠の狩猟採集民が利用するダチョウの卵の殻の場合には、罠猟で捕獲されるスティーンボック（小型の哺乳類）の角が利用されている（池谷編 二〇一七b）。また、ナイジェリアのヨルバの場合には、王国の時代以来の「ビーズ職人」が担い手になっている。彼らは、現在では中国産のガラスビーズを利用するが、ビーズで覆われた帽子や材などを製作して、各地の首長におさめていたという（池谷編 二〇一七b）。

技術論においては、地域社会におけるビーズに関する伝統的な技術を記述すること、ビーズ職人が集まる職業集団の形成と展開を把握することなどが研究テーマになるであろう（第二章と第六章、第一七章）（古代歴史文化協議会編 二〇一八）。ヴェネチアのムラノ島（ガラス）、インドやミャンマー（石、ガラス）、古代日本（石）などでの事例を詳細に記述して、それらを比較することも興味深いであろう。さらには、ビーズ技術の展開過程をホモ・サピエンス史のなかの社会史に位置づけることで技術と社会との関係を明らかにできるであろう。

社会文化論――交換と交易、色や形の選択基準、装飾の仕方

どうして人類は、ビーズを身につけるのであろうか。本書では、装身具、交易品、贈答品、荘厳具、呪具、財宝、アイデンティティの表示など、多数の点が言及されている。

まず、ビーズの素材の流通を見ていくと、ローカル、リージョナル、グローバルといった流通の空間的な範囲によって研究の枠組みを示すことができる（池谷 二〇〇二）（第五章）。たとえば、多くの植物素材や動物素材はローカルなレベルで流通する。貝のなかでもタカラガイ（キイロタカラ、ハナビラタカラ）、イモガイ（第四章）、ウミギクガイ（第一二章）や、ヨーロッパで産出される琥珀はリージョナルに展開される。そして、ガラスビーズの場合は、古代から近代、現代に至るまでグローバルに取り引きされる。

これらの交易の結果、ビーズは地域と地域をつなげることになるので、その交換率や、交換する担い手の把握が、ホモ・サピエンス史のなかで人類の交易の実態を把握するために必要になってくる。一七世紀の文献では、オランダ人がケープタウンにて先住のコイコイ人と会った際に、ガラスビーズとヒツジを交換している（池谷編

二〇一七b）（図0－3）。アイヌの場合には、詳しい資料が多くはないが、中国産のガラスビーズと毛皮が交換されている（杉山 一九三六、池谷編 二〇一七b）。古代日本の場合には、ビーズの素材となる石材が出雲地方で産出されており（河村 二〇一〇）、ビーズを利用する近畿地方においてどのような交換率で取り引きされたのかも興味深い。

ビーズと社会との関わり方は、人類の社会のあり方に応じて異なっている（第一五章、第一六章）。以下では、狩猟採集社会（第一〇章では無頭制社会）および牧畜社会や農耕社会（第三章、第一三章では部族社会）、古代王国や首長制社会（第七章）、近代文明社会という四分類にしたがって言及してみよう。まず、狩猟採集社会をグローバルな視点から見ると、個々の社会において、外部からのファーストコンタクトに利用されたのがガラスビーズである（池谷編 二〇一七b）。狩猟採集社会では、外部からのファーストコンタクトを通してガラスビーズを受け取ってきた。たとえば、アフリカのサンの場合には、ガラスビーズが外部から導入されるとダチョウの卵殻の利用が衰退したが、近年ではダチョウ卵殻ビーズは民芸品としての経済的価値が高まっている（池谷 二〇〇二）。アイヌの場合も同様である（第一一章）。大きな玉のガラスビーズがアイヌに導入された結果、自然素材からなるビーズは過去に衰退した可能性が見られる。七～一八世紀には、狩猟採集社会のみならず牧畜社会の人々もまた貨幣というものに魅力を見出せなかった。また、農耕社会や王国の社会のなかでビーズに対する色や形などの好みをもっていた（第八章の青緑色のファイアンス、第一二章の赤い貝）。

図0-3　オランダ人の持つガラスビーズとコイコイ人のヒツジとの交換風景（1745年のオランダ植民地ケープタウン）
出所）池谷 2001：8。

牧畜民や農耕民の場合には、ビーズ利用が民族内、あるいは民族間で個々の集団のアイデンティティを示す役割を果たした社会が見られる（池谷 二〇〇一）（第一四章）。たとえば、南アフリカのズールー社会では、ガラスビーズの色の配列の違いによって地域の集団の違いを可視化して示したといわれる。南スーダンのディンカの社会では、ガラスビーズ製のコルセットを男性が身につけることが裕福さを示すことになっている。

次に、王国や首長国では、ビーズは王様と庶民のように社会階層を示すことにもなる（第七章）。ナイジェリアのヨルバ社会には伝統的な首長がいるが、彼らの帽子や杖などは地域のビーズ職人が製作していた（池谷 二〇〇一）。カメルーンの王国においては、長距離交易で入手されるタカラガイが王の椅子の装飾に利用されている。いずれも、庶民の使うものとは異なるビーズが使われていた。また、エジプトの社会では、あるビーズのネックレスは葬送のときに使用されて神と人とをつなぐものとして認識されている（第八章）。最後に近代文明社会では、とくに各種の儀礼のなかでビーズが利用されている。現代日本で例をあげれば、葬式の際の数珠、結婚式の際の女性による真珠の首飾りなどがあげられる（第一八章）。

以上のように、世界の諸社会のあり方とビーズとの間に特定の関係を導くことができるので、人類の社会進化を念頭においたホモ・サピエンス史の構築の際にはビーズと人類との関わり方が重要な指標になる可能性がある。

4 ビーズと人類の関係史――本書の構成

序章ではまず、ホモ・サピエンス史のなかの三つの革命のうち認知革命の意義について言及した。また、ビーズで辿るホモ・サピエンス史の時代区分を通して、ビーズが人類の美の追求の対象であることから、ビーズ利用の変化と持続性について述べた。さらに、ビーズを見ることが、人類の歴史や多様な文化などの側面を把握することにつながるのか、ビーズと人類との関係史の全体像を展望する。そこで、本書の構成は以下の通りになる。

第Ⅰ部「ビーズの誕生とその展開」では、ビーズが、いつ、どこで、どのような素材を使って、どのような理由で生み出されたかを問うている。

第一章（門脇誠二）では、一〇万〜数万年前のビーズ出現当初の考古記録について紹介する。人類進化史のどのような段階でビーズが出現したかについて説明し、人類文化にとってのビーズの意味を考察する。

第二章（河村好光）では、中国と朝鮮半島、ロシア沿海州、台湾などを視野に入れて、ビーズ素材の地域性、ビーズ文化の形成、変化と衰退、ビーズが結ぶ地域、集団間ネットワークの変容が明らかにされる。

第三章（山本直人）では、縄文人がビーズに利用した多様な素材（石、翡翠、貝など）を示すと同時に、翡翠ビーズに注目してビーズの社会的意味に言及する。

第四章（木下尚子）では、貝殻を用いたビーズは、美石のないサンゴ礁地域で石ビーズの技法を使ってとくに発達してきたという。先史琉球の貝玉文化を中心に紹介しながら、当時の島嶼部の暮らしを展望する。そこでは、素材としての貝を加工する技術や調達するための長距離運搬など、貝玉をめぐる文化が詳細に解明されていく。

第Ⅱ部では、人類が最初の都市や国家をつくりあげた、数千年前のいわゆる古代文明の時期において、ビーズがどのような役割を果たしたのかを明らかにする。

第五章（田村朋美）では、近年発展した分析化学によって、製作技法と化学組成からガラスビーズを見て、その交易ルートを復元する。その結果、古代日本において、南アジアや西アジア産のビーズが導入されていたことが解明される。

第六章（遠藤仁）では、カーネリアンを中心として、インダス文明期における石製装身具の製作技術と流通を紹介する。同時に、当地域における石製ビーズの利用の変化についても言及する。第七章（谷澤亜里）では、弥生時代から古墳時代にかけて造られた墓の内部でガラスや石類などのビーズが見つかっているが、これらのビーズから何を読み取ることができるかを考察する。ここでは、弥生・古墳時代の玉類の流通と入手の具体像を提示することから、玉類の社会的意味について考える。

古代エジプトでは、ツタンカーメン王の墓の内部で死体に被せられたビーズが見つかるなど、ファイアンスビーズが広く使用されていたことが分かっている。第八章（山花京子）では、古代エジプトにおけるビーズと人との関わりを紹介する。

ビーズは数珠やロザリオなどを通して宗教と関わってきた。第九章（末森薫）では、古代中国（敦煌地域）を事例にして仏像から見たビーズの盛衰について、服飾が展開する状況との連動に注目しながら考察する。

第Ⅲ部では、大航海時代に世界をつなげたガラスビーズに着目する。同時に、独自のビーズ文化が展開されたオセアニアの貝殻文化にも目を向ける。貝殻が通貨の代用となり、貝ビーズが婚資になったことは注目される。

一九世紀のヴェネチアビーズの最大の消費地はアフリカであるといわれる。たとえばカメルーンではシュブロン玉が地域社会に導入されている。当時カメルーンでは、狩猟採集民、牧畜民、そして農耕民に至るまで社会は多様であり、様々な素材のビーズが作られ、身につけるようになっていた。第一〇章（戸田美佳子）では、三つの異なる社会で利用されるビーズに焦点を当てて、カメルーンのビーズの過去について展望する。

第一一章（大塚和義）によれば、一八～一九世紀の中国東北部は、ガラスビーズの生産地であった。このビーズは、ヨーロッパのヴェネチアやボヘミア産のものとは異なる伝統をもつ。当時アイヌは、毛皮交易を通じて中国東北部のガラスビーズを輸入していた。一方で北西海岸のインディアンは、ロシアからの毛皮商人との交換でロシアンビーズを入手していた。

一八世紀に入って、オセアニアにはヨーロッパの探検家や宣教師が多く訪れるようになった。第一二章（印東道子）では、オセアニアで伝統的に使われてきたビーズの多様な素材を示した後、外から持ち込まれたガラスビーズに対する嗜好が島によって異なっていたことなどを紹介する。しかし、もともとオセアニアは貝ビーズの世界である。第一三章（後藤明）では、ニューアイルランドの貝貨幣とトロブリアンドのクラの財宝（ビーズ製首飾り）とを比較したのち、ソロモン諸島のビーズ製貝貨について紹介する。同時に、貝ビーズの現状とその変化にも言及する。

第Ⅳ部では、現代の地球で、様々な素材と色と形のビーズが利用されてきたことを通して、地域文化の持続と変容の実態を明らかにする。

アフリカのなかでもマサイやサンブルは、ガラスビーズの装身具を身につけていることで知られる。しかしながら、その文化伝統は古いものではない。第一四章（中村香子）では、ケニア牧畜民サンブルのビーズ装飾を事例にして、ビーズと社会や文化との関係を歴史的に展望する。チェコのボヘミア産のガラスビーズがどのようにして社会に導入されたのかにも言及する。

世界のなかで台湾ほどビーズ素材の多様性が維持されているところは多くない。第一五章（野林厚志）では、台湾で貝やガラス、動物の牙、虫の頭までがビーズに利用されてきたことを示すと同時に、近年、原住民族のなかからビーズアーティストが誕生している点に注目する。

アイヌの女性の多くは、ガラス製の玉からなる首飾りをもっていた。それは、クマ祭りの儀礼の際に身につけるなど、非日常の暮らしに関わっている。第一六章（齋藤玲子）では、現在におけるアイヌの首飾り（タマサイ）

の文化を紹介する。

タイ東北部には、焼物作りで知られる村がある。近年そこでは、焼物作りの知識を使ってビーズのネックレスなどの装飾品を生産する人々がいる。第一七章（中村真里絵）では、流通も視野に入れて、土製ネックレスが生まれた背景に迫る。

戦後の日本では、真珠の首飾りやビーズバッグが広がったが、近年では新たな形が見られる。それは、鑑賞用ビーズである。第一八章（池谷和信）では、ビーズ織りやワイアーアートなど、アートとしてのビーズの全体を展望する。また、ガラスビーズの輸出国・日本の現状を紹介する。

以上のように本書は、古今東西におけるビーズと社会との多様な関わり方を示すことから私たち人類の歴史を展望している。つまり本書は、人類の自然との関わり、交易と経済、社会のなかの美意識の多様性などの観点から、新しいホモ・サピエンス史を構築することにつながっている。

参照文献

池谷和信　二〇〇一『世界のビーズ』千里文化財団。

池谷和信　二〇〇二『国家のなかでの狩猟採集民――カラハリ・サンにおける生業活動の歴史民族誌』国立民族学博物館研究叢書四、国立民族学博物館。

池谷和信　二〇一八「タカラガイの道――貝に刻まれた人類史」『国立民族学博物館コレクション　貝の道』神奈川県立近代美術館、四一―四五頁。

池谷和信編　二〇一七ａ『狩猟採集民からみた地球環境史――自然・隣人・文明との共生』東京大学出版会。

池谷和信編　二〇一七ｂ『ビーズ――つなぐ　かざる　みせる』国立民族学博物館。

伊藤俊太郎　二〇〇二『文明と自然――対立から統合へ』刀水書房。

大坪志子　二〇一五『縄文玉文化の研究――九州ブランドから縄文文化の多様性を探る』雄山閣。
川崎保　二〇一八『「縄文玉製品」の起源の研究』雄山閣。
河村好光　二〇一〇『倭の玉器――玉つくりと倭国の時代』青木書店。
クラブトゥリー、C／P・スタールブラス　二〇〇三『世界のビーズ文化図鑑――民族が織りなす模様と色の魔術』福井正子訳、東洋書林。
クリガン＝リード、V　二〇一八『サピエンス異変――新たな時代「人新世」の衝撃』水谷淳・鍛原多恵子訳、飛鳥新社。
古代歴史文化協議会編　二〇一八『玉――古代を彩る至宝』ハーベスト出版。
後藤明　二〇一七『世界神話学入門』講談社。
杉山寿栄男　一九三六（一九九一復刻）『アイヌたま』北海道出版企画センター。
谷一尚・工藤吉郎　一九九九『世界のとんぼ玉』里文出版。
チャイルド、G　一九五一『文明の起源』上、禰津正志訳、岩波書店。
似内惠子　二〇一四『和のビーズと鑑賞知識――ビーズバッグの意匠、制作技術、由来から着物との取り合わせまで』誠文堂新光社。
ハラリ、Y・N　二〇一六a『サピエンス全史――文明の構造と人類の幸福』上、柴田裕之訳、河出書房新社。
ハラリ、Y・N　二〇一六b『サピエンス全史――文明の構造と人類の幸福』下、柴田裕之訳、河出書房新社。
ベルウッド、P　二〇〇八『農耕の起源の人類史』長田俊樹・佐藤洋一郎監訳、京都大学学術出版会。
星野克美　二〇〇九『地球環境文明論――文明革命のために』ダイヤモンド社。
由水常雄　一九八〇『トンボ玉』平凡社。
Dubin, L. S. 1987. *The History of Beads*. Thames and Hudson.
Francis, P. 1994. *Beads of the World*. Schiffer Publishing.
McBrearty, S. and A. Brooks 2000. The revolution that wasn't: A new interpretation of the origin of modern human behavior. *J Hum Evol*. 39(5): 453-563.
Morris, J. 1994. *Speaking with Beads*. Thamas and Hudson.

Ⅰ　ビーズの誕生とその展開

第1章 人類最古のビーズ利用とホモ・サピエンス

世界各地の発見から

門脇誠二

1 人類はいつ頃からビーズを使うようになったのか?

ホモ・サピエンスに特有な行動や文化はあるのか? あるとすればそれは何か? という問いが、現在の考古学や古人類学では大きな研究テーマの一つになっている。その研究手法として、考古学では、ホモ・サピエンスがアフリカで出現し、その後ユーラシアなどに分布拡大した時期に残された遺跡の記録が用いられている。ホモ・サピエンスがアフリカで出現し始めた約二〇万~三〇万年前から、その後ユーラシアやオセアニアへの拡散が顕著になった約四万~五万年前までの間、ネアンデルタール人やデニソワ人、フローレス人などといった、いわゆる旧人・原人がまだ存在していた。

そのなかでもネアンデルタール人の考古記録が豊富であるため、彼らとホモ・サピエンスの間で行動や文化がどのように違ったのか、そしてその違いが要因となってネアンデルタール人が消滅したのか、という課題が関心を集め、国内外で多くの研究が行われてきた（西秋二〇一五、門脇二〇一六、二〇二〇など）。

これらの研究において鍵となる記録の一つがビーズである。というのも、ホモ・サピエンスの出現から広域拡散までの過程で、ビーズがまだなかった段階から、出現、普及までの変化が認められるからである。このプロセスを示す考古記録を参照しながら、本章ではまずビーズの発生から定着までの過程について述べる。そして、この最初期のビーズはどのように、そして何のために使われていたのか、という問題について考察する。

最古級のビーズと考えられる遺物は、穴のあいた貝殻とダチョウの卵殻がほとんどである（図1－1、口絵1）。貝殻の穴は、浸食や捕食によって自然に開いたものを選ぶ場合もあるが、骨製の錐のような道具で人為的にあけられたものもある。いずれにしても、貝殻の穴には紐と擦れた痕が残されているものが多い。また、貝殻には赤や黄色の顔料が付着している例もある。ダチョウの卵殻製のビーズは、卵殻の穿孔（せんこう）と整形によって作られている。

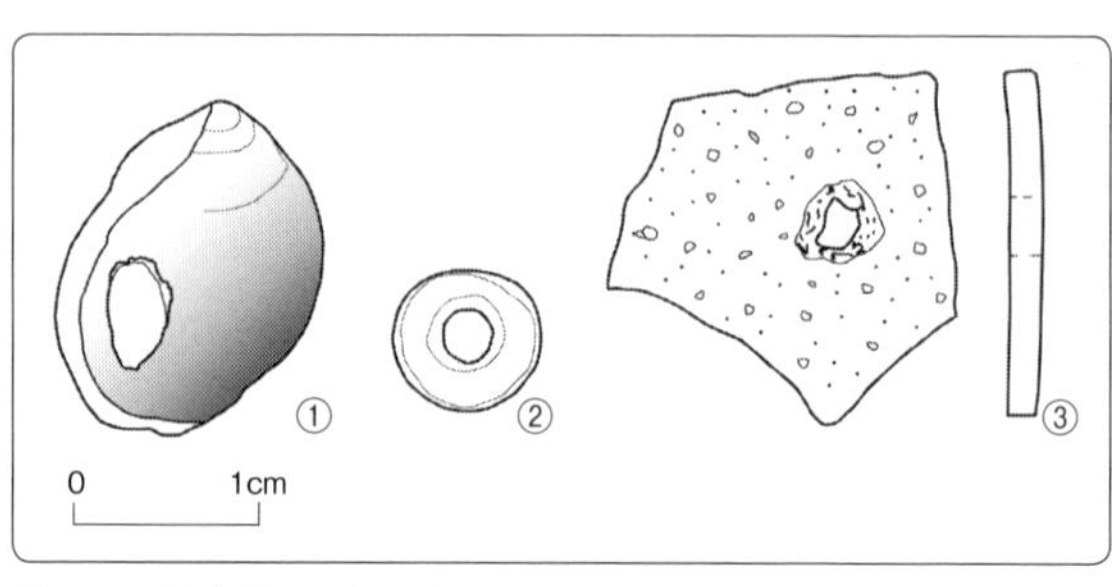

図1-1　最古級のビーズ
①海産の貝殻ビーズ（ムシロガイ類のカゴ形）
②ダチョウの卵殻ビーズ
③ダチョウの卵殻ビーズの未製品
出所）Henshilwood et al. 2004: 404; d'Errico et al. 2012: 13217; Ambrose 1998: 384掲載の写真・図をトレース。

こうした最古級のビーズ資料の時間的および地理的な出現パターンを見ると、ビーズの始まりは、一二万年前から四万五千年前までの発生期と、その後の四万五千年前以降の定着期の大きく二段階に分けられる。

2　ビーズの発生――一二万年前以降

人類最古の貝殻ビーズ

最古級のビーズと考えられる資料のなかでも先に出現したのは貝殻ビーズで、その年代は一二万年前近くに遡る。レヴァント地方（地中海東部沿岸地方）のスフール洞窟から二点の巻貝、そしてイベリア半島南部のアヴィオネス洞窟から三点の二枚貝が報告されている（Vanhaeren et al. 2006; Zilhão et al. 2010）。スフール洞窟からはホモ・サピエンスの埋葬も発見されており、ビーズはこの埋葬と同じ地点から発見された。副葬品だったかどうかは不明であるが、少なくともホモ・サピエンスによって利用された可能性が高い。もう一方のアヴィオネス洞窟であるが、当時のヨーロッパの遺跡に伴う人骨はネアンデルタール人のみなので、彼らによるビーズ利用とされている。このように、人類最古のビーズ資料は、ホモ・サピエンスとネアンデルタール人の両方に見られる。

アフリカでのビーズ発生

これらに続く七万～一〇万年前の時期はアフリカでのビーズ発生が顕著である。北アフリカと南アフリカの八つの遺跡から貝殻ビーズが見つかっている（詳細は門脇 二〇一四を参照）。北アフリカで見つかっている貝殻ビーズはすべてムシロガイ類製である。南アフリカのブロンボス洞窟でもムシロガイ類の貝殻を素材にしたビーズが七〇点ほど見つかっており、そのうち二四点は一ヵ所からまとまって見つかっている。二四点の貝殻が紐に通されて使われていたとすると、一〇cm以上の長さになる。

アフリカではホモ・サピエンスが二〇万年前までには出現したことを示す化石記録がある。アフリカに近いレヴァント地方のカフゼー遺跡（九万〜九万五千年前）でも一〇体以上のホモ・サピエンスの埋葬が見つかっており、同じ遺跡から貝殻ビーズも発見されている（Bar-Yosef Mayer et al. 2009）。

ダチョウ卵殻ビーズの出現

こうしたビーズ発生の記録は、続く四万五千〜七万年前の時期は希薄である。それ以前の時期にはビーズがあるアフリカの北部や南部、レヴァント地方においても、この時期のビーズは今のところ見つかっていない。その一方、アフリカ東部においては、この時期のビーズの発見が増え始めている。パンガ・ヤ・サイディ洞窟において、六万五千年前くらいの層からイモガイ類の螺塔（らとう）部分のビーズが発見された（Shipton et al. 2018）。また、ムンバ岩陰からは、ダチョウの卵殻製ビーズ三点が発見されており（McBrearty and Brooks 2000）、その文化層は四万九千年前と報告されている。現在のところ、これが最古のダチョウ卵殻製ビーズといえる。東アフリカでは、一五万〜二〇万年前の最古級のホモ・サピエンスの人骨が発見されており、この時期のビーズの担い手もホモ・サピエンスであったと広く認められている。

3　ビーズ利用の定着――四万五千年前以降

四万五千年前以降になるとビーズの利用が定着し、ビーズが見つかる遺跡が増えるとともに、一つの遺跡から見つかる数が増加する。また、ビーズ発生の中心地だったアフリカやレヴァント、ヨーロッパ以外の地域からもビーズが見つかるようになる。

レヴァントとアフリカでのビーズ普及

レヴァント地方のクサール・アキル岩陰とウチュアズル洞窟では、四万~四万五千年前の文化層から、それぞれ八〇〇点以上、一千点以上の貝殻製ビーズが報告されている。そのうちのほとんどが海産の貝殻である。巻貝が主体だが、二枚貝もある。クサール・アキル岩陰ではホモ・サピエンスの人骨が見つかっている。

アフリカの東部では、エンカプネ・ヤ・ムト岩陰からダチョウの卵殻製ビーズ一三点が報告されている。それと一緒に、ビーズ未成品一二点（穿孔や研磨の作業中に壊れたもの）、およびダチョウ卵殻片五九三点が発見されており、この遺跡でビーズが製作されていたと思われる（Ambrose 1998: 388）。同じくアフリカ東部で、より海岸に近いパンガ・ヤ・サイディ洞窟では、約三万三千年前の層からイモガイの螺塔部分のビーズ一三点が報告されている。

ヨーロッパにおけるビーズ文化の開花

以上のように、レヴァントとアフリカにおいてビーズを頻繁に用いるようになったのはホモ・サピエンスと考えられている。この時期、ヨーロッパでもビーズの発見例が増加するが、その担い手としてはホモ・サピエンスの他にネアンデルタール人も含まれる可能性がある。その例として、イベリア半島南部のアントン洞窟から、穴のあいたホタテガイの貝殻に顔料が付着した例が報告されている（Zilhão et al. 2010）。

また、ヨーロッパではネアンデルタール人は約四万年前に消滅したと考えられているが、彼らが消滅する前の四万四千年前からの数千年の間、西ヨーロッパの一部の地域においてシャテルペロニアンという文化があった。シャテルペロニアンの四遺跡ほどにおいてビーズなどの装飾品が見つかっているが（Rossano 2015）、そのうちレーヌ洞窟から一遺跡あたり最多の三六点が報告されている。動物の歯の歯根部に穴をあけたビーズが多い。用いられた動物は、キツネ、オオカミ、クマ、ハイエナ、アカシカ、ウシ、ウマ、マーモット、トナカイと多様である。象牙製のビーズも報告されている。さらに、ベレムナイトやウミユリの化石も遺跡に持ち込まれてビーズとして用いられた可能性が指摘されている。

シャテルペロニアンに続いて出現するプロト・オーリナシアン文化では、レヴァント地方のように多数のビーズが発見される例がある。イベリア半島南部のフマネ洞窟からは八〇〇点以上、イタリア北西部海岸のリパロ・モッチ遺跡からは五〇〇点以上、フランス南部のロスチャイルド岩陰からは四〇〇点以上のビーズが報告されている。ほとんどが海産の貝殻製であるが、骨や歯、石製のビーズも若干見つかっている。この文化の遺跡にはホモ・サピエンスの歯が見つかった例があり、ちょうどネアンデルタール人が消滅した頃にホモ・サピエンスが有していた文化と理解されている。

この次にはオーリナシアンという文化がヨーロッパで広く分布するようになり、ビーズだけでなく、彫像や楽器、洞窟壁画など様々な芸術品が創出されたことで有名である。これまで主体的だった貝殻製ビーズも継続するが、歯や角、骨、象牙、石など、素材の種類が増加するとともに、形態も多様化した。当時、ヨーロッパからレヴァント地方にかけて、地域ごとに特徴的なビーズ文化圏のようなものが形成されたともいわれている（Vanhaeren and d'Errico 2006）。

アジアとオセアニアにおけるビーズの出現

以上のように、ビーズが早くから出現したアフリカやレヴァント、ヨーロッパでは、四万～四万五千年前頃の間にビーズ利用が普及し定着したと考えられるが、それと同時期か遅れて、アジア各地でもビーズが出現するようになる。

そのなかでも記録が増加しているのが北アジア地域で、南シベリア、ザバイカル、モンゴル、中国北西部のあたりに相当する。この一帯では、上部旧石器初期と呼ばれる文化に属する遺跡からダチョウの卵殻製のビーズが報告されている（Zwyns et al. 2012など）。一遺跡あたりのビーズ発見数は一〇点以下がほとんどであるが、三万年前くらいまでになると、中国北西部の水洞溝遺跡ではいくつかの地点からあわせて九三点が見つかっている（Wei et al. 2017など）。シベリアで四万五千年前のホモ・サピエンスの人骨が発見されているので、それ以降に北アジアで出現したビーズの担い手はホモ・サピエンスだったと考えられている。また、北京近郊の周口店上洞部では、三万四千～三万五千年前のホモ・サピエンスの人骨に伴って、海産の貝殻（三点）や石（七点）、動物の歯（一二五点）を素材にしたビーズが見つかっており、そのいくつかは着色されていた。

ダチョウの卵殻製ビーズは、インドの中・南部やスリランカでも四万年前以降になって出現したことが知られており（野口 二〇一三）、そこではホモ・サピエンスの人骨も見つかっている。東南アジアでは、ベトナム北部の二万年前頃の遺跡から穿孔された歯が見つかっており、ペンダントと解釈されている。

一方、より古い年代のビーズの記録がオセアニア地域で増加し始めている。東ティモールではオウムガイの貝殻を成形・穿孔したものが四万年前頃、マクラガイ製のビーズが三万七千年前頃まで遡るといわれている。貝殻以外の素材としては、スラウェシ島南部において三万年ほど前の遺跡からバビルサ（イノシシの仲間）の歯を輪切りにしたものが二点発見されている。その中央部には歯髄の穴があるので、ビーズの素材だったのではないかといわれている（Brumm et al. 2017）。また、クロクスクスという動物の指骨に穴があけられたものがペンダントと解釈されている。これらの歯や骨が利用された遺跡は、居住当時は海岸から六〇km離れていたと推定されている。オーストラリアではツノガイやイモガイ製のビーズが三万〜四万年前頃に出現したと報告されている。

日本列島における最古のビーズは二万〜三万年前の間で、北海道の湯の里四遺跡、美利河Ⅰ遺跡、柏台一遺跡から、琥珀やかんらん岩製のビーズが見つかっている（仲田 二〇一八）。このうち湯の里四遺跡のビーズは墓と考えられる土壙から発見された。この他、穴があけられたペンダントや垂飾りのような石製品が、静岡県富士石遺跡や岩手県柏山館遺跡などから見つかっている。有機物の保存が良好な沖縄のサキタリ洞からは、ツノガイ類や二枚貝、巻貝のビーズなど合わせて一〇点ほどが、一万三千〜二万三千年前の地層から発見されている（Fujita et al. 2016）。サキタリ洞を含め、琉球諸島のいくつかの遺跡からは三万六千年前以降の年代のホモ・サピエンスの人骨が見つかっている。

4 最古級のビーズが示すホモ・サピエンスの社会

ビーズとホモ・サピエンスとの関わり

以上、人類社会における最古のビーズの出現からビーズの普及に至るまでの考古記録を見てきたが、その時間的な、あるいは地理的な分布はホモ・サピエンスの分布と深い関わりを示すといえよう。ネアンデルタール人によるビーズ利用を示す記録もあるが、ビーズ発生期（四万五千〜一二万年前）の記録は、アフリカやレヴァントなどのホモ・サピエンスの起源地一帯で明らかに多い。また、四万五千年前以降にヨーロッパでビーズが増加し、アジアでビーズが出現した事例についても、その時期までにヨーロッパやアジアにホモ・サピエンスが拡散していたことが人骨記録から分かっている。

したがって、ビーズを利用する行動は、ネアンデルタール人などに比べ、ホモ・サピエンス集団においてより頻繁に生じていたといえる。しかし、ネアンデルタール人はビーズの利用頻度は確かに低かったかもしれないが、かわりに鳥の羽根や猛禽類のかぎ爪を装飾品として利用していた。また最近、スペインの三つの洞窟壁画に対して六万五千年前という年代が報告され、この時期にヨーロッパにいたネアンデルタール人が描いたと主張されている（Hoffman et al. 2018）。したがって、ビーズの有無や多少のみによって認知能力の程度を査定することは難しいと思われる。

情報伝達メディアとしてのビーズ

ビーズの主な用途の一つは装飾であろう。とくに初期のビーズは紐で吊り下げられて人々の身を飾ったと思われる。貝殻の形や色が組み合わされた装身具から、当時の人々が美を感じていたとしても驚きではない。この初期の美術品から当時の人々や社会についてより深く理解することができるだろうか。そのアプローチとして、装飾品は何らかのメッセージ（情報）を周りの人々に発するという観点がある。つまり、情報発信のメディア（媒体）という機能がビーズにあったという考えである。この考えのもと、相互コミュニケーションのために他の動物も行うシグナル伝達行動の一種としてビーズを説明する研究がある（Kuhn 2014; Rossano 2015; 仲田 二〇一八）。

こうしたシグナルには、相手に対して頭を下げたり、あるいは体の見た目がわずかに変わる「低コスト」のレベルから、自分の身を危険にさらしたり、必要以上の装飾を身にまとう「高コスト」のレベルまで、変異があることが行動生態学から知られている。「低コストのシグナル」は、情報の発信者と受信者の利害が一致しやすく協力関係が促進される状況において定着しやすいという（Kuhn 2014）。一方、「高コストのシグナル」は、情報の発信者と受信者の利害の一致が難しい状況（たとえば捕食・被食関係や競合関係）において、両者の衝突（対立の表面化）をできるだけ避ける効果があるといわれている。

ビーズ利用のコストと社会環境

問題は、こうしたビーズの効能が、その発生期から定着期にかけて、どれだけ人々に活用され変化してきたのか、ということである。この検討を通して、情報発信に投資されたコストの変遷が明らかになれば、コストが示唆する情報発信者と受信者の関係を推察することができるからである。

明らかに高いコストがかけられたビーズ利用は、ヨーロッパから西ロシアに分布したグラヴェティアンという文化（二万数千〜三万数千年前）における副葬品に認められる。そのなかでも最も顕著な例がロシア平原のスンギール遺跡における二つの墓の副葬品で、マンモスの牙製のビーズが合計一万点以上含まれていた。その製作労力は、のべ二五〇〇時間（一〇人が一日六時間作業したとして四二日間）と見積もられている。

それに比べると、本章で見たビーズ発生期から定着期における例のほとんどは、ビーズの数量やコストが低い。しかし、ビーズを利用すること自体、それ以前の顔料による身体装飾に追加されたコストである。また、ビーズの定着期（四万五千年前以降）では、ヨーロッパやレヴァント地方において数百点以上のビーズが見つかる例や、動物の歯牙や石製のビーズも増加し始める。

カゴ形ビーズが示す広域社会ネットワーク

ビーズ利用のコストが上昇し始めた頃の社会環境については、具体的な研究がある（Stiner 2014）。ヨーロッパ南部とレヴァント地方におけるビーズの定着期は（約四万～四万五千年前）、ビーズの出土遺跡が増えただけでなく、一遺跡あたりのビーズが数百点以上の例も出現した。また、それ以前の貝殻ビーズに加えて、歯牙や骨、石製のビーズも加わった。しかし、こうしたビーズ利用の増加にもかかわらず、用いられた多数のビーズの形態やサイズは非常に類似していた。たとえば、貝殻ビーズの場合、カゴ形（basket-shape）で長さ一・五cm前後のサイズが主体である（図1－2）。地域ごとに貝の種類は異なっても、この形態とサイズの貝殻が用いられている。カゴ形の貝殻としてムシロガイ類など肉食性の巻貝が用いられているが、肉食貝は草食や雑食性の貝に比べて少ないので、人々がカゴ形の貝殻を選んで集めたと考えられる。またカゴ形ビーズは、歯や骨、象牙、石からも作り出されている。

ビーズは複数をつなぎ組み合わせて多様なシグナルを創出する情報伝達メディアだったとすると、その基本要素としてビーズの形態は均質性が求められたと思われる。ただ、ビーズが用いられる範囲内で形態が均質であれば、異なる集団の間でビーズの形態が違っていてもよい。実際レヴァント地方では、二万年前以降にカゴ形よりもツノガイの棒形ビーズが増加する。したがって、「一・五cmほどのカゴ形」という特定のビーズ・フォーマットが、イベリア半島からレヴァントまで広域に共通していたという現象は特筆に値する。

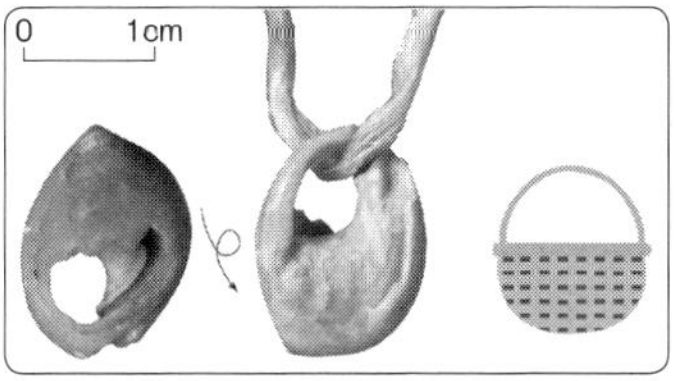

0　1cm

図1-2　カゴ形の貝殻ビーズ

出所）筆者作成。
注）4万年前頃の南ヨーロッパとレヴァントで流行した。巻貝にあけられた穴に紐を通し貝殻をぶら下げると、ひっくり返ってカゴのような形になる。

この現象は、近隣集団の間でビーズの交換などを通して築かれた社会ネットワークが広範囲に連続した結果と解釈されている（Stiner 2014）。このネットワークが民族誌の狩猟採集社会で見られるような互恵的な関係網だったとすると、それへの参加によって環境上社会上のリスクが分散されたと思われる。この利点を意識してビーズが用いられたのならば、そのコストが上昇したとしても、ビーズによる情報発信者と受信者の関係は、利害が調整された協力的なものだったといえよう。

ホモ・サピエンスとネアンデルタール人の社会ネットワーク

このようにヨーロッパとレヴァントでは、ビーズの定着期に広域の社会ネットワークが形成された可能性がある。当時の狩猟採集社会における広域ネットワークの存在は、古代DNA研究からも最近示された（Sikora et al. 2017）。先述したように、ロシア西部のスンギール遺跡では二つの墓に大量のビーズなどの副葬品が伴っていたが、そこに埋葬されていた四人（ホモ・サピエンス）は同じ居住集団だった可能性が高い。しかし、その人骨から抽出されたDNAが解析されたところ、お互いに三親等以上離れた血縁関係だったことが明らかにされ、近親交配の痕跡も認められなかった。つまり、スンギールの居住集団は外部との血縁関係をもつ人々から構成されており、婚姻関係が広かったと考えられる。この結果は、ロシアとクロアチアで発見されたネアンデルタール人の人骨のDNA分析が、低い遺伝的多様性と小さな集団サイズを示した結果と対照的である（Prüfer et al. 2017）。

本章では、人類社会におけるビーズの発生と定着を示す考古記録を紹介した。貝殻を繋ぎ、（時には）色を塗って作られた当時のビーズも、現在と同じように美しさを示す装飾品だったと思われる。その利用の始まりにおいてはホモ・サピエンスとネアンデルタールの間で大きな違いはなかったかもしれない。違いが生じたのは、その後のビーズ定着期の段階である。ホモ・サピエンス社会では貝殻ビーズを大量生産し、おそらく集団間で交換する行為が増加した。こうした行為が、広い社会ネットワークの形成に繋がった可能性がある。個人的な装飾品としてのビーズ利用に止まらず、ビーズを社会交流の道具にも使った点がホモ・サピエンス社会の特徴かもしれない。

参照文献

門脇誠二　二〇一四「初期ホモ・サピエンスの学習行動――アフリカと西アジアの考古記録に基づく考察」西秋良宏編『ホモ・サピエンスと旧人二――考古学から見た学習』六一書房、三―一八頁。

門脇誠二　二〇一六「揺らぐ初期ホモ・サピエンス像――出アフリカ前後のアフリカと西アジアの考古記録から」『現代思想』五月号、一一二―一二六頁。

門脇誠二　二〇二〇「現生人類の出アフリカと西アジアでの出来事」西秋良宏編『アフリカからアジアへ――現生人類はどう拡散したか』朝日新聞出版、七―五二頁。

仲田大人　二〇一八「ハンディキャップ理論と装身具」西秋良宏編『アジアにおけるホモ・サピエンス定着プロセスの地理的編年的枠組み構築』「パレオアジア」A01班二〇一七年度研究報告、六二―六八頁。

西秋良宏編　二〇一五『ホモ・サピエンスと旧人三――ヒトと文化の交代劇』六一書房。

野口淳　二〇一三「現代人は、いつ、どのようにして世界へ広がっていったのか――出アフリカ・南回りルートの探求」『古代文化』六五（三）、一一七―一二九頁。

Ambrose, S. H. 1998. Chronology and the Later Stone Age and Food Production in East Africa. *Journal of Archaeological Science* 25: 377-392.

Bar-Yosef, Mayer, et al. 2009. Shells and Ochre in Middle Paleolithic Qafzeh Cave, Israel: Indications for Modern Behavior. *Journal of Human Evolution* 56: 307-314.

Brumm, A., et al. 2017. Early Human Symbolic Behavior in the Late Pleistocene of Wallacea. *PNAS* 114(16): 4105-4110.

d'Errico, F., et al. 2012. Early Evidence of San Material Culture Represented by Organic Artifacts from Border Cave, South Africa. *PNAS* 109(33): 13214-13219.

Fujita, M., et al. 2016. Advanced Maritime Adaptation in the Western Pacific Coastal Region Extends Back to 35,000-30,000

Years before Present. *PNAS* 113(40): 11184-11189.

Henshilwood, C., et al. 2004 Middle Stone Age Shell Beads from South Africa. *Science* 304: 404.

Hoffman, D. L., et al. 2018. Symbolic Use of Marine Shells and Mineral Pigments by Iberian Neandertals 115,000 Years Ago. *Science Advances* 4: eaar5255.

Kuhn, S. 2014. Signaling Theory and Technologies of Communication in the Paleolithic. *Biological Theory* 9(1): 42-50.

McBrearty, S. and A. S. Brooks 2000. The Revolution that Wasn't: A New Interpretation of the Origin of Modern Human Behavior. *Journal of Human Evolution* 39: 453-563.

Prüfer, K., et al. 2017. A High-Coverage Neandertal Genome from Vindija Cave in Croatia. *Science* 358: 655-658.

Rossano M. J. 2015. The Evolutionary Emergence of Costly Rituals. *Paleo Anthropology* 2015: 78-100.

Shipton, C., et al. 2018. 78,000-Year-Old Record of Middle and Later Stone Age Innovation in an East African Tropical Forest. *Nature Communications* 9(1): 1832.

Sikora, M., et al. 2017. Ancient Genomes Show Social and Reproductive Behavior of Early Upper Paleolithic Foragers. *Science* 358: 659-662.

Stiner, M. C. 2014. Finding a Common Bandwidth: Causes of Convergence and Diversity in Paleolithic Beads. *Biological Theory* 9(1): 51-64.

Vanhaeren M. and F. d'Errico 2006. Aurignacian Ethno-Linguistic Geography of Europe Revealed by Personal Ornaments. *Journal of Archaeological Science* 33: 1105-1128.

Vanhaeren, M., et al. 2006. Middle Paleolithic Shell Beads in Israel and Algeria. *Science* 312: 1785-1788.

Wei, Y., et al. 2017. A Technological and Morphological Study of Late Paleolithic Ostrich Eggshell Beads from Shuidonggou, North China. *Journal of Archaeological Science* 85: 83-104.

Zilhão, J., et al. 2010. Symbolic Use of Marine Shells and Mineral Pigments by Iberian Neandertals. *PNAS* 107(3): 1023-1028.

Zwyns, N., et al. 2012. Burin-Core Technology and Laminar Reduction Sequences in the Initial Upper Paleolithic from Kara-Bom(Gorny-Altai, Siberia). *Quaternary International* 259: 33-47.

第2章 新石器時代のストーンビーズ

狩猟採集・初期農耕時代の東アジア

河村好光

1 新石器時代人と装い

今から一万数千年前を境に、寒冷な気候が緩み、海水位、地表の動植物相が現在の自然界に近づいてきた。ユーラシア大陸に拡散したホモ・サピエンス（初期人類）は、定着した生活を営み始める。新石器時代は、以前の旧石器時代と区別され、この頃以降から金属器が使われるまでの期間をいう。磨製石器をはじめ改良された道具、煮炊きや食料保存のための土器、家屋建築の技術など、それぞれの土地で定着した生活を続けるための諸条件が整った時代ということができる。

本章でいう東アジアは、中国大陸およびその周辺地域に沿海地方、朝鮮半島、日本列島を加えた地域を指す。素材や製作技術に着目して、新石器時代人が製作し、身体装飾に用いたストーンビーズについて概述したい。

定着生活の始まり

中国大陸では、長江下流域のイネの栽培が七千年前に遡ることが分かってきた。ただ、農耕や牧畜が発生する条件がそろった地域は限られていた。野生種の穀物類が群生している、家畜化しやすい動物が周りに存在している、といった条件がそろったところで、原初的な管理栽培、飼いならしが始まったと考えられている。中国東北部や朝鮮半島における農耕の実相についてはまだ検討課題が多く、また、イヌを飼うが、それ以外の家畜の飼育は定かではない。この時代の日本列島は、縄文文化の時代であり、マメ類などの栽培が指摘されているものの、狩猟採集、漁撈が主な生業で、稲作はまだ伝わっていない。

以上から、東アジア新石器時代を全体として見ると、人口に比して豊かな自然界の恵みを享受した狩猟採集を基盤とし、農耕経済と家畜飼育が徐々に広がっていく時代ということができる。

新石器時代のビーズ文化

だが、美しく装うことに境界はなかった。狩猟採集民であれ農耕民、牧畜民であれ、新石器時代人は、後述するように、生業の違いにかかわらず、さかんにビーズを作り身につけていた。この現象は、彼らが共通に旧石器時代初期人類のDNAを受け継いでいることを物語っている。

モスクワ近郊のスンギール遺跡で、二万八千年前と見られる、夥しいビーズを身につけて埋葬された老年男性の墓が発見された（春成 一九九七）。頭から足先まで、帽子と上着、ズボン、ブーツにビーズが飾られ、マンモス牙製ビーズ三五〇〇個以上、北極キツネの犬歯牙ビーズ二〇個、マンモス牙製腕輪二〇個を数え、ほかに石で作った胸飾り一個があった。子どもの埋葬も発掘されたが、同様に帽子にマンモス牙のビーズが多数縫いつけてあった。

このように旧石器時代の初期人類は、すでに、仕留めた獲物の牙や角・骨、石のかけらでビーズを製作していた。海浜地帯では採集した貝殻を使い、また、ほとんど遺っていないが、木の実や草木でもアクセサリーを作り、身体を飾っていたことも推測したい。

では、新石器時代のビーズ文化のどこに、違いが認められるのだろうか。自然界に素材を求めることに変わりはないが、石器を作る石材とは別に、身体装飾のための石を選び始めたことを指摘したい。壊れたり朽ちたりしない、色が美しい、均質である、表面を滑らかにできる、意図した形を作り出せるといったクオリティが認識されたことによる。

はじめストーンビーズは、柔らかい手触りがあり、磨くと艶が出て加工しやすい蝋石や凍石などの素材が好まれた。やがて中国黄河流域のトルコ石、長江流域のネフライト、中国東北地方から朝鮮半島に広がる天河石、日本列島のヒスイ（翡翠）、インダスのカーネリアン（紅玉髄（こうぎょくずい））、アフガニスタンのラピスラズリなど、産地は限られるが、色鮮やかな石材も用いられるようになった（秦・中村 二〇一八、黄 二〇一三など）。現代の誕生石に数えられる貴石材も少なからずあり、新石器時代のストーンビーズは現在に継承されている。

なぜ、ビーズを身につけるのか

ビーズをはじめとするアクセサリーは何を象徴するのであろうか、次の四つがあげられる（松本 二〇一六）。まず、集団への帰属や、集団内での自身の位置づけ、社会的威信などを示す社会的機能。次に、装身具の美しさによって自らの魅力を増す美的機能。第三に、希少で経済的価値が高いものを身につけることで経済的卓越を示す経済的機能。第四に、運気や健康に対する影響力を期待する呪術的機能である。

新石器時代のアクセサリーについても、これら四つの機能の視点から分析することができる。一例をあげよう。社会的威信を強調して表現する場合、部材が大振りである、素材に希少価値がある、形が複雑で大きい、製作に労力と日数を要するといった条件が重要である。こうした社会的機能は、金銀・宝石、超絶技巧を駆使した王冠や胸飾りに受け継がれ、強大な権能、出自、身分の区別を表現するものに進む。新石器時代のアクセサリー作りが支配者の威信を高揚させる装飾具を生み出したことは否定しがたい。

ただしビーズは本来、多数をつなぐことで機能を発揮し、それによって全体の形を作るものである。特別なものでなければ、粒一つはあまり高価ではない。思いのほか、たやすく多量に入手できるという要素も重要である。文明の時代に移行しても一方でガラスビーズが普及することは、この点と関係している。ビーズ文化は、人たちを横に結ぶ身体装飾ということができる。

2 東アジアのストーンアクセサリー

ストーンアクセサリーの装い

新石器時代のアクセサリーは、貝、石、牙や骨、草木など様々の素材が用いられている。石で作られたアクセサリーをストーンアクセサリーと呼ぶことにしよう。東アジアを俯瞰すると、ビーズのほかに円環形耳飾りやペンダント類がある。これらは同じ石材を用いることが多く、表面を磨き、穴を穿つという共通点があり、ビーズと一緒にこれらが製作されていたことが少なくないことも分かっている。この三種類の組み合わせが東アジアの広い意味でのストーンアクセサリー文化を構成している。

ビーズは、身につける際に違和感がなく心地いいことが求められた。そのため多くは、管形や丸形、円盤状など、紐に対して左右上下が対象で回転しやすい形をしている。外から紐が見えないよう数多く連ねる必要があり、形が規格化され、大量に生産される傾向が指摘できる。はじめは同じ石のビーズだけを連ねていたが、文明社会に近づく頃になると、意図して異なる石を組み合わせて装うようにもなった。

中国大陸に最初に現れる耳飾りは、切れ目のある円環形をなしている（鄧　二〇〇四）。中国ではこの円環形耳飾りを「玦（けつ）」と表現し、同じものを日本で「玦状耳飾り」という。切れ目から耳たぶに開けた穴に通すもので、ピアスの原形にあたる。西アジアや南アジアでは出現が遅れる。折れた場合、両側に小孔を穿ち、紐で結んで再使用するが、ペンダントなどに転用することもあった。

平らな形をなし、通常一ヵ所に紐穴があるものをペンダント類とする。ビーズの組み合わせに挟んで垂れ下げる用法もあろうが、身体に直接つけるのではなく、衣服に取りつけ、ボタンのような使用法も考えられる。

生業の違いを超えた分布

三種類のストーンアクセサリーが出現するのは、現在分かっている限りでいうと、八千年前から七千年前にかけての新石器時代前期である。長江流域から黄河流域、中国東北部から沿海地方、朝鮮半島・日本列島までの広大な範囲の遺跡から出土している。多くは埋葬遺跡であるが、集落跡から製作途中で廃棄された状態で見つかることもある。

中国内モンゴル自治区の興隆窪（こうりゅうわ）遺跡は、このうち最も古く、八千年前とされる。住居跡と墓地が発掘され、管形ビーズ、円環形耳飾り、縦長ヘラ状ペンダントなど、多数のストーンアクセサリーが埋葬跡から出土した。生前に身につけたものを副葬したのであろう。同類のアクセサリーは、中国東北部に点在し、一千㎞北上したロシア沿海地方のチョルダヴィ・ヴァロタ洞穴に及んでいる。

日本列島には、あまり時間をおかず、七千年前の縄文時代早期末に現れる（口絵2）。福井県あわら市桑野遺跡で多数の円環形耳飾りや縦長ヘラ状ペンダント（口絵2の左上）、数は少ないが管形ビーズが出土している。縄文前期始めの富山県極楽寺遺跡でこれらストーンアクセサリーの製作が確かめられている。日本海を渡るか、あるいは朝鮮半島を経由するか、いずれにせよ大陸のストーンアクセサリー文化が波及したことが分かる。

中国長江下流域は、中国で最も早く文明が発生した地域の一つである。その河口地帯に、浙江省河姆渡（かぼと）遺跡や田螺山（でんらさん）遺跡をはじめ、新石器時代前期の大遺跡が形成されている。採集、漁撈、狩猟といった生業に加え、野生種のイネを改良した稲作が行われていた。ここでも七千年前にはストーンアクセサリーが製作されている。ペンダント類の形に違いがあるが、管形ビーズ、円環形耳飾りは共通している。

これら東アジアのストーンアクセサリー文化は、いつ、どこで成立したのだろう。石を選び、ビーズや耳飾り、ペンダントを製作するというアイデアは、どこかで発生したに違いない。鄧聰（タン・チュン）によると、八千年前に中国東北地方で成立し、北東と南に一元的に伝播したという（鄧 二〇〇四）。ただし、これらのストーンアクセサリーの分布は、南北、東西とも二五〇〇㎞の広範囲に及ぶ。農耕民や狩猟民といった生業をストーンアクセサリーの違いで見分けることも難しい。

一つの仮説であるが、すでに旧石器時代に類するアクセサリーが存在しており、途切れずに身体装飾の文化が広く継承されていた証と見ることもできる。旧石器時代のビーズやペンダントは各地で出土例があるが、円環形耳飾りはまだ発見されていない。とはいえ、耳たぶに穴をあけて挿入することから体から離れずかつ目に付きやすい。意外ではあるが、身体装飾として確実性が高い。骨や角・牙、あるいは有機材を使った耳飾りが少し前に始まっていた可能性も考えたい。

どんな方法で穴をあけたのか

浙江省田螺山遺跡は長江下流の湿地帯微高地に形成された遺跡で、土器・骨角器のほか木器や編み物、植物種実などが良好な状態で多量に出土している（孫 二〇一〇）。写真2－1は、蛍石製ストーンアクセサリーの製作途中のものである。ほかに滑石や蝋石など、同様に加工しやすい石を用いてストーンアクセサリーを製作している。写真2－1上の中央にある円盤状の二点は、円環形耳飾りの未完成品である。その下が樽状の膨らみがある管形ビーズで、中央部径二cmを超える太いものが多い。耳飾りは扁平、ビーズは縦長であるが、両者とも上下の面が平行になるよう丁寧に研磨し、中央部を貫通するよう両面から穿孔（せんこう）している。平らな面に板を固定し、ブレがないよう当たりをつけて穿孔を開始したと見られる。製作方法や石材選択に違いはなく、質感が共通する両者でトータルファッションを構成する。

長さ五cmを超える管形ビーズがあることに注目したい（写真2－1下）。管形ストーンビーズは、新石器時代に出現する。細長い中空の骨ビーズが祖形と考えられるが、先のスンギール遺跡の牙製ビーズがみな厚さ数mmの扁平品であるように、その形を石に写すためには、まっすぐ深く穿孔する技術が必要となる。

穴をあける作業はビーズに限らないが、ビーズの場合、壊さず大量に、細く長く穿孔することが求められる。これは、当時の最先端技術であった。

写真2－2のように、木製の軸の先端に小石器をはめ込んだ錐、あるいは骨角製軸の一方を尖らせた棒錐を弓で回転させたことが考えられる。棒錐上端を凹ませた石（カバーストーン）で押さえ、弓の弦を軸にひと巻きし、前後に引いて軸を回転させるのである。写真の実験はビーズ穿孔に特定したものではないが、軸を固定し、垂直に穿孔できることからストーンビーズ製作に使用された方法と見てよい。時代は降るが、清王朝末期の玉工人を描いた「古人玉制図」でも各種の穿孔に弓が多用されている。

写真2-1　浙江省田螺山（でんらさん）遺跡の耳飾り（上）とビーズの未成品（下）（上は中村 2010：巻頭写真4、下は秦小麗提供）

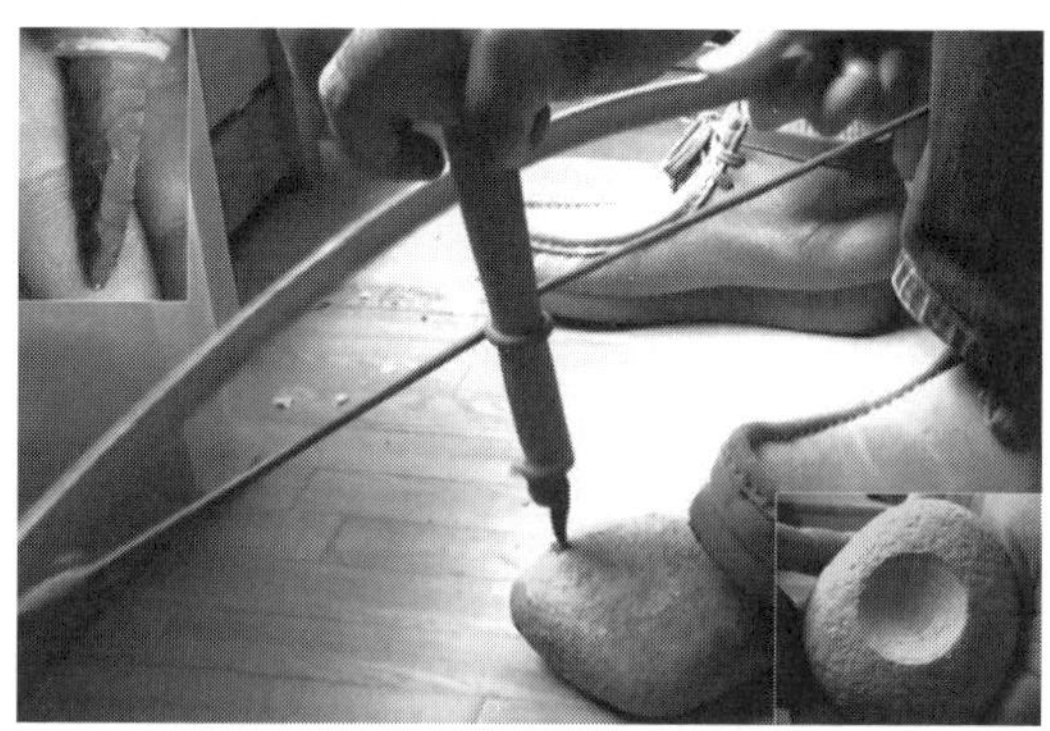

写真2-2　弓錐（ゆみきり）を使った穿孔実験（大場正善提供）

この技術は、エジプト新王朝時代の墳墓壁画に弓式で穴をあける椅子職人が描かれているように、ユーラシア大陸で広く利用されていたと推定できる。ビーズ作りが先か、木工が先か。管形ビーズが八千年前に現れることを見ると、前者も排除できない。

3　文明化と新式ビーズの登場

長江流域の玉文化

新石器時代後半期になると、大規模な土木工事と巨大建造物、豪奢な器物を副葬する墓地、多種多様な人々が生活する大居住地の形成など、中国大陸の各地で文明化への胎動がおこる。長江下流域に成立した良渚（りょうしょ）文化もその一つで、紀元前三三〇〇年から同二三〇〇年頃まで繁栄したことが確かめられている（中村 二〇一五）。

良渚文化で発達した器物に玉器がある。円柱ないし方柱の中央を縦に円く刳り貫き、表面に模様を刻んだものを玉琮（ぎょくそう）といい、円盤の中心を同じく刳り貫いたものが玉璧（ぎょくへき）である。王墓の副葬品として出土することが多いが、祭祀や儀式で用いられたと推定されている。中国文化でいう玉（ギョク）は、玉器としての形と素材である玉石材を包括した概念である。ビーズは、玉琮などと同じく、主にネフライトと呼ばれる柔和な質感の玉石材で製作されており、玉器の一種類と見なされている。日本語の「玉」は、タマと呼び、実質的にビーズを指している。朝鮮半島や日本列島は、ビーズ以外の玉器作りが発達しなかったことと関係する。なお、玉器の英名はJadeである。ヒスイの意味があるため誤解されやすいが、当時の中国にヒスイは知られていない。ミャンマーから多量のヒスイが輸入されるのは一九世紀のことである。

写真2-3　東アジアの均整円筒形ビーズ
出所）河村 2017：第3図。

整った形のビーズ

写真２－３を参照いただきたい。良渚文化の玉器に整った形のビーズが伴う（②）。長さと直径が揃った均整円筒形の管玉（くだたま）を大量に製作していたことが分かってきた。玉琮などとともに、百点、二百点とまとまった数量で副葬されている。それ以前の管形ビーズは、規格が不揃いで、中央が太い樽や棗（なつめ）のような形をしていた（写真２－１）。整った形のビーズを多数連ね身につけた姿はモダンな感じがする。

作り方を復元しよう。まず、表裏を磨いた平らな板材（プレート）を作る。その厚さは管玉の直径を想定している。次に、包丁のような形の石器で一辺に平行する筋を入れ、板チョコを割るように棒状品を割り取る。これを意図する長さに分割し、原形となる四角柱品を作り出し、さらに円柱状に磨き、紐孔を穿ち、完成品となる。こうして、長さと直径が揃う管玉が次々作られた。

この技法は、石器作りの技術をもとに、長江下流域の玉器製作に伴い発生したもので、施溝分割技法（Cut break technique）と呼ばれている。各地の調査データを総合すると、半径三千kmの広い範囲に伝播していることが分かってきた。台湾（③）、ベトナム（④）、北は沿海地方（①）で確認することができ、朝鮮半島と日本列島で発達する碧玉管玉にその影響を認めることができる（河村二〇一七）。

日本列島のビーズ文化

碧玉とは、均整円筒形の管玉に用いられた緑ないし青緑の玉石材をいう。碧玉管玉は、朝鮮半島北部から沿海州、朝鮮半島南部から日本列島にかけて使用された地域性のあるビーズである。中国大陸にはほとんど分布しない。最後に、日本列島におけるビーズ文化の変化について触れておこう。

日本列島の新石器時代の文化を縄文文化という。縄文文化を代表するアクセサリー素材にヒスイがある（口絵4）。ヒスイビーズは、弥生時代勾玉の原形となるC字形、多数を連ねる丸玉などの形があり、北海道や本州島北部を中心に日本列島各地で出土している。ヒスイ原産地は新潟県糸魚川にあり、当地で製作されたヒスイビーズ、あるいは手頃に荒割されたヒスイ材が縄文文化の中心地に向けて運ばれたのである。

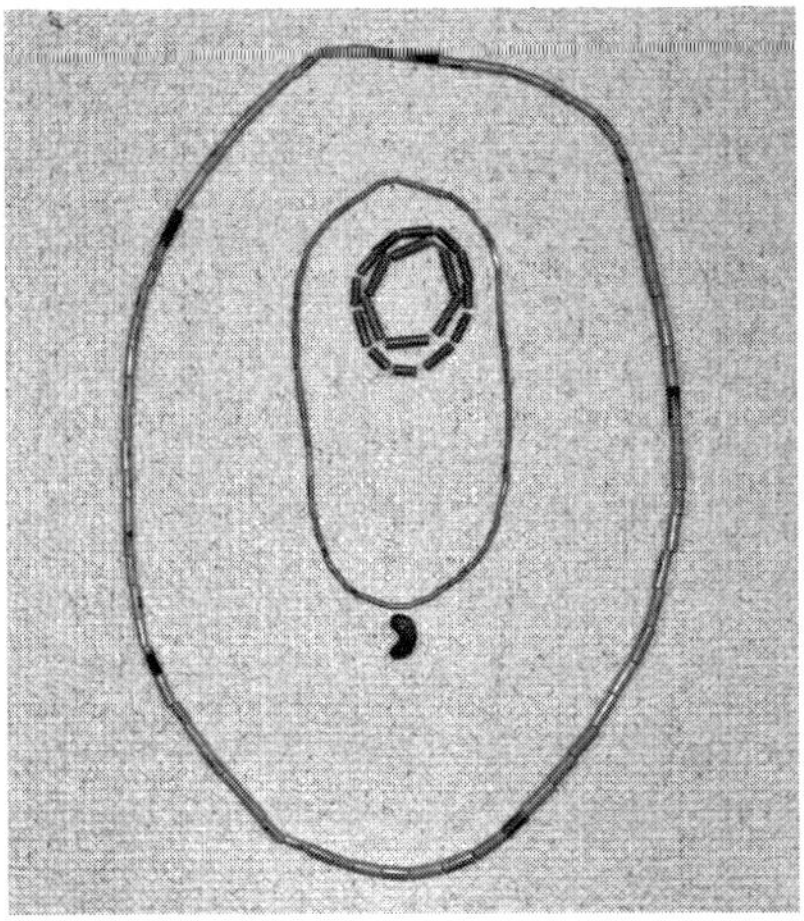

写真2-4　碧玉管玉とヒスイ勾玉（石川県能美市教育委員会蔵、筆者撮影）

紀元前一千年紀前葉頃、朝鮮半島から大陸民の移住がおこり、九州島から本州にかけて生業や生活・文化の大陸化が始まる。これ以後、弥生時代に移っていく。

このとき、碧玉管玉が伝来する。渡来人が身につけていたものであるが、まもなく北部九州の在来人に広がり、山陰地域で碧玉産地が発見され製作も開始される。大陸文化に連なる民という集団意識の変化を読み取ることができる。ただし弥生時代人は、ヒスイを継承することも忘れなかった。埋葬遺跡の副葬品を見ると、多くの場合、碧玉管玉の一連にヒスイ勾玉を挟んでいる（写真２－４）。碧玉とヒスイをともに身につけることで「大陸文化に連なる固有の民」たることを表現したのであった（河村二〇一八）。

4 ビーズと人類史

新石器時代人は、自然界から採集できる素材でアクセサリーを作り、身を飾った。ビーズ製作の基本技術は、研磨と穿孔である。素材が秘める光沢や色調、透明性を磨き出し、紐孔を通すことで多数をつなげ、組み合わせることが可能となった。

ビーズは一つ一つが小さく単純な形をしており、原始的なアクセサリーだとする見方がある。確かに超絶技工を駆使したエジプトファラオの金銀装身具とは比較にならない。だが、こうした工芸史的視点だけでは、現在に続くビーズ文化を説明できない。

新石器時代のビーズは、どこでも誰にもできる技術で製作されるもので、ともに身につける、ともに飾るという、横につながる身体装飾の体系であった。そこには集団の違い、集団における個人、出自や系統、人としての魅力の増進、経済的豊かさ、幸福や子孫繁栄への願いなど、様々な要素が反映している。技術が進み、人口素材が生み出され、広域流通がさかんになっても、ビーズによる装いは、むしろそれに伴い、普遍的で人類史的な営みであり続けた。

参照文献

河村好光　二〇一七「碧玉管玉と装身文化の大陸化」『九州考古学』九二、三五—五五頁。
河村好光　二〇一八「日本諸島における弥生時代」『考古学研究』六五（三）、六一—八〇頁。
秦小麗・中村慎一編著　二〇一八「黄河流域におけるトルコ石製品の生産と流通」『文化資源学研究』一九、金沢大学国際文化資源学研究センター、三—四四頁。
孫国平　二〇一〇「田螺山遺跡第一段階調査（二〇〇四～二〇〇八年）の概要」中村慎一編、後掲書、二一—四〇頁。
鄧聰　二〇〇四「東アジアの玦飾の起源と拡散」藤田富士夫編『環日本海の玉文化の始原と展開』敬和学園大学人文社会科学研究所、一九—三四頁。
中村慎一編著　二〇一〇『浙江省余姚市田螺山遺跡の学際的総合研究』金沢大学人文学類フィールド文化学研究室。
中村慎一編著　二〇一五『良渚遺跡群の研究』金沢大学国際文化資源学研究センター。
春成秀爾　一九九七『歴史発掘四　古代の装い』講談社。
松本直子　二〇一六「装身具の象徴的意味とその変化に関する俯瞰的予察」『玉文化研究』二、一—八頁。
黄翠梅　二〇一三「文化・記憶・傳記——新石器時代至西周時期玉璜及串飾」『東亞考古的新發現』中央研究院、九五—一五二頁。

第3章 縄文時代の装身具
多様な素材と翡翠(ひすい)ビーズ

山本直人

1 縄文人にとってビーズとは何だったのか

本章では、最初に縄文時代の人々（以下、縄文人）がビーズに利用した多様な素材を示し、それらの時期的な変遷を辿っていく。次に翡翠ビーズ（口絵4）に注目し、その社会的意味について言及していく。第三にビーズの多様な機能について記述し、最後に縄文人が美をどのように捉えていたのか、という課題について私見を述べていく。

縄文人とビーズ

本書では、ビーズは「何らかの素材に穴をあけて紐でつなげたもの」と定義されている。縄文時代の遺物で素材に穴をあけた製品は装身具として扱われており、小さな玉類（ビーズ）は紐で連珠して首飾りや足飾りとして使用されたと考えられている。一方、垂れ飾り（ペンダント）は単独で使われたものか、玉類と連珠して使われたものか、不明である。玉類と組み合わせて用いられた可能性の高い小型の垂れ飾りも、単独品と推測される大型の垂れ飾りも、本章ではすべてビーズに含めている。

日本史のなかの縄文時代

時間差と空間差を表す土器型式を古い型式から新しい型式に並べた編年研究では、縄文時代は草創期・早期・前期・中期・後期・晩期の六期に大別されている。放射性炭素年代を西暦に較正した年代をもとにすると、縄文時代は今からおおよそ一万五六〇〇年前から一四〇〇年前まで約一万三二〇〇年間続いた時代で、草創期は一万五六〇〇年前から一万一四〇〇年前、早期は一万一四〇〇年前から七一〇〇年前、前期は七一〇〇年前から五五〇〇年前、中期は五五〇〇年前から四五〇〇年前、後期は四五〇〇年前から三三〇〇年前、晩期は三三〇〇年前から二四〇〇年前である（小林 二〇一七）。

日本の歴史において縄文時代は旧石器時代の後に続き、弥生時代に先行する時代として位置づけられている。旧石器時代と縄文時代は土器の有無をもって時代区分されているが、土器の出現がどのように革新的であったのか、現状では十分解明されているわけではない。また、後続する弥生時代とは水稲農耕という食糧生産を基準に時代区分されているが、一九七〇年代後半から八〇年代初頭に北部九州で縄文晩期の水田跡が発見され、それを縄文時代あるいは弥生時代のいずれに帰属させるか、議論が続いている。

この時代の社会は一般に部族社会と考えられており、部族が形成された時期や首長制社会に移行する時期については研究者によって見解が異なっている。近年は部族社会のうちでも平等社会から脱して階層化の過程にある社会として認識されるようになってきている（高橋 二〇一〇）。また、これまでは縄文文化を一つの文化として捉える傾向が強かったが、多様な日本列島の自然環境に適応して狩猟採集漁労民が各地で形成した地域文化あるいは部族文化の集合を縄文文化と考える研究者が増えてきている。

2 ビーズの時期的変遷

先行研究によるビーズの時期的変遷

江坂輝彌は縄文時代の遺跡から出土したビーズとペンダントを時期別に紹介するとともに、その概要をまとめている（江坂 一九八八）。また、土肥孝も写真をふんだんに使いながら装身具の概略を説明している（土肥 一九九七）。両氏の成果をもとに概要を記述していくことにする。

後期旧石器時代に北海道の知内町湯の里遺跡と今金町美利河遺跡から石製ビーズが出土しており、これらが日本列島で最古のビーズとなる。縄文時代草創期のビーズは発見されておらず、早期に入るとイモガイやタカラガイ、ツノガイなどの貝類、オオカミやクマの犬歯、サメの椎骨や歯といった動物の骨歯製ビーズが多数出土するようになり、石製のビーズもごく少量出土するようになる。早期末〜前期になると貝ビーズは大幅に減少し、それと入れ代わるようにやや柔らかい石材の滑石ビーズが出現する。獣類ではイノシシの歯や骨が使用され始める。中期では翡翠大珠（大型ペンダント）が目立ち、江坂と土肥はそれを大々的に取り上げている。一方で動物の骨歯製や他の石製ビーズはほとんど出土しないためか、あるいは少量出土しているものの注意を引かないためか、ほとんど扱われていない。後期では貝ビーズは見られず、獣類・魚類・鳥類のビーズは継続して製作されている。

石製では翡翠大珠が消え、代わって翡翠の小珠と勾玉（まがたま）が出現している。さらに後期から粘土を成形して焼成したビーズが出現し、トチノキの種実をつなぎあわせたビーズが北海道小樽市忍路土場遺跡から出土している。江坂は、晩期に入るとビーズペンダントの数量が中後期よりも増加するとともに、個々の細工も精巧で、複雑な製品が多くなる、と晩期のビーズの特徴を指摘している（江坂 一九八八）。

発掘された新資料と研究の進展

江坂や土肥による論考以降、二〇年余り過ぎて資料が大幅に増加したものの、概要はそれほど大きくは変わっていない。とはいえ、資料が増加したことにより、従来とは異なる知見も得られてきている。新資料を紹介しながら新たに解明された点に重点をおき、記述を進めていきたい。

早期（一万一四〇〇年前から七一〇〇年前）では、綿密な調査により動物製ビーズが多数発見されている。早期後半の佐賀市東名遺跡の湿地性貝塚から動物の骨やシカの角、貝類で製作された六五七個のビーズが出土しており、首飾りあるいは腕飾りになる骨角牙製ビーズも二八個出土している（設楽 二〇一七）。二二九個のサメ・エイの椎骨は耳飾りと報告されているが、紐でつなぎあわせればビーズにもなる素材である。また、早期後葉条痕文系土器の時期にあたる千葉県市原市天神台遺跡から約一五〇〇点に及ぶ貝ビーズが出土しており、そのほとんどはツノガイ・ヤドカリガイを短い管状や玉状に切断したものである（忍澤 二〇一七）。

前期（七一〇〇年前から五五〇〇年前）では、樹脂が固まった琥珀のビーズが前期前葉に出現し、晩期終末まで継続している（相京 二〇〇七a、b）。中期が全体の約七六％を占めているので、中期に積極的に利用されていたことが窺われる。相京和茂は大きさから琥珀ビーズを分類し、二㎝までを小さなビーズ、二～五㎝をビーズ、五㎝

以上をペンダントとしている。縄文時代における列島での原産地は千葉県銚子市と岩手県久慈市で、銚子産の琥珀ビーズは千葉県の出土例が圧倒的に多く、東京都・神奈川県から山梨県・長野県諏訪湖周辺にかけて広がり、一部は北陸にも及んでいる。久慈産の琥珀ビーズは東北北部を中心に分布している。北海道では琥珀ビーズは早期に出現し、中期から後期では少量出土し、晩期末から続縄文時代（弥生時代並行）にかけて急増しており、産地としてサハリンと石狩湾が推定されている（上屋・木村 二〇一六）。

富山市小竹貝塚（六四〇〇年前から五七〇〇年前）はヤマトシジミを主体とする汽水性の貝塚で（町田 二〇一八）、低湿地に築かれた貝塚であるために植物や動物を素材としたビーズの残り具合がよい点が特筆される。珍しいものではクルミのビーズが一〇〇点出土し、その大半をヒメグルミが占めている。動物を利用したビーズでは骨製のものが二六二点出土しているほか、ツキノワグマ・オオカミ・サメの歯牙製のものも数多く出土している。いうまでもなく、残りやすい滑石（かっせき）や霰石（あられいし）の石製ビーズも一一一点出土している。

中期（五五〇〇年前から四五〇〇年前）では、翡翠大珠の製作に特化されていたためか、他のビーズの出土例はほとんど見られない。例外的に、滋賀県大津市粟津湖底遺跡第三貝塚からヒメグルミ核の先端に穴をあけた垂飾品が三点出土しており、中期前半の年代観が与えられている（中川 一九九六）。

後期（四五〇〇年前から三三〇〇年前）に入ると、前葉の関東北部ではサメの歯や骨角牙の垂飾を模倣した焼成粘土製ビーズが出現し、栃木県寺野東遺跡と藤岡神社遺跡で多数出土している（吹野 二〇〇〇）。後期末葉から晩期後葉には小さな玉形の焼成粘土製ビーズが北海道から東北にかけて分布し、関東では晩期中葉から広がっている。

石狩低地帯に位置する北海道恵庭市カリンバ遺跡では、後期後葉から末葉の合葬墓や単葬墓からビーズを連ねた首飾りや手首飾りが多数出土している（上屋・木村 二〇一六）。ビーズの石材は琥珀・カンラン岩・滑石・翡翠・蛇紋岩である。翡翠と蛇紋岩は新潟県糸魚川産、琥珀はサハリン産、カンラン岩は日高地方産と推定されている。ビーズの種類には丸玉・臼玉・棗玉・勾玉・垂飾がある。ベンガラで赤く彩色された焼成粘土製ビーズは蜜柑玉と呼ばれており、多くは墓の副葬品として出土することから貴重品と認識されていたと推測されている。

晩期（三三〇〇年前から二四〇〇年前）では、漆製品が製作された石川県金沢市米泉遺跡から漆製ビーズが出土している（石川県立埋蔵文化財センター 一九八九）。漆木屎（うるしこくそ）を材料にして長さ一・七cmの棗玉に成形され、外面には弁柄漆と朱漆が重ね塗りされている。岩手県大船渡市大洞貝塚からは抜歯されたヒトの門歯のペンダントが出土している（渡辺 一九九六）。

3 翡翠ビーズの社会的意味

翡翠ビーズ研究の現状

新潟県糸魚川市の姫川上流やその支流の小滝川、青海川上流には翡翠の原産地があり、縄文時代の翡翠ビーズのほとんどが糸魚川産・青海産であることが蛍光X線分析により判明している（木島 一九九五）。糸魚川市で翡翠ビーズの研究を続けてきた木島勉は、縄文時代中期から晩期の製作遺跡は姫川と青海川の両河川下流域を中心に、北は新潟県名立川流域、南は富山県朝日町宮崎海岸に及び（図3－1）、姫川・青海川の河口や近辺の海岸に打ち上げられた転石を原料にして翡翠ビーズが製作され、東日本を中心に分布していることを明らかにしている（図3－2）。

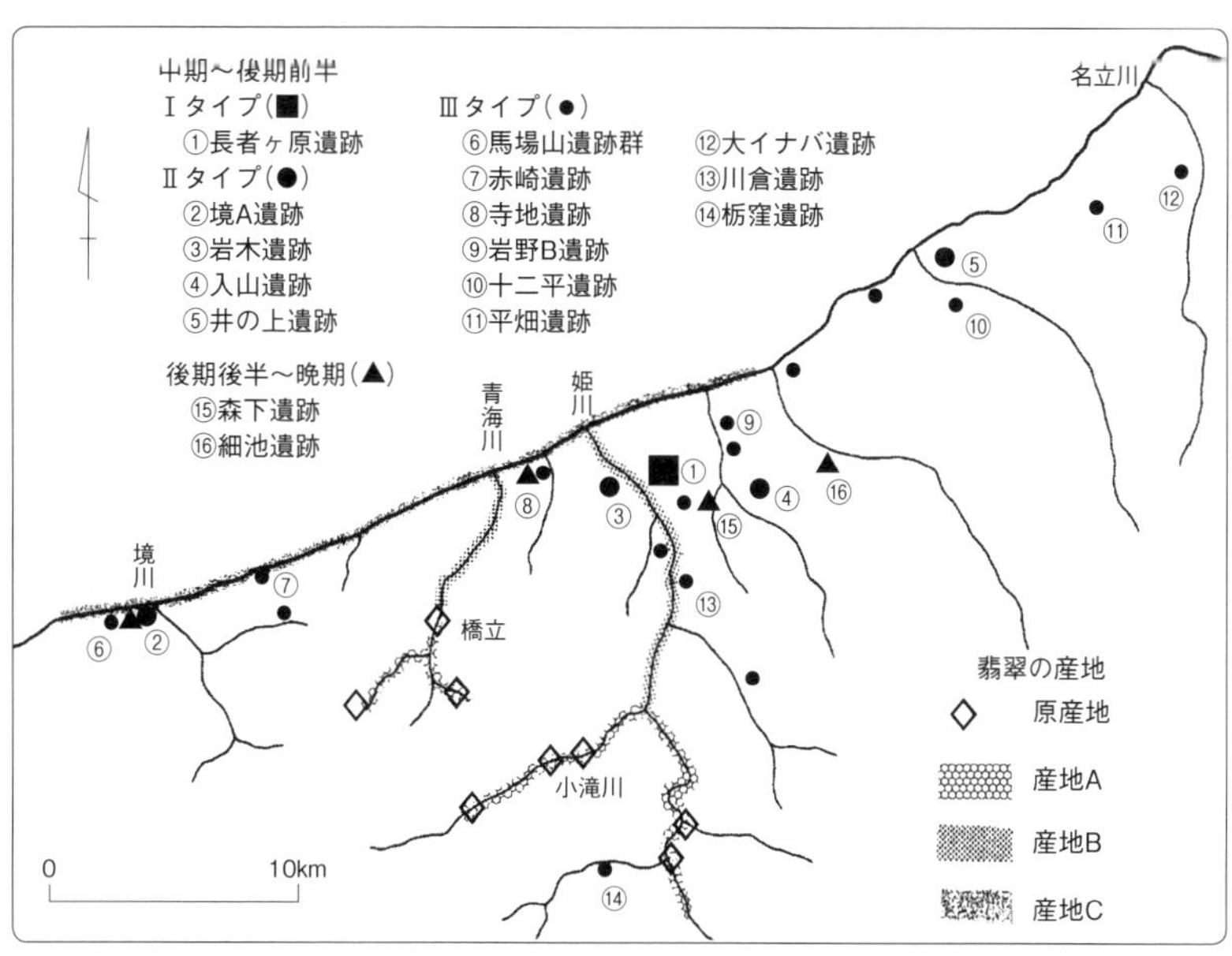

図3-1　翡翠の原産地と翡翠ビーズの製作遺跡
出所）木島 1995：13。

次に、翡翠ビーズの時間的変遷と空間的広がりを鈴木克彦の研究を参考にして見ていくことにする。鈴木は、翡翠大珠の形態は鰹節形が主体で、全国に分布し、それ以外の形態は地域差が見られることを述べるとともに、土坑墓から出土する例が多いことを指摘している（鈴木 二〇〇四 a）。また、長さが五cm以上で、一〇cmを超える製品もある翡翠大珠は、前期後葉の諸磯 a式・b式期に出現し、後期中葉の加曽利B1式・B2式に終焉を迎えることと、翡翠大珠を出土する遺跡は北海道から甲信・北陸に分布しており、とくに関東に集中していることを指摘している（鈴木 二〇〇四 b）。さらに、大珠が消滅する後期中葉に小型化した翡翠の勾玉などが出現することや、大きめの親玉と小さな子玉を連綴する風習が始まることを指摘し、後期後葉から晩期の地理的分布では青森県と北海道に突出して多いことも記している（鈴木 二〇〇四 c）。

翡翠大珠の機能は一般に装身具で、用途はペンダントとして認識されている。しかしながら、江坂輝彌は翡翠大珠の重量はかなり重いことや埋葬人骨の胸部付近からの出土例がないことから、首から下げたペンダントとしての用途に疑問を呈している（江坂 一九八八）。また栗島義明は、装身具ではなく、集団を維持し統合するための象徴としての威信財を想定している（栗島 二〇〇四）。

贈答品としての翡翠ビーズ

大型ペンダントにしろ、小型ビーズにしろ、翡翠ビーズは一般的には交易品として考えられている。しかしながら、交易品と考えた場合に翡翠ビーズは他地域にもたらされているものの、新潟県西南部から富山県東部の製作遺跡群においては翡翠ビーズと交換された他地域の遺物の出土は皆無である。仮に遺物として残らない食料が交換品であったと考えた場合、中期から晩期にかけての糸魚川周辺の縄文集落は自然環境にも恵まれ、生業活動もさかんで経済的に豊かな地域なので、食料と交換したとはとても考えることはできず、仮の想定は否定されてくる。木島勉は贈与を考えており（木島 一九九五）、筆者も部族社会における歓待（立川 二〇一六）の儀礼や行事における贈答品として翡翠ビーズが使われたと考えている（山本 二〇一七）。贈り物として受け取った側が今度は贈り物として使うことにより、一段と分布範囲が拡大したことも考えられる。

中期に関東・甲信に大型ペンダントが集中する理由は、関東・甲信に居住した部族の経済力が強いうえに文化力が高く、希少な宝石である翡翠を吸い寄せたためと推測している。後期初頭になると、気候変動によるものか、疫病の流行によるものか、何らかの原因で関東・甲信に居住した部族が急速に衰退して経済力と文化力が低下し、翡翠を入手することができなくなったと推定している。

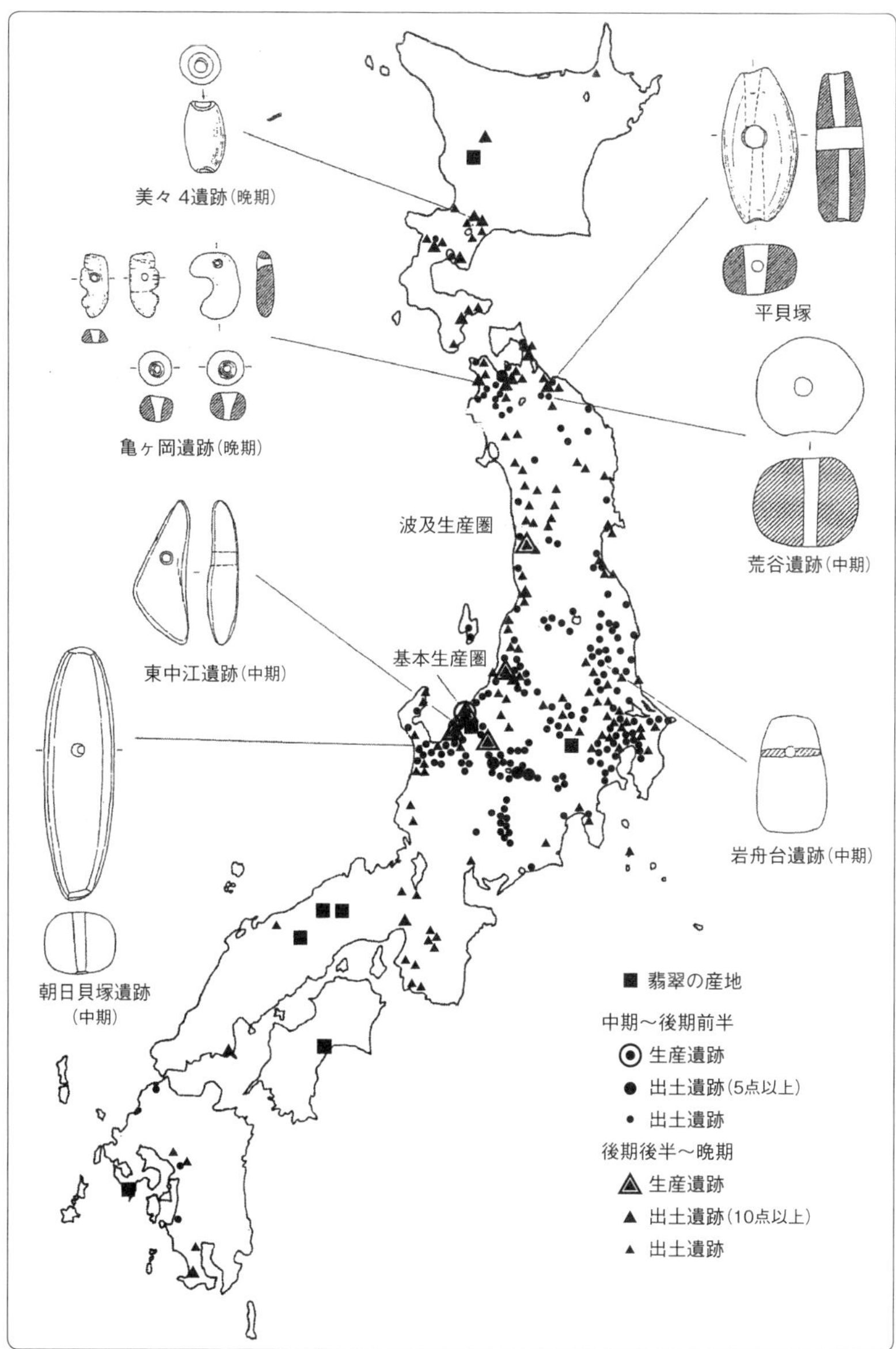

図3-2　縄文時代中期～晩期の翡翠ビーズ出土遺跡分布図
出所）木島 1995：21。

それに取って代わったのが、北海道道南から東北北部にかけて居住していた部族である。この地域は早期から前期・中期にかけて経済的にも文化的にも高水準の地域で、後期に入っても安定して高い水準を維持していた。後期中葉以降、原石から緑色の部分を選び出して製作された小型ビーズをこの地域がほとんど独占している。

製作遺跡群の側から見ると、中期には経済力が強くて文化力が高かった関東・甲信に大型ペンダントを優先的に供給していた。この地域の衰退後は、強い経済力と高い文化力を維持していた道南から東北北部に小型ビーズの供給先を変更した。さらには紀元前八〇〇年代に朝鮮半島から水田稲作農耕が佐賀県唐津市の菜畑遺跡や宇木汲田遺跡に伝播し、北部九州が経済力と文化的影響力の強い地域となると、そこに供給先を変えている。損得勘定か、生き残りを賭けた戦略か、製作遺跡群はその時期で経済力が強く文化力の高い地域に宝石としての翡翠を製品あるいは素材の形で贈ったと推測している。

4 ビーズの機能の多様化と縄文人にとっての美

ビーズ製作における非単純化

貝や骨歯といった動物質の材料で作ったビーズが最初に出現しており、その理由としては材料が入手しやすかったこと、軟質で加工がしやすかったことが考えられる。貝製や骨歯製のビーズは中期にはあまり出土していないが、晩期まで継続して製作されている。

早前期には琥珀や滑石、蝋石といった軟質な石材が用いられており、前中期になると翡翠や蛇紋岩のような硬質の石材が加わり、加工技術が高度になったことが窺われる。また、前中期では翡翠や琥珀のように産地が限定された石材が使用されるようになり、貴重品や宝石としての性格を持ち合わせるようになっていったことが知られる。後期中葉から石製ビーズは概して小型かつ精巧になっていく。翡翠製品の色調では、ペンダントは大型になればなるほど白色が強くなり、ビーズは緑色の部分を選び出しているので緑色が濃くなっている。このように時期が下るにつれて石製ビーズの製作は単純ではなくなっていく。

前述のように、晩期前半には技術的に高度な漆木屎を使った漆製ビーズも生み出されている。一方で、後晩期になると地域によっては模倣品としての土製ビーズが増加している。これらは貴重な石製ビーズを入手できなかった地域で代用品として作られたのであろう。

ビーズの機能の多様化

縄文時代のビーズの製作が単純でなくなることと歩調を合わせ、その機能も多様化して単純ではなくなってくる。当初、装身具として登場したビーズに石製ビーズが増加する早期から中期にかけて、別のいくつもの機能が付け加わってくる。検証作業は今後に残された課題であるが、以下のような具体的機能が想定される。第一に装身具としての機能である。第二にステータスシンボルとしての機能で、装身具は単なるアクセサリーではなく、ステータスシンボルとしての性格を示していると考えられている（渡辺 一九九六）。第三に「物の交換に伴う直接的な勘定の道具ではなく（中略）一種の信用の証し」（小山 一九九九：一二〇）となる民族貨幣としての機能である。第四として入手が困難で希少性があり、耐久性に優れ、高い価値をもった威信財としての機能である。第五に交易品、第六に贈答品としての機能である。第七として後晩期の動物の骨歯製ビーズに見られるような帰属する集団を示す徽章としての機能である（高橋 二〇一六）。そしてビーズが装身具という機能を基礎に一つの機能だけでなく、複数の機能を同時に有していたことも推測できる。

ビーズからみた縄文人にとっての美

縄文時代のビーズを素材から見ると、貝製、動物の骨歯製、植物の種実製、漆木屎製、石製、焼成粘土製のものがある。主観的な価値観や嗜好によって異なるが、翡翠や琥珀などを除けば、全体的にそれほど美しいものではない、と筆者は感じている。

遺跡・遺物を研究対象とする考古学にとって、縄文人が美をどのように捉えていたのか、という心の問題は論究が困難な領域である。それを承知したうえで私見を述べると、縄文人は他者から見られることを意識し、公的自己意識から入手できる素材でビーズを作って自身を美しく見せようとしたと考えられる。それと同時に、他者の視線にかかわりなく、美しくしていないと自分自身が嫌であるという私的自己意識でビーズを製作して着装したことも考えられる。

参照文献

相京和茂　二〇〇七a「縄文時代におけるコハクの流通（上）」『考古学雑誌』九一（二）、一―三一頁。
相京和茂　二〇〇七b「縄文時代におけるコハクの流通（下）」『考古学雑誌』九一（三）、二七―五六頁。
石川県立埋蔵文化財センター　一九八九『金沢市米泉遺跡』。
上屋眞一・木村英明　二〇一六『国指定史跡カリンバ遺跡と柏木B遺跡』同成社。
江坂輝彌　一九八八「ペンダントとネックレス」江坂輝彌・渡辺誠編『装身具と骨角製漁具の知識』東京美術、五―二六頁。
忍澤成視　二〇一七「縄文人を魅了した貝アクセサリー」佐賀市教育委員会編『縄文の奇跡！　東名遺跡』雄山閣、一四〇―

一五一頁。
木島勉　一九九五「縄文時代における翡翠製玉類の生産――研究の現状と課題」『フォッサマグナミュージアム研究報告』一、一一―二五頁。
栗島義明　二〇〇四「硬玉製大珠の交易・流通」『季刊考古学』八九、八三―八七頁。
小林謙一　二〇一七『縄文時代の実年代』同成社。
小山修三　一九九九『美と楽の縄文人』扶桑社。
設楽博己　二〇一七「縄文人のこころと祈り」佐賀市教育委員会編、前掲書、一七一―一七九頁。
鈴木克彦　二〇〇四ａ「東日本のヒスイ大珠」『季刊考古学』八九、五頁。
鈴木克彦　二〇〇四ｂ「硬玉製大珠（ヒスイ大珠）」『季刊考古学』八九、二一―二四頁。
鈴木克彦　二〇〇四ｃ「縄文勾玉」『季刊考古学』八九、二五―二七頁。
高橋龍三郎　二〇一〇「縄文社会を探る」村井吉敬編『アジア学のすすめ』二、弘文堂、八八―一〇九頁。
高橋龍三郎　二〇一六「縄文後・晩期社会におけるトーテミズムの可能性について」『古代』一三八、七五―一四一頁。
立川陽仁　二〇一六「ポトラッチとは、ポトラッチにおける贈与とは」岸上伸啓編『贈与論再考』臨川書店、七二―九一頁。
土肥孝　一九九七『縄文時代の装身具』至文堂。
中川治美　一九九六「粟津湖底遺跡第三貝塚出土のヒメグルミの垂飾品」『滋賀文化財だより』二二七、三―六頁。
吹野富美夫　二〇〇〇「土製装身具と埋葬」『考古学ジャーナル』四六六、八―一一頁。
町田賢一　二〇一八『日本海側最大級の縄文貝塚　小竹貝塚』新泉社。
山本直人　二〇一七「贈答からみた縄文時代の地域社会間交流」『石川県埋蔵文化財情報』三七、二二一―二五頁。
渡辺誠　一九九六『よみがえる縄文人』学習研究社。

第4章　先史琉球の貝ビーズ文化
豊かな素材と素朴な文化

木下尚子

琉球列島は日本列島の南の一部をなす島の連なりである（図4-1）。島々は亜熱帯気候とサンゴ礁で特徴づけられ、まわりの浅海には大小様々の貝類が生息している。人々は先史時代以来その貝殻を使って特色ある装身具を作り、様々の貝ビーズを連ねて身を飾ってきた（口絵5）。以下、琉球列島のビーズ文化を紹介しながら、先史琉球人が貝ビーズをどのように作り、使い、好んだかを述べてゆこう。このことを通して琉球列島のビーズ文化の特徴を考えてみたい。

1　南島——三つの文化圏

琉球列島は古くから南島と呼ばれる。考古学者の國分直一は南島の先史文化をもとに、以下の三つの文化圏を設定した（國分 一九七二）。

・南島北部圏……大隅諸島から吐噶喇（とから）列島北半（悪石島以北を指す）。縄文・弥生時代を通じて九州文化圏に属する。

・南島中部圏……吐噶喇列島南部から奄美群島・沖縄諸島。独自の文化をもつ。

・南島南部圏……先島諸島。台湾などの南方と関わりの深い文化をもつ。

表4－1は各文化圏について、それぞれ一万年前から五〇〇年前までの時代・時期区分の並行関係を示したものである。縄文時代から中世に至る間の琉球列島の歩みが、三文化圏ごとに独自のものであることが分かる。この文化圏それぞれに特徴的なビーズ文化があった。

2 南島北部圏――広田遺跡のビーズ文化

種子島広田遺跡の貝ビーズ消費

広田遺跡は現在の南種子町の海岸砂丘に作られた弥生時代終末期から古墳時代後期の集団墓地で、これまでに二〇〇基以上の墓と一六八体の人骨が確認されている（桑原編 二〇〇三、石堂他編 二〇〇七）。ここに葬られた人々は、複数種類の夥しい数の貝ビーズをもち、このほかに貝製の腕輪、精緻な彫刻をもつ貝符、竜佩（りゅうはい）型貝製垂飾、その他の垂飾などを身にまとっていた。その合計は四万四五〇〇個に及ぶ。このなかの四万余個が貝ビーズで、そのうちの約三万個がイモガイ（イモガイ科 *Conidae* の貝類の総称）ビーズであった。

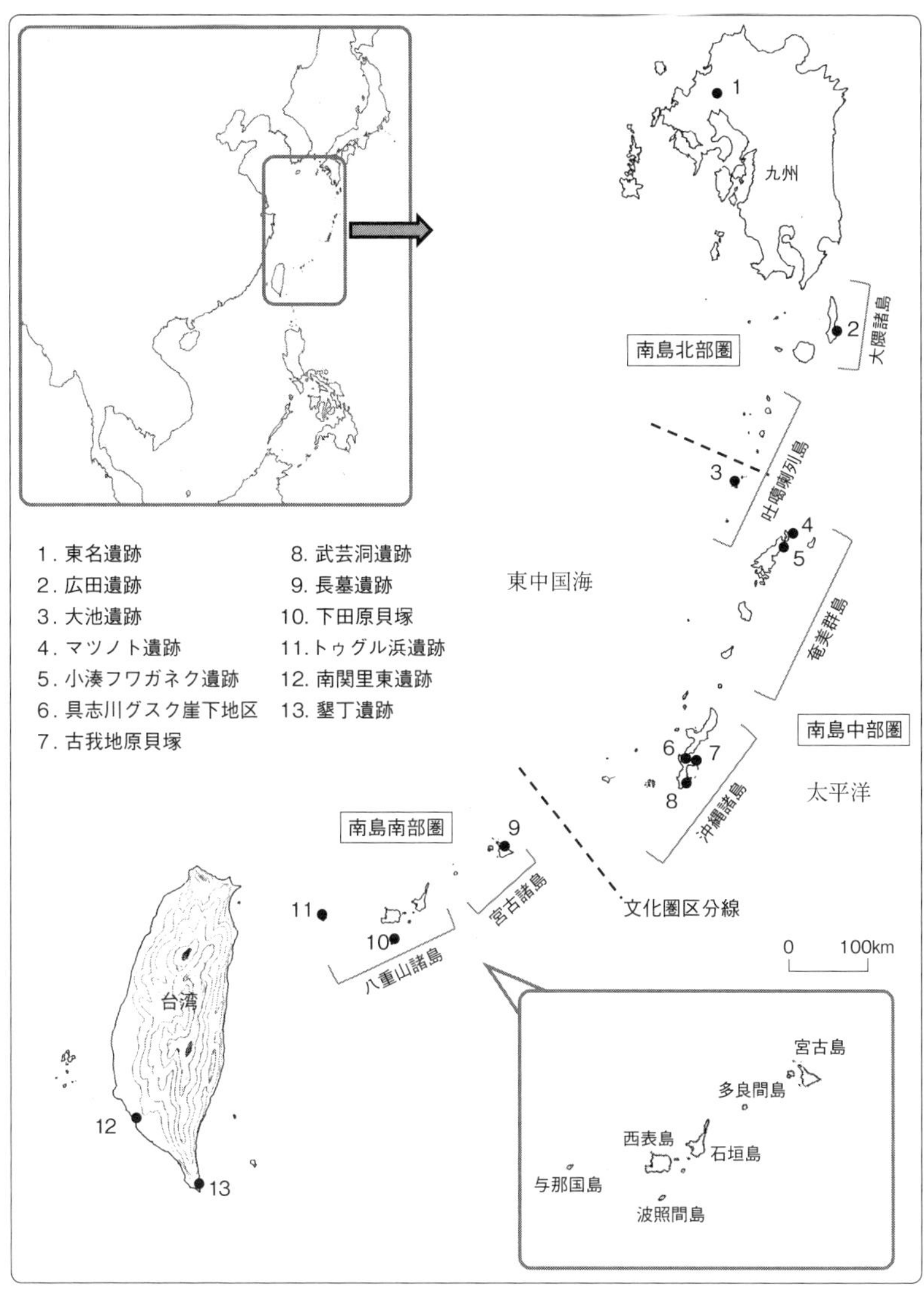

図4-1　琉球列島と関連遺跡
出所）筆者作成。

表4-1　琉球列島の時代区分・時期区分

年代	九州・南島北部圏 時代	時期区分	遺跡	南島中部圏 時代	時期区分	細分	遺跡	南島南部圏 時期区分	遺跡
BC	縄文時代	草創期		未設定				未設定	
10000	縄文時代	早期	①	貝塚時代	前期	前1期	④	未設定	
5000	縄文時代	前期	②	貝塚時代	前期	前1期・前2期	④	未設定	
4000 / 3000	縄文時代	中期	②	貝塚時代	前期	前2期・前3期	④	未設定	
2000	縄文時代	後期	②	貝塚時代	前期	前3期・前4期	④・⑤	未設定・下田原期	⑥ ⑦
1000	縄文時代	晩期	②	貝塚時代	前期	前5期	⑤	下田原期・未設定	
	弥生時代	早期	②	貝塚時代	前期	前5期	⑤	未設定	
BC 1	弥生時代	前期	②	貝塚時代	前期・後期	前5期・後1期	⑤	未設定	
	弥生時代	中期	②	貝塚時代	後期	後1期	⑤	無土器期	⑧
AD 1	弥生時代	後期	②・③	貝塚時代	後期	後1期	⑤	無土器期	⑧
	古墳時代	前期	③	貝塚時代	後期	後1期	⑤	無土器期	⑧
500	古墳時代	中期	③	貝塚時代	後期	後1期・後2期	⑤	無土器期	⑧
	古墳時代	後期	③	貝塚時代	後期	後2期	⑤	無土器期	⑧
	古代	飛鳥		貝塚時代	後期	後2期	⑤	無土器期	⑧
	古代	奈良		貝塚時代	後期	後2期	⑤	無土器期	⑧
1000	古代	平安		貝塚時代	後期	後2期	⑤	無土器期	⑧
	中世	鎌倉		グスク時代				新里村期	
1500	中世	室町		グスク時代・琉球国				中森期	

出所）河名 2011、新里・高宮編 2014、名島 2014、国立歴史民俗博物館 2014、山崎 2017を参照して筆者作成。

注）①東名遺跡、②大池遺跡、③広田遺跡、④古我地原貝塚、⑤武芸洞遺跡、⑥下田原貝塚、⑦トゥグル浜遺跡、⑧長墓遺跡。

イモガイビーズの製作

イモガイは三角錐状の巻貝で、琉球列島には長さ（殻長）一cmから同六〜七cm大までのものが普通に生息している。貝ビーズに使われるのは小型のイモガイ（マダライモ、ゴマフイモ、サヤガタイモ、コモンイモ、ジュズカケサヤガタイモなど）である。琉球列島のほとんどの海岸には、これら小型イモガイの螺塔部（らとう）のかけらが打ち上がっている（「打ち上げ貝」という）。浜に打ち上げられた小型イモガイ（以下イモガイと表記）は、螺塔の内外面が摩耗し、その頂（殻頂）に穴をもつものが少なくない。この穴に紐を通せばそのままでもビーズになるので、琉球列島の遺跡では、先史人が海岸で拾い集めたイモガイ螺塔が頻繁に見つかる。

このイモガイ螺塔が、ビーズの素材である。すでに穴のあるものはそのまま使われるが、ないものは螺頂を砥石に当て尖った先端が擦られて穿孔（せんこう）された。殻頂と反対側が磨られて平坦に整えられることもある。さらに、全体が均一な円筒形になるまで側面が磨かれた精緻なものもある。イモガイビーズは螺塔への加工の精粗によって、以下のように分けることができる（図4－2）。

- Ⅰ類：研磨されていないもの……螺頂に穴をもつ打ち上げ貝の螺塔
- Ⅱ類：部分的に研磨されているもの……螺頂周辺や螺頂反対側を研磨によって整形した螺塔
- Ⅲ類：全面的に研磨されているもの……螺頂周辺・螺頂反対側・側面を研磨した円筒形の螺塔。平面形が正円に近いことが特徴

Ⅲ類はⅠ類・Ⅱ類の工程を経て完成するので、Ⅰ類・Ⅱ類・Ⅲ類のイモガイビーズすべてがそろって出土する遺跡は、そこでビーズ作りが行われたと見ることができる。広田遺跡にはⅠ類からⅢ類までのビーズがすべてあるので（図4－3の1〜10、13。表4－2参照）、広田人は自らイモガイビーズを作っていたといえる。彼らはⅢ

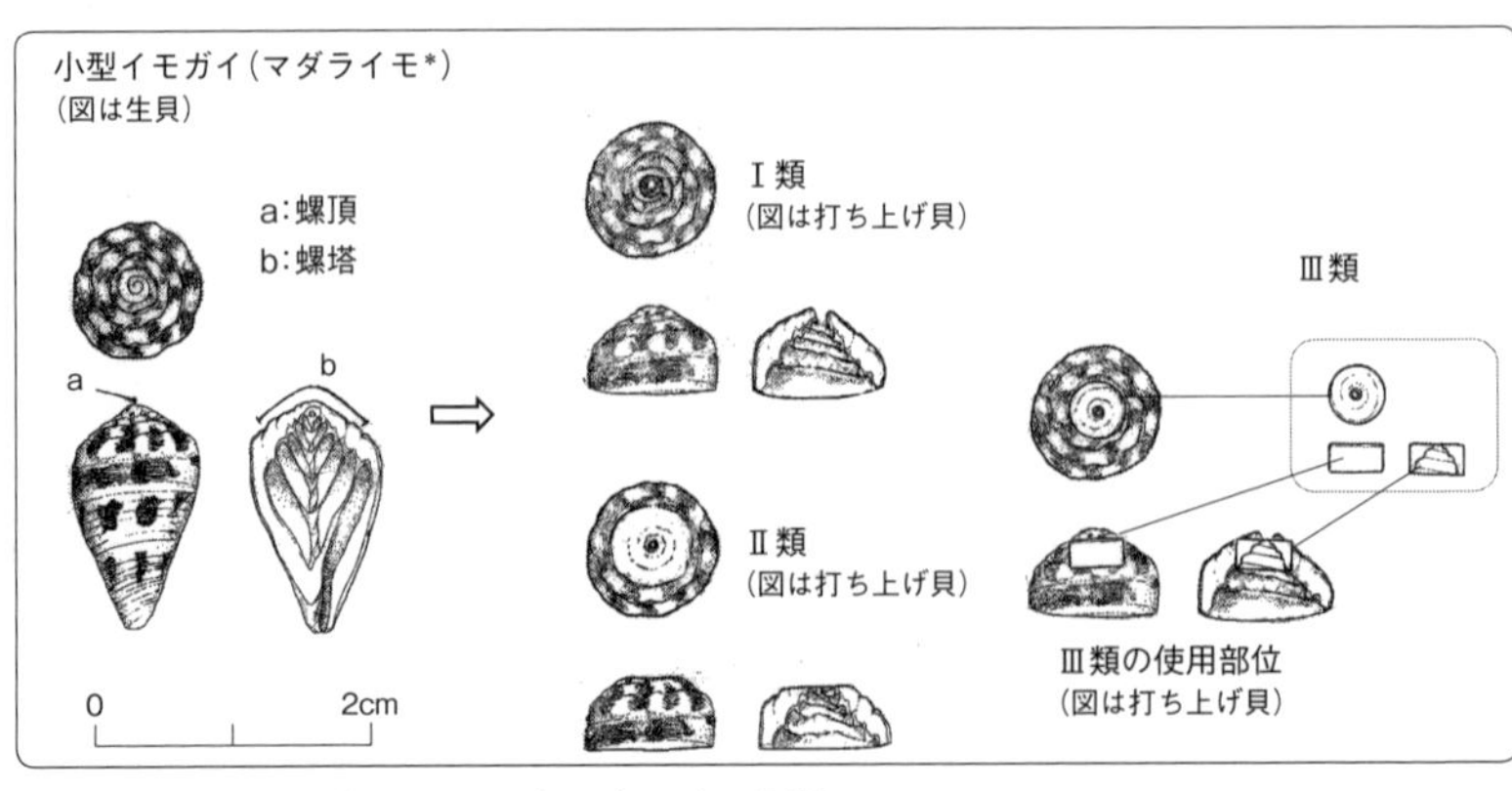

図4-2　小型イモガイとイモガイビーズの分類
出所）筆者作成。
注）*_Conus ebraeus_ Linnaeus, 1758

類ビーズを最も多く使い、それらは直径三㎜前後に統一された大きさであった（木下 二〇〇三）。広田人の好んだ直径三㎜のⅢ類イモガイビーズを、仮に「三㎜ビーズ」と呼ぼう。

整った形をした三㎜ビーズを、手作業で大量に作るのは容易でない。どのように作ったのだろう。同じ形のビーズは太平洋地域の民族資料にも見られ、その製作方法を記録した民族誌が参考になる。それは複数のイモガイ螺塔（Ⅰ類・Ⅱ類）を同じ向きに紐に通して一定の長さにし、紐上で両端を固定し、これを砥石に当てて上から押さえ同時に回転して作るものである。しばらく回転させるとイモガイ螺塔の凹凸が摩滅して同じ直径をもつ円筒形のビーズが得られるという（Codrington 1891; Malinowski 1922; Rivers 1941; Cranston 1961）。

民族例では研磨の方法にいくつかのバリエーションが見られるが、いずれも貝殻を連ねた紐を回転させながら研磨する点で共通している。広田遺跡のⅢ類ビーズの側面には回転によると見られる併行する擦痕を留めるものがあるので、広田人も民族例と同様の回転研磨によってイモガイⅢ類ビーズを作っていたのだろう。

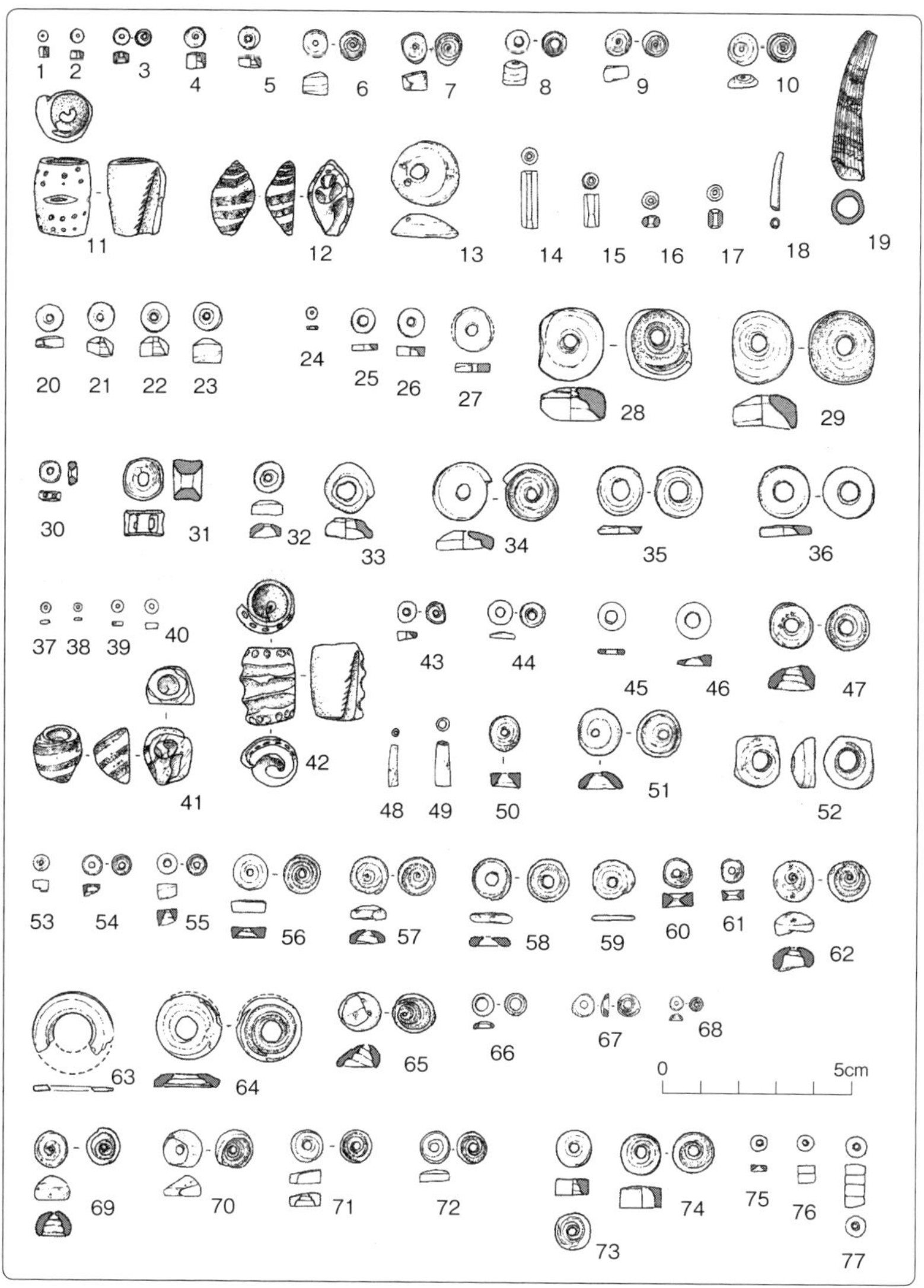

図4-3　琉球列島・台湾島の先史時代のビーズ（貝殻・骨・石・ガラス）

出所）筆者作成。

注）詳細は表4-2を参照。

1～19：広田遺跡（種子島）、20～23：大池遺跡（宝島）、24～36：古我地原貝塚（沖縄本島）、37～52：具志川グスク崖下地区（沖縄本島）、53～62：下田原貝塚（波照間島）、63～68：長墓遺跡（宮古島）、69～72：南関里東遺跡（台湾島）、73～77：墾丁遺跡（台湾島）

広田人の貝殻素材集め

広田遺跡の貝ビーズには、イモガイのほかにツノガイ類（マルツノガイ、ニシキツノガイ）、ノシガイ類（ノシガイ、フトコロガイ）、マクラガイ類（サツマビナなど）が使われた。これらの総数は貝ビーズ全体の四分の一になる。ツノガイ類はイモガイについで多く消費された長筒形の貝で、貝殻の自然形状がそのままビーズになっている。小型のマルツノガイは白色、大型のニシキツノガイは赤紫や橙色、白色が縞状に重なる美しい貝で、広田遺跡を特徴づけるビーズである（図4－3の18、19）。ノシガイ類は、黒と黄色の縞模様が鮮やかで、同様に装飾性が高い。広田人はこれを殻軸近くまで研磨して透し模様状に螺構造を出している。螺層内に紐を通したのだろう（図4－3の12）。マクラガイ類はボリュームのあるビーズとして広田人に好まれた（図4－3の11）。以上の貝類は生息地によって以下の三つに分けられる（木下 二〇〇三）。

①　種子島に多いもの……ツノガイ類

②　種子島にもあるが、より南に多いもの……ノシガイ類、イモガイ類

③　奄美・沖縄でないと採取できないもの……マクラガイ類（サツマビナ）

広田人のビーズ素材の多くが種子島以南の奄美・沖縄地域の貝類を素材にしている点に注意しよう。広田人たちはビーズ素材獲得のためにサンゴ礁の島々まで出かけて行き、必要な貝殻（イモガイ類、ノシガイ類、マクラガイ類）を持ち帰っていたのである。

広田グループの遺跡

広田人のビーズの特徴である三㎜ビーズは、広田遺跡以外に奄美大島の小湊（こみなと）フワガネク遺跡、マツノト遺跡、

表4-2　出土したビーズの分類

番号	ビーズ名称	遺跡	番号	ビーズ名称	遺跡
1	イモガイビーズⅢ類		40	イモガイビーズⅢ類	
2	イモガイビーズⅢ類		41	ノシガイビーズ	
3	イモガイビーズⅢ類		42	マクラガイビーズ	
4	イモガイビーズⅢ類		43	イモガイビーズⅢ類	
5	イモガイビーズⅢ類		44	イモガイビーズⅢ類	
6	イモガイビーズⅢ類		45	イモガイビーズⅢ類	
7	イモガイビーズⅢ類		46	イモガイビーズⅢ類	具志川グスク崖下地区
8	イモガイビーズⅢ類		47	イモガイビーズⅢ類	
9	イモガイビーズⅢ類		48	マルツノガイビーズ	
10	イモガイビーズⅡ類	広田遺跡	49	マルツノガイビーズ	
11	マクラガイビーズ		50	イモガイビーズⅢ類	
12	ノシガイビーズ		51	イモガイビーズⅢ類	
13	イモガイビーズⅠ類		52	マガキガイビーズⅢ類	
14	石製管玉（鉄石英）		53	イモガイビーズⅢ類	
15	石製管玉（緑色凝灰岩）		54	イモガイビーズⅢ類	
16	ガラスビーズ		55	イモガイビーズⅢ類	
17	ガラスビーズ		56	イモガイビーズⅢ類	
18	マルツノガイビーズ		57	イモガイビーズⅡ類	
19	ニシキツノガイビーズ		58	イモガイビーズⅡ類	下田原貝塚
20	イモガイビーズⅢ類		59	イモガイビーズⅡ類	
21	イモガイビーズⅢ類	大池遺跡	60	脊椎骨ビーズ	
22	イモガイビーズⅢ類		61	脊椎骨ビーズ	
23	イモガイビーズⅢ類		62	イモガイビーズⅠ類	
24	イモガイビーズⅢ類		63	イモガイビーズⅢ類	
25	イモガイビーズⅢ類		64	イモガイビーズⅢ類	
26	イモガイビーズⅢ類		65	イモガイビーズⅡ類	長墓遺跡
27	イモガイビーズⅢ類		66	イモガイビーズⅢ類	
28	マガキガイビーズⅢ類		67	イモガイビーズⅢ類	
29	イモガイビーズⅢ類		68	イモガイビーズⅠ類	
30	サメ脊椎骨ビーズ	古我地原貝塚	69	イモガイビーズⅠ類	
31	サメ脊椎骨ビーズ		70	イモガイビーズⅡ類	南関里東遺跡
32	イモガイビーズⅢ類		71	イモガイビーズⅢ類	
33	マガキガイビーズⅡ類		72	イモガイビーズⅢ類	
34	イモガイビーズⅢ類		73	イモガイビーズⅢ類	
35	イモガイビーズⅢ類		74	イモガイビーズⅢ類	
36	イモガイビーズⅢ類		75	イモガイビーズⅢ類	墾丁遺跡
37	イモガイビーズⅢ類		76	イモガイビーズⅢ類	
38	イモガイビーズⅢ類	具志川グスク崖下地区	77	イモガイビーズⅢ類	
39	イモガイビーズⅢ類				

出所）筆者作成。

沖縄本島の具志川（ぐしかわ）グスク崖下地区遺跡でも見つかっている（図4－1参照）。これらの遺跡には、三㎜ビーズのほかにも広田遺跡の貝符や垂飾を模倣した貝製品が見られるので、このあたりで広田人が貝製品の素材や小型イモガイを採集していたと見てよいだろう。これらは広田人が往来していた遺跡なので、まとめて広田グループの遺跡と呼ぼう。

広田グループの遺跡では、三㎜ビーズに混じってしばしば直径一〇㎜以上のマガキガイビーズが見られ（図4－3の28、33）、それ以外にも貝殻産地ならではの独自のビーズ（後述）が見られる。二つのビーズ文化の人々はここで出会い、お互いのビーズから影響を受け、また影響を与えていたようだ。広田人のビーズにマクラガイ製品が登場するのはここでの接触によるのだろう。反対に広田グループの遺跡には、広田遺跡特有の三㎜ビーズ、貝符模倣品が登場している。

広田人が好んだビーズ

広田人が使ったビーズには、貝殻ビーズのほかにガラス小玉と碧玉管玉（へきぎょくくだたま）がある（肥塚他 二〇〇三）。ガラス小玉（図4－3の16、17）は青色、管玉（図4－3の14、15）は青緑色と赤色をなし、いずれも貝ビーズとは異なる質感をもつ。九州からごく少数持ち込まれた舶来品である。ただ広田人がこれらをより多く希求した様子はなく、これに影響を受けた貝ビーズを作った痕跡もない。彼らは一貫して自前の貝ビーズを使っている。

広田人の貝ビーズを大きく分けると、貝殻本来の色や形の美しさを生かしたビーズと、これにこだわらない規格的な白いビーズにまとまる。広田人はこの組み合わせを好み、九州の青色系の管玉やガラス小玉、奄美・沖縄の採集地で見たはずのタカラガイ、タマガイ、マガキガイのビーズを受け入れていない。ただマクラガイのビーズだけは取り入れてときに彫刻を加えている。広田人の貝ビーズの嗜好は独特である。

3 南島中部圏と南部圏のビーズ文化

中部圏――貝塚人の貝ビーズ

南島中部圏の先史時代は縄文時代とは別に貝塚時代と呼ばれ、この時代の人々は貝塚人と呼ばれている。貝塚人たちは、貝殻の豊富な環境を生かして、広田遺跡の時期はるか以前から独自の貝ビーズを作っていた。そこにはイモガイⅢ類ビーズも普通に見られるので、回転研磨の技術が古くから存在していたことが分かる。

沖縄本島にある古我地原（こがちばる）貝塚（貝塚前三～四期）では、イモガイ、マガキガイ、タマガイ、ノシガイ、マクラガイ、タカラガイの各種貝ビーズが出土し、イモガイではⅠ～Ⅲ類ビーズが見られる。注意されるのはⅢ類ビーズの形で、直径に比して薄手のビーズが多く、全体に円盤に近い形をしている（図4－3の24～27、34～36）。このほかにサメの脊椎骨（図4－3の30、31）もある。中部圏に見られるこのようなビーズは、三㎜ビーズやツノガイ、マクラガイのビーズを多用した広田人のビーズの好みと明らかに異なっている。

イモガイⅢ類ビーズの始まりと終わり

イモガイⅢ類ビーズの登場は、中部圏が北部圏（広田遺跡）よりはるかに早い。現在知られる最も早い例は、吐噶喇列島宝島（たからじま）にある大池遺跡の五四点（貝塚前二期）であるが（図4－3の20～23）、この小さな島で回転研磨技術が生まれたとは考えにくい。早い類例では、佐賀県東名（ひがしみょう）遺跡の縄文早期（貝塚前一期併行期）層で出土したイモガイビーズⅢ類二四個がある[*1]（西田編 二〇一六）。これは現在、九州最古の事例である。琉球列島最古のイモガイビーズⅢ類を出す大池遺跡の主要な土器（室川下層式）は九州系の縄文土器なので、吐噶喇列島のイモガイビーズⅢ類の登場を九州からの影響と考えることができるかもしれない。これをいうには中間地域の資料が足りないが、その可能性は小さくないだろう。[*2]

イモガイⅢ類ビーズは、その後（貝塚前三期以降）、Ⅰ類・Ⅱ類ビーズとともに中部圏に広まったと見られ、前四期に普遍化する。前五期には沖縄本島の武芸洞遺跡で埋葬された人にはめられたビーズを連ねた腕輪も登場する（山崎他編 二〇一〇）。こうして中部圏に広がったイモガイビーズであったが、続く時代（貝塚時代後期）にはⅡ類・Ⅲ類ともに急激に少なくなる。これに伴い、そのほかの貝ビーズも減少し、沖縄独自のビーズ文化は紀元五世紀頃にはほとんど衰退する。

分断的な南部圏のビーズ文化

南部圏は先史時代を通して中部圏と人の往来の痕跡がなく、琉球列島のなかでは独自性の強い文化を形成した地域である。八重山諸島南端の島（波照間島、下田原貝塚）では、紀元前（下田原期：紀元前二二〇〇～一三〇〇年）にⅠ類からⅢ類のイモガイビーズが多く消費されたが（図4－3の53～59、62～68）、同じ頃の西端の島（与那国島、トゥグル浜遺跡）ではサメやエイの脊椎骨ビーズが好まれ、貝ビーズは使われていない。紀元後（無土器期）になると、宮古諸島（長墓遺跡）でⅠ類からⅢ類のイモガイビーズが多く消費される一方で、この時期、八重山諸島ではイモガイビーズの消費が衰退する。南部圏のビーズは、島ごとに使用状況が異なると思えるほどに、地理的・時間的にばらばらだ。

南部圏には、イモガイビーズのほかに小型のタカラガイビーズもあるが、ビーズの種類は概してひどく単純である。南部圏の貝製品は全体的に穿孔した貝錘など素朴な作りのものが多く、細かい加工はほとんど見られない。そのなかで回転研磨を施すイモガイⅢ類ビーズは際立って丁寧な加工がなされた製品といえる。南部圏のイモガイⅢ類ビーズはどのように登場したのだろうか。

台湾のイモガイビーズ

台湾島西海岸の南関里東(なんかんり)遺跡の発掘調査で、イモガイビーズⅠ類・Ⅱ類・Ⅲ類が出土している（図4－3の69～72）。これらは大坌坑(だいぶんこう)文化期（紀元前三〇〇〇～二二〇〇年）のものであり（臧・李 二〇一三）、続く時期の台湾南部の墾丁(こんてい)遺跡（紀元前二〇〇〇年前後）においても同様のイモガイビーズが見つかっている（図4－3の73～77）。二つの遺跡の時期は最古のイモガイⅢ類ビーズをもつ遺跡（下田原貝塚：紀元前二二〇〇～一三〇〇年）に重なる部分があり、八重山におけるイモガイビーズの登場を考えるうえで参考になる。

先史時代における台湾と南部圏との関係は、土器の製作技法に共通点があるという指摘があるものの（木下他 二〇一九）、文化的な関係を積極的に論じるに至っていない。ただ八重山諸島の西端から台湾が見えることを踏まえると、二つの地域間が没交渉であったとは考え難い（木下 二〇一八）。南部圏のイモガイビーズが台湾から伝わった可能性を考えておきたい。

4 貝ビーズからみえてくるもの

琉球列島の貝ビーズのなかで列島全域に共通する最も普遍的なのは、小型イモガイを回転研磨させて作るイモガイⅢ類ビーズである。それは列島全域にサンゴ礁があり、島々に共通の製作技術（回転研磨）が広まっているからなのだが、その使用実態は北部圏・中部圏・南部圏で互いに大きく異なっている。Ⅲ類ビーズの主要な消費期間は、北部圏が紀元二〇〇～六〇〇年、中部圏が紀元前二〇〇〇～紀元前一〇〇〇年であり、南部圏では紀元前四二〇〇年から紀元後において八重山と宮古でそれぞれ異なるピークをもつ。製作技術の系譜では、北部圏は九州起源、南部圏の技術は台湾経由であった可能性が高い。琉球列島のⅢ類ビーズ消費は、その広域分布とは裏腹に、きわめて分断的である。

貝ビーズの好みでは、北部圏では人工的な斉一性を特徴とするⅢ類ビーズと、貝殻本来の形や色彩を生かした華やかな貝ビーズの組み合わせが好まれた。中部圏ではⅢ類ビーズとともに、丸くボリュームのある複数種の貝ビーズが好まれた。南部圏ではイモガイビーズとともに骨ビーズが好まれた。ビーズに求める美しさも分断的である。

このように文化圏ごとのビーズ文化が独自に展開したが、広田遺跡を除くと、それが地域の装身具を特徴づけるほどの発展を見せることはなく、一定期間継続したあと衰退している。素材の選択肢が豊かで回転研磨技術があるにもかかわらず琉球列島で貝ビーズ文化が継続的に発展しなかったのは、なぜなのだろう。ヒントになるのは広田人の行動である。広田遺跡のある種子島はサンゴ礁環境の北縁にあたり、貝ビーズの素材が中部圏ほど豊富ではないため、人々は中部圏に南下し、そこでたくさんの貝ビーズ素材を得ていた。広田人がビーズ製作に傾注したのは、彼らがもとよりビーズを含む豊かな装身文化をもっていたという前提に加えて、装身具の素材の多くが地元では稀少であるという状況に因るだろう。遠方の素材は付加価値が高く、これに手間のかかる加工を加えれば価値はさらに高まる。ここにビーズ製作に向かう強い動機が生まれたのではないだろうか。日常の空間が良質のビーズ素材に満ちている琉球列島に、こうした意識は生まれにくかったのではないか。このことは、タカラガイのない内陸、たとえば新石器時代の黄河流域でこの貝殻の形と色と艶が珍重され、タカラガイ産地、たとえば台湾ではこの意識がほとんど認められないという現象に通じるものがある。豊かさゆえの素朴な展開――広田遺跡以前の琉球列島のビーズ文化を、私はこのように理解している。

追記

本稿の執筆にあたり、南関里東遺跡出土資料については臧振華氏、李匡悌氏、黄映璇氏および中央研究院歴史語言研究所に格別の配慮と教示をいただきました。記して感謝申し上げます。

注

＊1　東名遺跡では縄文時代早期にイモガイと二枚貝それぞれによるⅢ類ビーズが見られる。そのほかに多種類の自然型ビーズも出土している。それらは脊椎骨、ツノガイ、マガキガイ、イモガイ、マツムシ類、ヒメヨウラク、カニノテムシロなどを使ったビーズである（西田編 二〇一六）。当時の海水温は現在より高かった。

＊2　筆者はかつて中部圏のイモガイⅢ類ビーズを中国からの文化的刺激によって登場したものではないかと述べたが（木下一九九九）、東名遺跡の発見により九州起源の可能性が強まった。

参照文献

石堂和博・徳田有希乃・山野ケン陽次郎編　二〇〇七『廣田遺跡』南種子町埋蔵文化財調査報告書（一五）、南種子町教育委員会。

木下尚子　一九九九「東亜貝珠考」『先史学・考古学論究Ⅲ』龍田考古会、三一五―三五四頁。

木下尚子　二〇〇三「貝製装身具からみた広田遺跡」『種子島廣田遺跡（本文編）』後掲、三二九―三六六頁。

木下尚子　二〇一八「先史琉球人の海上移動の動機と文化――台湾と八重山諸島の文化交流の解明に向けて」『文学部論叢』一〇九、熊本大学文学部、一五―三三頁。

木下尚子・郭素秋・島袋綾野・島袋春美　二〇一九「下田原式土器登場にかんする一考察」『南島考古』三七、沖縄考古学会、三一―五〇頁。

桑原久男編　二〇〇三『種子島廣田遺跡』広田遺跡学術調査研究会・鹿児島県立歴史資料センター黎明館。

肥塚隆保・降幡順子・大賀克彦・矢持久民枝　二〇〇三「広田遺跡出土玉類の考古科学的調査」『種子島廣田遺跡（本文編）』前掲、三六七―三七五頁。

國分直一　一九七二『南島先史文化の研究』慶友社。

臧振華・李匡悌　二〇一三『南科的古文明』南科考古發現系列叢書一、臺灣史前博物館。

西田巖編　二〇一六『東名遺跡群Ⅳ　第二分冊　遺物編二』佐賀市埋蔵文化財調査報告書第一〇〇集、佐賀市教育委員会。

山崎真治他編　二〇一〇『沖縄県南城市武芸洞遺跡発掘調査概要報告書』沖縄県立博物館・美術館。

Codrington, R. H. 1891. *The Melanesians, Studies in their Anthropology and Folklore*. Oxford, p.554.

Cranston, B. A. L. 1961. *Melanesia: A Short Ethnography*. London, The British Museum.

Malinowski, B. 1922. *Argonauts of the Western Pacific*. London, p.87.

Rivers, W. H. R. 1941. *The History of Melanesian Society*. Cambridge University Press, vol.II, p.554.

Ⅱ 古代国家と古代文明の形成・展開

第5章 古代日本とユーラシア

ガラスビーズからみる交易

田村朋美

1 古代日本のガラスビーズ

ガラスは人類が初めて作った人工材料であるといわれている。ガラスには、黒曜石など天然に産出するものと人工的に作られるものがある。人工ガラスの起源には諸説あるが、紀元前二五〇〇年頃までにはメソポタミア（現在のイラク周辺）でガラスが作られるようになった（Moorey 1994）。ガラスは盛衰を繰り返しながらも現在に至るまで作り続けられてきた。

日本列島においても、弥生時代以降、多くのガラス製品が流通していたことが明らかとなっている（口絵6）。これらの大半は、装身具としての玉類、すなわちビーズであった（肥塚他 二〇一〇）。弥生時代から古墳時代の墳墓で大量に見つかるガラスビーズには、共通の特徴がある（Oga and Gupta 2000; 大賀二〇〇二、肥塚他二〇一〇など）。その特徴とは、単色で、ガラス玉を貫く穴と平行方向に気泡が並ぶことである。このような気泡の列は、このガラスビーズが、軟らかくしたガラスを引き伸ばして作ったガラス管を分割して製作されたことを示している（写真5－1）。

さらに、これまでの考古学的な調査から、同じ特徴をもつガラスビーズが、日本列島のみならず、西はアフリカ大陸東岸部からインド南部を経て東南アジア各地に至るまでの地域に分布することが明らかとなっている。これらはインド・パシフィックビーズ（Indo－Pacific Beads）と呼ばれ、南インドのアリカメドゥ遺跡の成立によって始まり、その後、東南アジア各地に生産地が拡散し

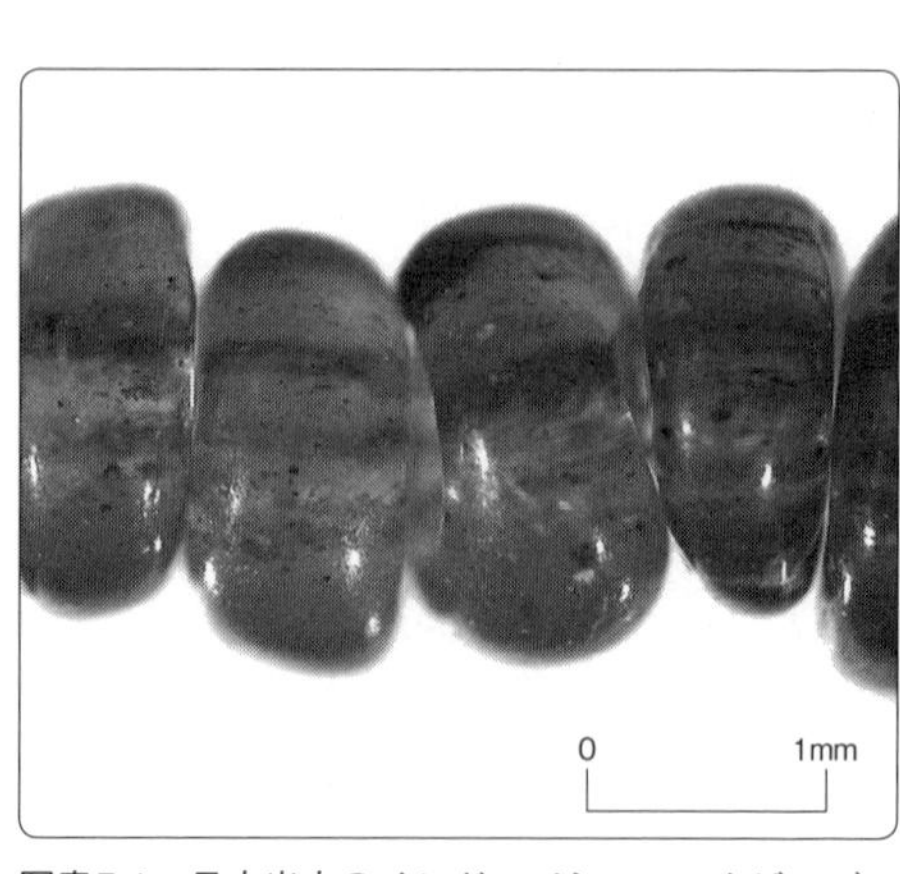

写真5-1　日本出土のインド・パシフィックビーズ。梅田東古墳群出土（兵庫県立考古博物館蔵、奈良文化財研究所写真提供）

たといわれる（Fransis 1988－9; 1990）。アリカメドゥ遺跡は、ガラスビーズが製作された痕跡が発見されている生産遺跡のなかでも最も古い遺跡の一つと考えられている。

日本列島でも弥生時代から古墳時代にかけての遺跡から、大量のインド・パシフィックビーズが発見されており、その数は数十万点にのぼる（Oga and Gupta 2000; Oga and Tamura 2013）。インドや東南アジア各地では、インド・パシフィックビーズの生産遺跡が多く見つかっており、特徴的な未成品（製作途中の遺物や失敗品）が多く出土する。ところが、日本列島や朝鮮半島を含む東アジアでは未成品を伴うような生産遺跡はまったく発見されていない。つまり、東アジアで見つかるインド・パシフィックビーズはすべて製品として輸入されたものなので

ある。弥生時代や古墳時代といえば中国や朝鮮半島との交易が想定されることが多いが、一方で二千年以上も前からインドや東南アジアなどの南方地域起源の交易品がこれほど大量に流入していたのは驚くべきことではないだろうか。これだけでも、極東の日本列島までをも含む、古代の広大な交易圏を垣間見ることができる。

2　ガラスビーズの製作技法と材質分類

製作技法

日本列島で流通していたガラスビーズには、南方系のインド・パシフィックビーズ以外に、管玉（くだたま）や勾玉（まがたま）など東アジアに特徴的なものも存在する。さらに、前述の引き伸ばし法以外の方法で製作された小玉もいくつか存在する。

たとえば、一見インド・パシフィックビーズと似ているようでも、よく観察すると、片側の端面の丸みが強く、両端面の形状が非対称となっている特殊な形態のビーズが存在する。通有の引き伸ばし法とは異なる技法と判断し、変則的な引き伸ばし法と呼んで区別している。そして、詳細は後述するが、このような変則的な引き伸ばし法で製作されたガラスビーズと通有の引き伸ばし法で製作された典型的なインド・パシフィックビーズでは、日本列島における流通時期も、素材に利用されているガラスの材質も、まったく異なっている。

引き伸ばし法に次いで一般的に見られる製作技法として、巻き付け法（写真5－2）があげられる。巻き付け法は、芯棒に軟化したガラスを巻き付けてビーズを製作する方法である。穴と直交方向に伸びる気泡筋や蝕像（風化によってガラス玉表面に現れた筋状の凹凸）が観察される。

写真5-2　巻き付け法によるガラス小玉（三苫２号墳、福岡市教育委員会蔵、奈良文化財研究所写真提供）

写真5-3　連珠法によるガラス小玉（宝満尾古墳出土、福岡市教育委員会蔵、奈良文化財研究所写真提供）

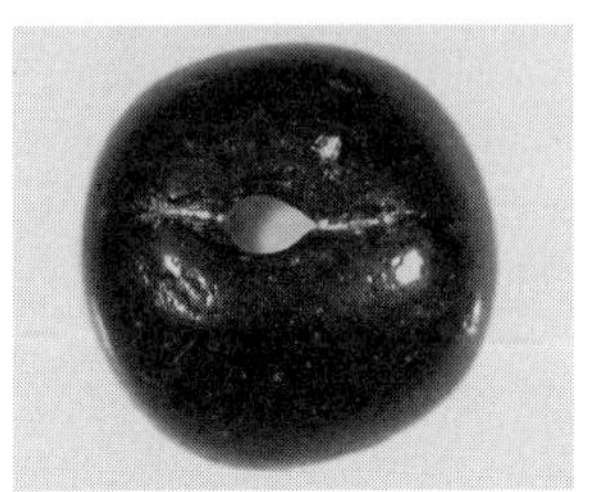

写真5-4　包み巻き法によるガラス小玉（風吹山古墳出土、岸和田市教育委員会蔵、奈良文化財研究所写真提供）

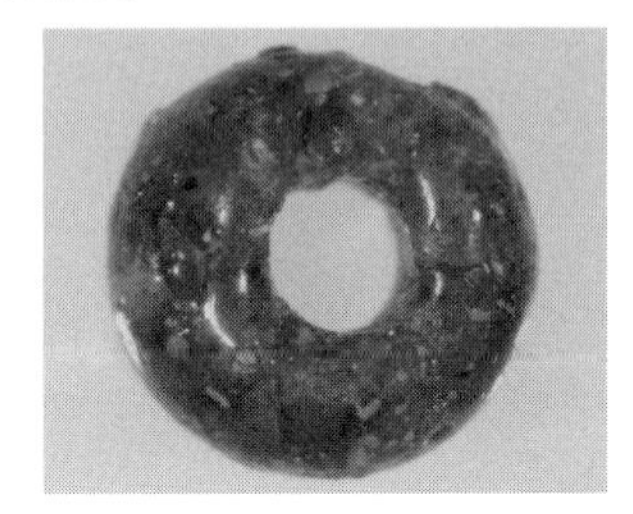

写真5-5　鋳型法によるガラス小玉（宮畑2号墳出土、福島市蔵、奈良文化財研究所写真提供）

ほかにも連珠法や包み巻き法などのやや特殊な製作技法も存在する。連珠法（写真５－３）は、ガラス管を加熱して工具でくびれを入れたうえで分割する方法である。丸みの強い玉ねぎ形を呈し、端面に分割の痕跡を残す場合が多い。重層ガラス玉も連珠法による。さらに特殊な方法として、包み巻き法（写真５－４）と呼ばれる技法がある。軟化したガラスに芯棒を刺し込み、芯棒を包むように巻いて丸玉に整形する方法と推定されている。典型的な例では、孔径が両端面で異なり、片側は小さく整った円形であるが、もう一方は孔径が大きく、二ヵ所以上のしわのようなくぼみが見られる。モザイク玉などの特殊な玉にも認められる。

なお日本列島では、「たこ焼き型の鋳型」と呼ばれることもある特徴的な土製品（多孔土板とも呼ばれる）が出土している。これらはガラス小玉の鋳型であり、おそらくインド・パシフィックビーズをはじめとする舶載品のガラスビーズ（またはその破片）のリサイクル（再生）のために用いられたと考えられている。ガラスビーズの生産地から遠く、供給が潤沢でなかった地域（日本列島や朝鮮半島）に特徴的に見られる製作技法である（写真5－5）。

以上のように、日本列島では様々な種類のガラスビーズが流通していたが、形態的特徴だけで具体的な生産地まで特定できるわけではない。そこで重要となってくるのが化学組成である。

材質分類

ガラスの材質（化学組成）は原料の選択によって決まる。ガラスの原料が二酸化ケイ素（SiO_2）であることはよく知られているが、それを自然界から得る方法は、石英分の多い川砂を利用する方法や、石英の結晶を砕いて利用する方法など様々である（Henderson 2013）。とくに川砂などを用いる場合、地域の自然環境によって不純物として混入する成分の種類や量が異なるため、原料によってガラス玉の化学組成が変わってくることは容易に予想できる。これはガラスの融点を下げる融剤、あるいは着色剤でも同様のことが起こりうる。つまり、自然科学的手法で古代ガラスの化学組成が明らかになれば、より具体的な生産地の検討が可能となる。古代ガラスの化学組成は、いわば生産地を示す指標なのである。

日本の弥生～古墳時代の遺跡から発見されるガラスビーズの材質は、まずは融剤の種類によって鉛ガラス系、カリガラス系、ソーダガラス系に大きく分けられる（Oga and Tamura 2013）。

鉛ガラス系は、鉛バリウムガラスとバリウムを含まない鉛ガラスに区分される。製作技法との関係では、鉛バリウムガラスには、勾玉や管玉などの製品が目立つが、小玉についてはいずれも巻き付け法で製作されている。

鉛ガラスについても、小玉の製作技法は巻き付け法にほぼ限定される。

カリガラス系は、酸化アルミニウムと酸化カルシウムの含有量から、グループＰⅠとグループＰⅡに区分される。色調と明確な相関が認められ、前者はコバルト着色の紺色透明のガラスビーズに対応し、後者は銅着色の淡青色透明のガラスビーズに対応する。

ソーダガラス系は多様で、酸化アルミニウムと酸化カルシウム、酸化マグネシウムと酸化カリウムの含有量から五種類（グループＳⅠ〜グループＳⅤ）に区分されるが、製作技法や流通時期によってさらに細分される（表５−１）。興味深いことに、ここで分類した化学組成と製作技法との間には明確な相関関係があり、両者を組み合わせることで、ガラスビーズのより詳細な生産地についての情報を得ることが可能となる。

3　ガラスビーズの生産地と交易ルート

東アジアのガラスビーズ

第二節で述べたガラス材質のうち、東アジアで生産されたものは鉛ガラス系である。このうち鉛バリウムガラスは、鉛同位体比の検討から、中国で生産されたものであると考えられている。バリウムを含まない鉛ガラスに関しても、弥生時代後期〜終末期（一〜二世紀）に流通したものは中国産と考えられる。

一方、古墳時代後期末（七世紀）以降に出土する鉛ガラスに関しては、鉛同位体比から二つの生産地が識別される。一つは古墳時代後期末に北部九州を中心に流通するもので、朝鮮半島の百済（くだら）で生産されたものである。もう一方は国産の鉛を原料としたもので、奈良県飛鳥池遺跡（七世紀後半）で生産が確認されており、奈良時代へ

表5-1　日本列島で流通したガラスの分類

材質分類 大別	細別		製作技法	着色剤	時期	推定出土数	生産地
鉛ガラス	鉛バリウム	Group LIA	巻き付け	銅	BC3c ～ BC2c	100±	中国東北部
		Group LIB	捩り巻き	銅、銅＋漢青、漢青	BC1c ～ AD2c	2500±	中国南部
		Group LIC	包み巻き	銅	AD1c	200±	中国
	鉛	Group LIIA	巻き付け	銅	AD1c ～ AD2c	1000±	中国
		Group LIIB	巻き付け	銅、鉄	AD7c ～	3000+	百済→日本
カリガラス	中アルミナ	Group PI	引き伸ばし、包み巻き、加熱貫入	コバルト、鉄、銅＋マンガン	BC3c ～ (AD5c)	80000±	南アジア
	高アルミナ	Group PII	引き伸ばし	銅	BC1c ～ (AD3c)	60000+	ベトナム北半～中国南部
ソーダガラス	ナトロン	Group SIA	包み巻き／連珠	コバルト	AD2c	150±	地中海周辺
		Group SIBa	巻き付け	コバルト	AD5c 前半	100±	地中海周辺
		Group SIBb	包み巻き	コバルト	AD5c 前半	500±	地中海周辺
		Group SIBc	包み巻き、連珠	コバルト	AD5c 前半		地中海周辺
	高アルミナ	Group SIIA	引き伸ばし	コバルト	AD1c 後半～(AD5c)	5000±	南アジア、東南アジア
		Group SIIB	引き伸ばし、連珠	銅、銅＋マンガン、鉄、銅コロイド、酸化銅コロイド、錫酸鉛、銅＋錫酸鉛、マンガン、コバルト	AD4c ～ AD6c	150000+	南アジア、東南アジア
	植物灰	Group SIIIA	包み巻き	鉄	AD1c 後半～(AD5c)	10+	西アジア～中央アジア
		Group SIIIB	引き伸ばし、連珠	コバルト、鉄	AD5c 後半～AD6c	100000±	西アジア～中央アジア
		Group SIIIC	変則的引き伸ばし	コバルト、銅、マンガン、錫酸鉛、銅＋錫酸鉛	AD7c 前半	10000±	西アジア～中央アジア
	ナトロン主体	Group SIV	引き伸ばし	コバルト	AD2c ～ (AD5c)	10000±	南アジア、東南アジア
	プロト高アルミナ	Group SVA	引き伸ばし	銅＋錫酸鉛、銅	AD1c 後半～AD2c	5000±	南アジア、東南アジア
		Group SVB	連珠	銅	AD2c 後半～AD3c	500±	不明
		Group SVC	加熱貫入	銅	AD4c	500+	不明

出所）Oga and Tamura 2013: 51-52、一部筆者改変。

継続する。

インドから東南アジアのガラス

カリガラス（グループＰⅠとグループＰⅡ）といくつかのソーダガラス（グループＳⅡ、グループＳⅣ、グループＳＶＡ）については、ほとんどが引き伸ばし法で製作された典型的なインド・パシフィックビーズである。化学組成についても、インド～東南アジア（中国南部を一部含む）に特有のガラスであり、これらの地域に生産地があったと考えられる。

具体的な生産地についてさらに詳細に検討すると、カリガラス系のグループＰⅠは、インド・パシフィックビーズの生産遺跡のなかで最も古いと考えられている南インドのアリカメドゥ遺跡において同じ材質的特徴をもつカリガラスの出土が多いことから、南インドで生産された可能性が最も高い。一方、グループＰⅡのカリガラスは、ベトナム中部から中国南部の沿岸部に分布が集中するカリガラスと材質的特徴が一致しており、これらの地域が生産地と考えている。

ソーダガラス系では、グループＳⅡ、グループＳⅣ、グループＳＶＡがインドもしくは東南アジアで生産されたと考えられる。グループＳⅡは、従来から「高アルミナタイプのソーダガラス」と呼ばれ、典型的なインド～東南アジアのソーダガラスの化学組成であると認識されていた。グループＳⅣは、すべて典型的なインド・パシフィックビーズで、コバルト着色による紺色透明を呈する。グループＰⅠと時期的に併存し、同じ種類のコバルト原料によって着色されることから、生産地もインドもしくは東南アジアに求められる。グループＳＶＡも典型的なインド・パシフィックビーズで、製作技法や着色剤の選択の共通性から、グループＳⅡとの関連が想定されるが、化学組成や流通時期が異なる。先行研究（Lankton and Dussubieux 2006など）との比較から、南インドのアリカメドゥ遺跡で多く出土するソーダガラスに該当する可能性があると考えている。

上にあげたガラスビーズのうち、グループSⅡおよびグループSVAのガラスビーズに関して、人工黄色顔料である錫酸鉛（$PbSnO_3$）を着色剤として添加したガラスビーズの鉛同位体比が測定されている。これらは非常に近似の鉛同位体比をもち、タイのソントー（Song Toh）鉱山産の鉛と一致する（平尾二〇一三など）。この結果は、グループSⅡおよびグループSVAの生産地をインドもしくは東南アジア地域とする推定と整合的である。

地中海世界のガラス

ガラス発祥の地とされる西方地域で発達した、いわゆる「西のガラス」製のガラスビーズも日本列島に流入していた。「西のガラス」はソーダ原料に蒸発塩の「ナトロン」（$Na_2CO_3 \cdot 10H_2O$ や $Na_3(CO_3)(HCO_3) \cdot 2H_2O$ などの鉱物）を利用したナトロンガラスと、植物灰を利用した植物灰ガラスに大別される。ナトロンガラスは地中海周辺地域、植物灰ガラスは西アジア〜中央アジア地域のガラスの特徴とされる。

日本列島出土品では、グループSⅠのソーダガラスが地中海世界起源のナトロンガラスに相当する。日本出土のナトロンガラスと地中海世界で出土したナトロンガラスの化学組成を比較した結果、一部のものが現イスラエル付近で製作されたとされるLevantine Ⅰタイプに該当することが明らかとなった（Tamura and Oga 2016）。さらにストロンチウム同位体比分析法を適用した結果、日本列島出土品の多くが地中海世界でもとくに東地中海沿岸地域で生産された可能性が高まっている。

製作技法との関係では、包み巻き法や連珠法などの比較的特殊な技法に偏って存在し、引き伸ばし法で製作されたガラスビーズは存在しない。連珠法には重層ガラス玉も含まれる。なお、包み巻き法や連珠法は、次に述べる植物灰ガラスにも多く出現するが、東アジア産のガラスにはまったく出現せず、インド～東南アジア産のガラスにも例外的に出現するに過ぎない。日本列島に流入したナトロンガラス製ビーズは、玉への加工も西方地域で実施されたと考えることができる。

西アジアから中央アジアのガラス

「西のガラス」のなかでも植物灰をソーダ原料に利用した植物灰ガラスに相当するのがグループSⅢである。グループSⅢは、製作技法や着色剤の選択からグループSⅢA、グループSⅢB、グループSⅢCに細分される。グループSⅢAは鉄で着色された黄色透明もしくは茶褐色透明を呈し、包み巻き法で製作されたガラスビーズである。一遺跡から約一〇点が出土しているだけで、出土数は少ない。グループSⅢBのほとんどは引き伸ばし法による紺色透明のガラスビーズである。ただし、直径が六㎜を超えるような大型品が一般的であり、典型的なインド・パシフィックビーズとは異なる点は注意したい。グループSⅢCはすべて変則的な引き伸ばし法で製作されたガラスビーズで、この製作技法はグループSⅢCに限定される。グループSⅢには、これら以外にも重層ガラス玉やモザイク玉など特殊なガラス玉が多く含まれる。

グループSⅢBとグループSⅢCの大部分がコバルトで着色されるが、グループSⅢCは紺色以外の色調も比較的多い。このうち、飛鳥寺塔心礎出土の錫酸鉛で着色された黄色不透明を呈するグループSⅢCのガラスビーズについて鉛同位体比の測定を実施した結果、前述のソントー鉱山産の鉛とは値が大きく異なっていた。公表された鉱石データではイラン、パキスタン、オマーンなどに類似の値を示すものが存在している。

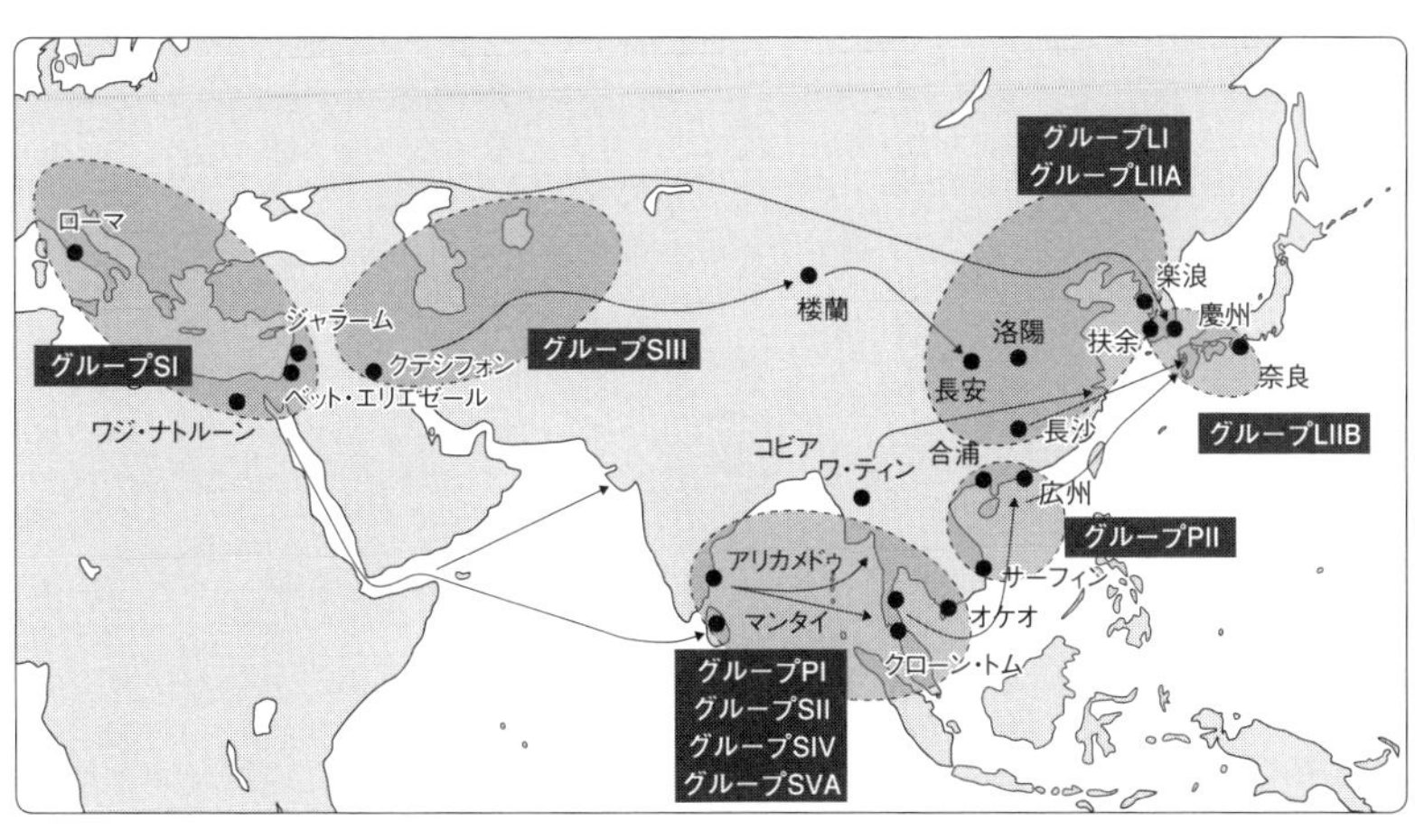

図5-1　日本列島へ流入したガラスビーズの生産地と交易ルート
出所）Oga and Tamura 2013: 36を筆者改変。

交易ルートの変遷

日本列島への流入時期と周辺地域における出土状況から、各種ガラスの交易ルートや時期変遷についても徐々に明らかとなってきている（図5－1）。日本列島にガラスビーズが初めて出現するのは弥生時代前期末〜中期初頭（紀元前三世紀頃）の北部九州である。このとき流入したのは、グループPⅠのカリガラス製のインド・パシフィックビーズである。

弥生時代後期（一世紀）になると、インド・パシフィックビーズの流通量が激増する。当該時期に流入した主要なグループの生産地は南アジアや東南アジアに想定されるもので、南方からの海路による流通と考えられる。

ところで、紀元一世紀頃には「ヒッパロスの風」と呼ばれたモンスーン（季節風）が発見され、航海技術が飛躍的に発達したと考えられている。インド・パシフィックビーズはピーター・フランシス・ジュニアによってその名が与えられる以前には「トレイド・ウインド・ビーズ（Trade Wind Beads）」と呼ばれており、季節風を利用した活発な航海活動を示すものと捉えられていたことが窺える。そして、日本列島におけるこの時期のインド・パシフィックビーズの増加は、このような活発な航海活動の影響が遠く極東アジアまで到達していたことを示すものといえる。海路を中心とした南方からのガラスビーズの流入は、その後、古墳時代中期前半（五世紀前半）まで継続する。

古墳時代中期後半（五世紀後半）になると、海路を中心とした南方からのガラスビーズの流入に大きな変化が訪れる。西アジア〜中央アジア産の植物灰ガラス（グループSⅢB）の出現と大量流通である。「西方の」ガラスビーズの大量流入で、それまでの「南方の」インド・パシフィックビーズを中心とした構成が大きく変化する。ほぼ同時期に、朝鮮半島でも新羅を中心に同種のガラスビーズが大量に確認されている。当該時期の新羅には、西アジア〜中央アジア産のガラス容器や金製品が内陸ルートで伝えられたと考えられており（Lankton et al. 2010など）、グループSⅢBのガラスビーズも同じ経路で東アジアにもたらされたと考えることができる。すなわち、古墳時代中期後半におけるガラスビーズの構成の変化は、ユーラシア大陸各地から日本列島へもたらされたガラスビーズの交易ルートの中心が海路から陸路へ変化する大きな画期を示している。

古墳時代後期末（六世紀末）には、変則的な引き伸ばし法による植物灰ガラスビーズ（グループSⅢC）の流通が開始する。興味深いことに、飛鳥寺との関係性が指摘される韓国百済王興寺址から類似の形態と化学組成の特徴を有するガラス小玉が出土している（国立扶餘文化財研究所 二〇〇九）。また、類似のガラス小玉が中国北周武帝孝陵出土品においても確認されている（成・張 二〇一一）。百済では六世紀後半に中国北朝との関係が強まったことが指摘されており（窪添 二〇一〇）、流入経路を解明する手がかりとなる。一方で、東南アジアにおいてまとまった量のグループSⅢCの出土事例が確認できないことなどを考慮すると、メソポタミア地域で生産されたガラスが内陸ルートを経由して東アジアへ流入したと考えられる。さらに、東アジアにもたらされたこれら西方のガラス小玉は、六世紀後半頃に北朝を介して百済にもたらされ、最終的に『日本書紀』に見える百済国から献ぜられた仏舎利に伴って飛鳥寺に到達したというルートを想定することができるかもしれない。

以上のように、ガラスビーズは、ユーラシア大陸の東端部に位置する日本列島が弥生時代からすでに陸や海のルートを通じて東南アジアや南アジア、さらには西アジアや中央アジア、地中海周辺地域ともダイナミックにつながっていたことを物語る貴重な資料である。

ガラスビーズのその後——装身具から荘厳具へ

古墳時代後期末（六世紀末）には、百済産の鉛ガラス製のビーズが北部九州を中心に流通するようになり、七世紀後半になると、朝鮮半島からガラスそのものの生産技術が導入され、日本列島で最初のガラス生産（鉛ガラス）が開始される。一方で、国産ガラスの生産の開始は輸入ガラスビーズの衰退を意味した。

奈良時代のガラスビーズは、正倉院や東大寺不空羂索観音像の荘厳具などに残されている。出土遺物についても、寺院の鎮壇具として発見されることが多くなり、ガラスビーズはそれまでの時代のように人々を飾るものではなく、仏を飾るものとして寺院や仏像の荘厳具にその用途が変化した。

参照文献

大賀克彦　二〇〇二「日本列島におけるガラス小玉の変遷」『小羽山古墳群』清水町埋蔵文化財発掘調査報告書五、一二七—一四五頁。

窪添慶文　二〇一〇「南北朝時期の国際関係と仏教」鈴木靖民編『古代東アジアの仏教と王権——王興寺から飛鳥寺へ』勉誠

出版、二六九—二九二頁。

肥塚隆保・田村朋美・大賀克彦　二〇一〇「材質とその歴史的変遷」『月刊文化財』五六六、第一法規、一三—二五頁。

平尾良光　二〇一三「『鉛』から見える世界」平尾良光先生古稀記念論集編集委員会編『平尾良光先生古稀記念論集　文化財学へのいざない』六一書房、二五—一〇八頁。

国立扶餘文化財研究所　二〇〇九『王興寺址Ⅲ木塔址金堂址発掘調査報告書』国立扶餘文化財研究所学術研究叢書五二。

成倩・張建林　二〇一一「北周武帝孝陵出土玻璃珠的科学分析与研究」『考古与文物』二〇一一年第一期、一〇七—一一二頁。

Fransis, P. 1988-9. Glass Beads in Asia Part1. Introduction. *Asian Perspectives* 28(1): 1-21.

Fransis, P. 1990. Glass Beads in Asia Part2. Indo-Pacific Beads. *Asian Perspectives* 29(1): 1-23.

Henderson, J. 2013. *Ancient Glass: An Interdisciplinary Exploration*. Cambridge University Press.

Lankton, J. W. and L. Dussubieux 2006. Glass in Asian Maritime Trade: A Review and an Interpretation of Compositional Analyses. *Journal of Glass Studies* 48: 121-144.

Lankton, J. W. and B. Gratuze, G. Kim, L. Dussubieux, I. Lee 2010. Silk Road Glass in Ancient Korea: The Contribution of Chemical Compositional Analysis. In B. Zorn and A. Hilgner (eds.), *Glass along the Silk Road from 200 BC to A269-292D 1000*. Mainz, Verlag des Römisch-Germanischen Zentralmuseums, pp. 221-236.

Moorey, P. R. S. 1994. *Ancient Mesopotamian Materials Andindusties: The Archaeological Evidence*. Oxford: The Clarendon Press.

Oga, K. and S. Guputa 2000. The Far East, Southeast and South Asia: Indo-Pacific Beads from Yayoi Tombs as Indicators of Early Maritime Exchange. *South Asian Studies* 16: 73-88.

Oga, K. and T. Tamura 2013. Ancient Japan and the Indian Ocean Interaction Sphere: Chemical Compositions, Chronologies, Provenances and Trade Routes of Imported Glass Beads in Yayoi-Kofun Period (3rd Century BCE-7th Century CE). *Journal of Indian Ocean Archaeology* 9: 1-43.

Tamura, T. and K. Oga 2016. Archaeometrical Investigation of Natron Glass Excavated in Japan. *Microchemical Journal* 126: 7-17.

第6章 インダス文明のカーネリアン・ロード

古代西南アジアの交易ネットワーク

遠藤　仁

1 古代西南アジア社会におけるビーズと装身具

ビーズと装身具とは何か

本章では、遺跡から出土するビーズの分析から、古代文明の交易や社会を垣間見てみる。まずビーズとは、考古学的な理解では、中心軸に沿って紐を通すための穴を有した、小さな装身具の一部と定義される（Choyke and Bar-Yosef Mayer 2017）。ビーズの形は多様で、形により定義できるものではなく（Beck 1928）、中心軸から大きく外れた位置や端部に穴があるものは、ペンダントと呼称される（Kenoyer 1991）。

では、装身具とは何であろうか。装身具は、実利的な機能をもたないと考えられるにもかかわらず、少なくとも一〇万年間にわたり我々人類が身につけ続けているものである（Choyke and Bar-Yosef Mayer 2017）。その文化的機能は、美的、精神的（宗教・呪術・占いなど）、社会的（集団・階層・アイデンティティ・嗜好など）、経済的価値を他者に示すために身につけるものである。二義的には、音を奏でたり（ビーズ同士があたり音を鳴らす）、匂いを発したりする（香木や琥珀製ビーズなど）ものもあるため、自分の存在を他者に認識させる、もしくは儀式や音楽の補助的な機能を有することもある。

以上のような付加価値があり、小さく軽量であるため、交易品としての価値も高く、古代から世界各地で珍重されていたビーズであるが、本章で述べるインダス文明は、ビーズを追うことで当時の交易路を復元できる好例である。考古学的に、その社会構造があまり判明していないインダス文明の一端を、ビーズ交易から探っていく。

インダス文明のビーズと装身具

インダス文明とは、紀元前二七〇〇～一九〇〇年頃に現在のインドとパキスタンの国境を跨ぎ、最大で南北約一五〇〇km、東西約一八〇〇km、面積約六八万km²（日本国土の約一・八倍）に及ぶ広大な範囲に栄えていた古代文明の一つである（遠藤 二〇一七）（図6-1）。この文明の最大の特徴は、高度に整備された複数の都市とそれらを結ぶ交易ネットワークの存在であった（遠藤 二〇一七）。

インダス文明では、装身具はどのように身につけられていたのだろうか。当時の土製人形の造形から、女性も男性も子どもも、何らかの装身具を身につけていたことが確認できる（図6-2）。とくに女性は、首飾りや耳飾り、腕輪、腰飾りを身につけ、少なくとも首飾りや腰飾りにはビーズが用いられていたことが分かる。これらが一般庶民の日常を表したものか、特殊な職業や状況を表したものかは議論の余地があるが、ビーズを含む装身具で身を飾る風習が存在したことは確かなようである。

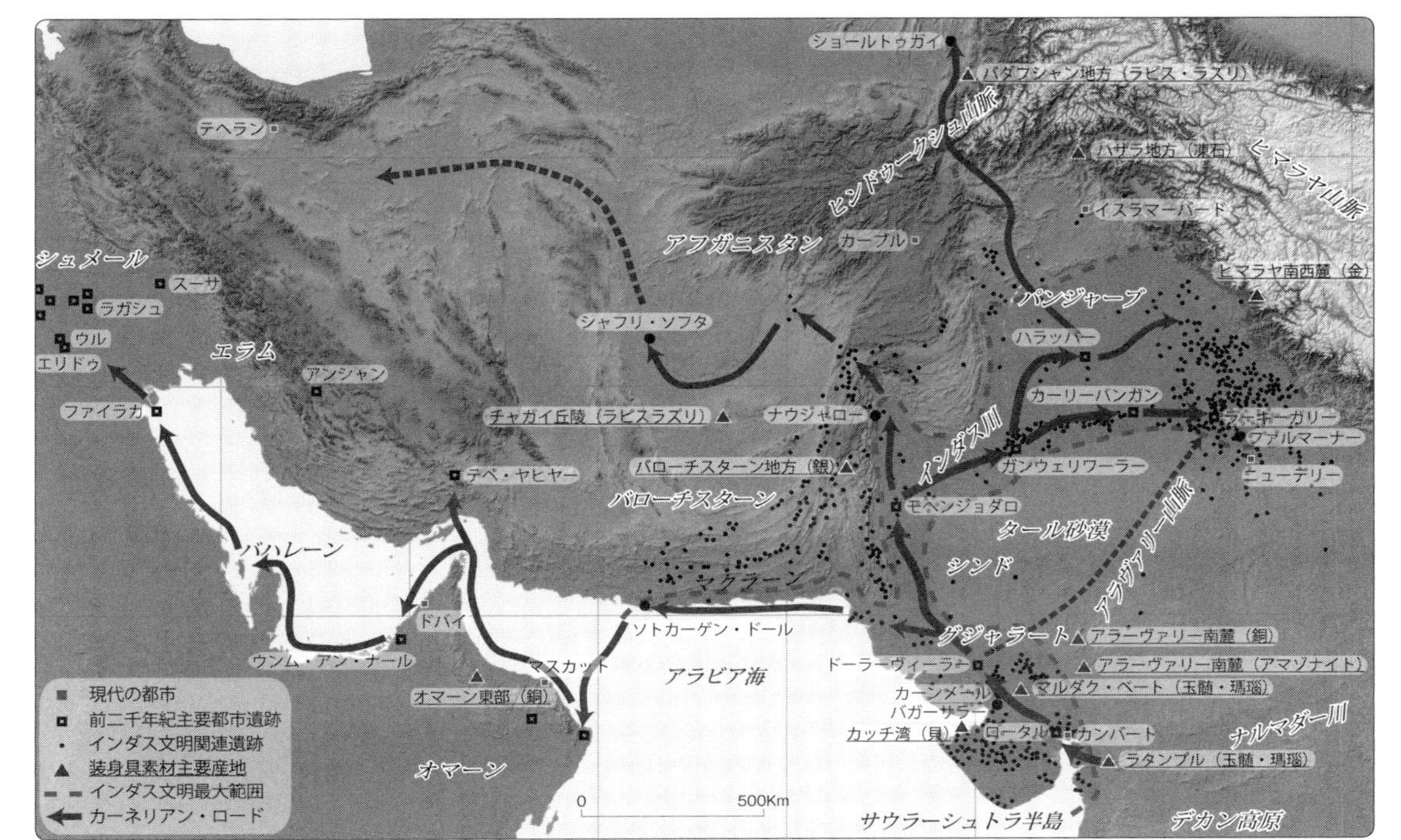

図6-1　インダス文明期の遺跡及び鉱物資源産地分布・交易路図

出所）遠藤 2013：199に筆者加筆。

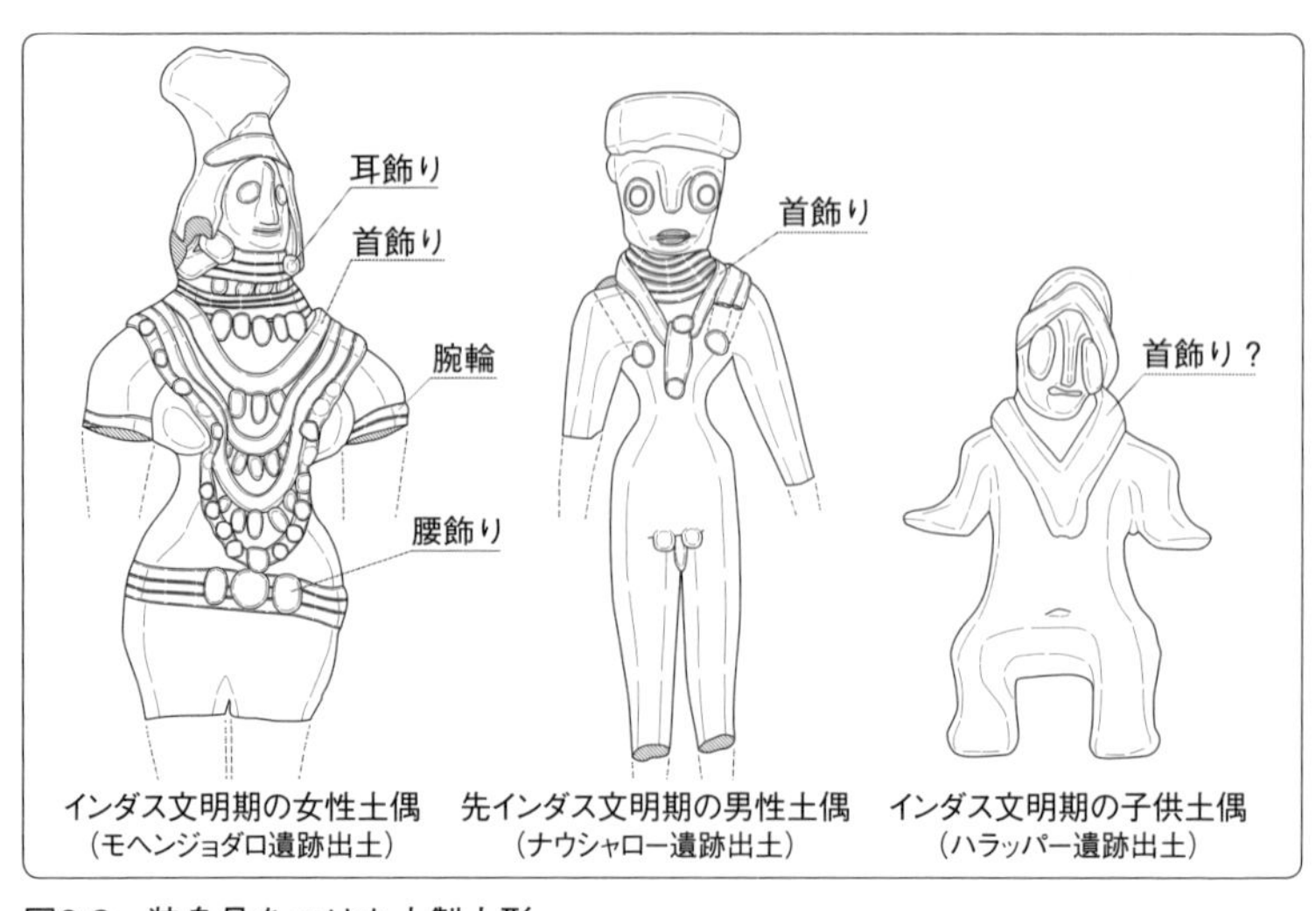

図6-2　装身具をつけた土製人形
出所）遠藤 2013：182を筆者改変。

インダス文明のビーズを代表する素材として、カーネリアン（紅玉髄）がよく知られている。この真紅で半透明の石は、当時の人々の嗜好に合ったようで、文明内部だけではなく、主要交易品の一つとしてメソポタミア文明へも流通していた。そのなかでも最長一二cmになる長大な樽型ビーズや腐食加工で装飾されたビーズは、他の場所では技術的に作ることができず、「インダス・ブランド」（小磯二〇〇九）と呼ぶべきものであった（口絵7）。

インダス文明のビーズに用いられた石材

カーネリアンは、堆積岩である瑪瑙の一種で、ジャスパー（碧玉）やアマゾナイト（天河石）とともに準貴石（ダイヤモンドなどのような貴石より硬度や希少性の低い石）に分類される（遠藤 二〇一二）。その産地は、他の瑪瑙やジャスパー、アマゾナイトとともにインダス文明の最南部、グジャラート地方南部と推測されており（Law 2011）、現在も採掘され続けている。カーネリアンは、瑪瑙のなかでも赤から橙色のものの特別な呼称であるが、グジャラートのものは黄色のものが多く、人為的に赤くしている（詳細は後述）。瑪瑙は半透明の白や灰、赤、黄、茶、緑、黒色など色彩豊かで、単色だけではなく複数の色が縞状の天然模様を描いているものも多い（口絵7の9～11）。ジャスパーも白や赤、茶、青、緑色など色彩豊かで、瑪瑙と同様に異なる色彩の縞模様のものもあり、透明度は低い石である（口絵7の12～13）。アマゾナイトは青緑から白色で、やや透明度のある石である（口絵7の14～15）。

その他の準貴石としては、ラピスラズリ（瑠璃）がある（口絵8の1～4）。この石も当時の人々の嗜好に合ったようで、インダス文明のみならずメソポタミアやエジプト文明まで広く流通していた。この藍色の石の産地は、アフガニスタンのバダフシャン地方やパキスタン西部のチャガイ丘陵で（Law 2011）、前者の近傍にはショールトゥガイ遺跡、後者の近傍にはシャフリ・ソフタ遺跡が存在している。これらの遺跡はインダス文明圏中心部からは遠く離れているが、同文明の影響が非常に強い遺跡として知られており、ラピスラズリなどの資源を獲得するための衛星都市として機能し、資源の安定的な供給を担っていたと考えられている（遠藤 二〇一三）。

準貴石以外の石としては、ステアタイト（凍石）がある（口絵8の5～10）。この石は、非常に柔らかく加工が容易であることから、直径一㎜ほどの極少ビーズが多く、各遺跡から大量に出土している（遠藤 二〇一三）。そのため、ビーズの総量では他の素材を圧倒し、多くの遺跡で最も多い出土量を占めている。それ以外にも、様々な形のビーズや多連ビーズを連結させるためのスペーサーと呼ばれるものが作られていた（口絵8の11）。その産地はヒマラヤ山脈南麓からヒンドゥークシュ山脈南麓、バローチスターン地方、アラヴァリー山脈周辺などである（Law 2011）。

極小ビーズはあまりに小さいため、どの素材の紐で連結させていたか永らく疑問であったが、遺跡出土品の分析から絹紐が用いられていたことが分かった（Good *et al.* 2009）。従来、絹を用いた最も古い例は中国に見られ、南アジアには紀元前二世紀以降にシルクロードを通じて初めてもたらされたと考えられてきた。しかし、中国での利用開始とほぼ同時期の、前三千年紀にはすでにインダス文明圏でも絹の利用が始まっていたのである。

インダス文明のビーズに用いられた金属・人工造形品

インダス文明では金属として、金や銀、銅、青銅、錫が用いられていたことが知られているが、主にビーズに用いられたのは金である（口絵8の12〜17）。金の産地は、ヒマラヤ山脈南麓からヒンドゥークシュ山脈南麓である（Law 2011）。

金属以外にも、自然素材を人為的に加工したビーズ素材として、ファイアンスやテラコッタがある。ファイアンスとは、「石英または石英質の粉をガラス質のマトリックスで結合させている人工物質で、表面には色釉（いろぐすり）が施され、ガラス質の光沢を持つもの」（山花 二〇〇五：一二四）で、インダス文明では石英以外にステアタイトの粉も用いていた。石英は、アラヴァリー山脈北部などで採掘されていた（Law 2011）。ファイアンス製ビーズの色調は、淡青や白、淡黄、淡緑色などがある（口絵8の18〜25）。

テラコッタは焼成された土製品で、その素材は粘土である。そのため、原材料の入手や製作が容易で、ハラッパー遺跡ではカーネリアンの長大な樽型ビーズを模倣したテラコッタ製ビーズが出土しており、他の素材の代替品として用いられることもあった。

インダス文明のビーズに用いられた自然素材

その他にも自然素材として、海産貝や家畜・野生動物の骨、角、歯牙を用いたビーズも多く作られていた。骨や角、歯牙は、ヤギやヒツジ、コブウシなどの家畜や、野生のレイヨウなどの他、象牙の利用も少量ながら認められる。海産貝では、アラビア海に面したサウラーシュトラ半島沿岸部で採集された巻貝や二枚貝などがビーズに加工されている。これらはアラビア海沿岸の遺跡で作られ、文明域内に広く流通していた。

2 インダス文明のビーズ製作技術

前節では、ビーズ素材の産地が非常に広範囲に及んでいたことを示した。インダス文明は、複数の地方文化が統合されて成立したと考えられており（Possehl 1999）、そのため広く鉱物資源などの産地情報やその加工技術を共有することができた。

多様な素材のビーズには、産地近隣や限定的な大規模都市でのみ作られたものと、素材自体が文明域内に広く流通し各地で作られたものがある。前者は金などの金属、ファイアンス、ラピスラズリ、ステアタイト、海産の貝などで、後者は準貴石である。そしてビーズは、いずれも高度に専業化した職人の手によって作られていたと考えられている（Kenoyer 1998）。以下その技術に関して、筆者が主な研究対象としている準貴石製ビーズの製作工程を明らかにする。

準貴石製ビーズは、遺跡から出土する製作過程の破片や失敗品の分析、現在の民族事例の調査（遠藤・小磯 二〇一二）から、製作工程を推定復元できる（図6－3）。ビーズの成形は、素材をハンマー等で打ち欠いた後、砥石で研磨することで行っている。特筆すべき技術として、長大なビーズの穿孔（せんこう）と色調変化の為の加熱処理がある。

まず長大なビーズの穿孔は、硬質な石製ドリルやストロー状の銅製ドリルを用いて両端から半分ずつ行ってい

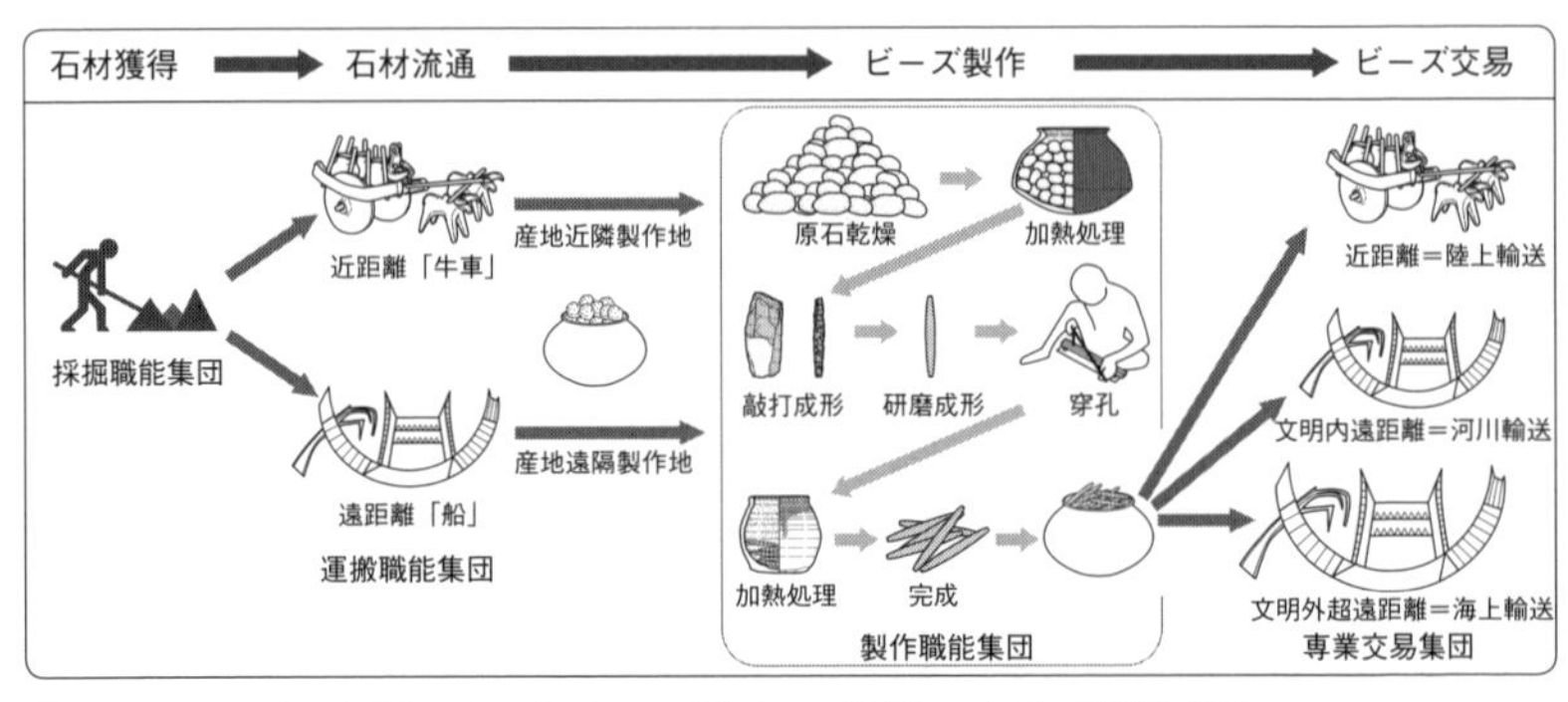

図6-3　インダス文明のカーネリアン製ビーズ製作・交易工程模式図
出所）筆者作成。

たと考えられている。おそらく、穿孔の回転運動には弓錐（ゆみきり）（弓の弦を錐に巻きつけ、弓を左右に動かすことにより穴を開ける道具。四四頁参照）が用いられ、ビーズの固定には木製万力が用いられていた。長さが一〇cmを超えるビーズの穿孔は非常に困難で、インダス文明のみが可能とする特殊技術であった。

次に加熱処理は、カーネリアンの色を自然状態の黄、橙色から真紅へ改変するものである。この技術は、石に火を直接あてると急激な温度変化により砕けるため、土器や木屑、灰などで石を覆い、間接的にしかも複数回にわたり低温で長時間加熱するものである。これは、カーネリアン産地に近いグジャラートのカンバートという街で今なお行われている技術である。加熱による色調の改変には、ほかに腐食加工がある。これはビーズの表面に人為的に模様を描く技術で、アルカリ性物質の腐食作用を利用したものである（Mackay 1933）。ビーズの表面にアルカリ性物質を含む溶液（特定の植物灰を混ぜた溶液）で模様を描き、その後加熱して定着させる。腐食加工により定着させた主に白色の模様は、洗っても、こすっても落ちることがない。この技術も、カンバートやパキスタンの一部地域で今なお受け継がれている。

3 インダス文明のビーズ交易ネットワーク

インダス文明圏内のビーズ交易

インダス文明では、その広大な文明域の隅々まで様々な素材のビーズが行きわたっていた。しかし、その素材産地は各地に点在し、その交易は困難であったと思われる。それでも、カーネリアンやステアタイト製ビーズはどの遺跡からも出土し、それらの存在がインダス文明に帰属するか否かの判定基準の一つにもなっている。

そして、文明圏内で交易対象となったのはビーズ完成品だけではなく、カーネリアンや瑪瑙などの準貴石はその原石や加工技術も各地に流通していた。他の素材のビーズが限定的な大都市や産地近傍でのみ製作されていたのに対し、なぜ準貴石だけが文明全域でビーズに加工されていたのだろうか。原石は、その容積すべてがビーズに加工できるわけではなく、石屑が出るため無駄が多い。また、硬質石材のビーズ加工では特殊技術が用いられ、広範囲への技術伝習の点でも困難である。この疑問の答えは不詳だが、おそらく、カーネリアンなどの産地や加工技術を有していたグジャラート地方の文化が、インダス文明に取り込まれた際に、ビーズ完成品だけではなく素材や技術も交易対象として選択されたのであろう。

ビーズの流通は、複数の遺跡から、数百から数千個のビーズが入れられた壺が出土していることから、壺や袋などに入れられ、当時から存在したことが確認されている牛車や船で運ばれていたと考えられる。当時から、インダス川などを利用した水運が発達していたと推測され、河川から離れた場所へは牛車が利用されていたのであろう。文明域には山岳地帯や砂漠も存在し、徒歩しか運搬手段がない場所も多く、その交易には甚大な労力が費やされたと推察される。

インダス文明圏外へのビーズ交易

インダス文明内外に交易品として流通していたのは、もちろんビーズだけではないが、考古学的に確認しやすいものの一つが、ビーズである。とりわけ長大なカーネリアンビーズは、その存在の確認が容易で、遠くアフガニスタンのショールトゥガイ遺跡やメソポタミアのウル遺跡まで、数多く運ばれていたのが確認されている（Kenoyer 1998）。

ウルなどのメソポタミア主要都市へは、アラビア海沿岸航路を用いた船で輸送されていたと考えられている。交易の経由地と考えられるオマーンやバハレーンからインダス文明関連のものが出土しており（Kenoyer 1998）、海上に交易ネットワークが存在していたのは確実視されている。しかし、アフガニスタンなどの内陸部にも、インダス文明からビーズやその他のものが運ばれており、交易ネットワークが形成されていた。内陸深部では、船も牛車も利用できないため、街から街へと徒歩で運ばれていたのであろう（図6－1）。

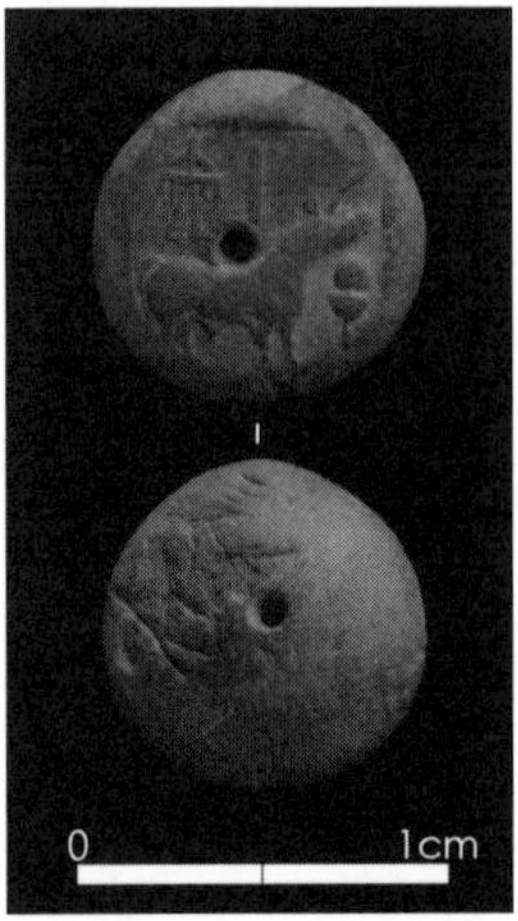

写真6-1　インダス文明のテラコッタ製ビーズ身分証（Endo *et al.* 2012: 487を筆者改変）

古代社会でも、交易は商人のような専業集団が担っていたと推測される。彼らが他の集団や社会と接触する際に、己の身分や出自、交易品の製作地などを証明するものとして、印章が用いられていた。インダスやメソポタミアでは、それぞれ独自の印章が用いられ、交易品を入れた壷などを泥で封印し、その上に押印されていた。その押印されたものを封泥と呼ぶが、グジャラートのカーンメール遺跡から封泥を半球状に加工し、中央に穴をあけて焼成した、テラコッタ製ビーズのようなものが複数出土している（写真6－1）。これらは、ビーズに身分証の役割を付与し、交易に活用されたものと推測できる。

ビーズ交易からみたインダス文明社会

ここまで、インダス文明のビーズの種類と製作方法、交易を俯瞰してきた。そして、文明圏内交易の最大の特徴は、ビーズだけではなく、その素材や技術なども交易対象とされていたことである。それを可能としたのは、文明内にくまなく張り巡らされた交易ネットワークの存在である。

隣接するメソポタミア文明は、強力な王権とそれを支える官僚による統治機構が存在していたと考えられているのに対し、インダス文明は、王や神官など支配階級の存在が希薄で、なおかつ計画都市は存在するのに王宮や神殿などの階層を明示する建造物が発見されていない。そのため、その統治機構をはじめとする社会構造は不明な点が多い。しかし、ビーズなどの様々なものの交易ネットワークが存在することから、その維持管理をどのように行っていたのかが疑問点として残る。

インダス文明は、その形成が複数文化の平和的な統合であったことから、王政のような一元的な支配ではなく、多元的な協調体制により維持されていたと考えられる。おそらく、交易を担う商人的な人々が主導権をもち、各地に点在する様々な専業の職能集団が交易の源となる高品位のものを製作し、それが文明内外へと交易され、文明の独自性や優位性を保っていたのだと推測される。そのため、インダス文明内の各地域の生産品には偏りが生じ、常に生産品を環流させる必要があり、交易ネットワークの維持が、文明の維持と同義であったと筆者は考えている。そして、そのネットワークの維持が困難になったとき、インダス文明は衰えていくことになる。

インダス文明の衰退は、それほど劇的なものではなかったと考えられている。文明衰退の明確な理由は不詳であり、複数の要因が多くの研究者によりあげられている。そのなかでも最も大きな要因として考えられているのが、気候変化による降雨の不安定化である（ウェーバー 二〇一三）。そして、気候変化など複数要因により緩やかに進行したそれらの変化に対応できず、食料生産の減収などが起こり、多くの人が集住する都市型生活の維持が困難になっていくこととなった。インダス文明末期のこの出来事は、戦争や大災害による崩壊とは異なり、都市から農村への回帰（地方化）が徐々に進行し、都市が放棄されたと考えられる。そして、ビーズの広範囲への組織的な交易も廃れていくこととなった。

4 南アジアの石の道

インダス文明期に形成された広範囲に及ぶ交易ネットワークは、古代西南アジア地域の人々に、カーネリアンやラピスラズリ製ビーズなど、従来産地周辺の人々しか知りえなかったそれらの石がもつ魅力を、広く認知させることとなった。インダス文明衰退後も、それらの石の魅力が衰えることはなく、人々は供給量が減りより稀少価値の高くなったそれらを求め続けた。

そのなかでもカーネリアンは、ビーズだけでなく、その加工技術も拡散することになったため、その後、西南アジア世界だけでなく、中央アジアや地中海世界、さらにはアフリカまで拡散していった。筆者は、そのグジャラートを起点とする交易路を「カーネリアン・ロード」（遠藤 二〇一二）と呼称し、インダス文明から現在に至るまでのビーズ交易を探るための指標としている。インダス文明期のものは本章で示すことができたが、それ以降は交易がより広範囲かつ複雑になり、詳細な検証ができておらず、ここでは提示できていない。筆者は現在、カーネリアン産地のグジャラートだけでなく、インド北東部やミャンマー、アラビア半島、北アフリカまで手を伸ばし、カーネリアン製ビーズの調査を継続している。四千年以上途絶えることなく続いているカーネリアン・ロードの探求は、まだ道半ばであり今後も継続していきたい。

参照文献

ウェーバー、S・A　二〇一三「インダス文明の衰退と農耕の役割」長田俊樹編『インダス――アジア基層社会を探る』京都大学学術出版会、二〇五―二二二頁。

遠藤仁　二〇一二「インダス文明における準貴石製工芸品の生産――玉髄・瑪瑙系石材原産地の探訪報告」『環境変化とインダス文明　二〇一〇～二〇一一年度成果報告書』総合地球環境学研究所、一一七―一二四頁。

遠藤仁　二〇一三「工芸品からみたインダス文明期の流通」長田俊樹編『インダス――南アジア基層社会を探る』京都大学学術出版会、一七九―二〇四頁。

遠藤仁　二〇一七「モノづくりと専業化――インダス文明の事例」『WASEDA RILAS JOURNAL』五、四八五―四八九頁。

遠藤仁・小磯学　二〇一一「インド共和国グジャラート州カンバートにおける紅玉髄製ビーズ生産――研究序説」『東洋文化研究所紀要』一六〇、三四〇―三七六頁。

小磯学　二〇〇九「インダス文明のビーズについて――覚え書き」『環境変化とインダス文明　二〇〇八年度成果報告書』総合地球環境学研究所、六五―七四頁。

山花京子　二〇〇五「『ファイアンス』とは？　定義と分類に関する現状と展望――エジプトとインダスを例として」『西アジア考古学』六、一二三―一三四頁。

Beck, H. C. 1928. Classification and Nomenclature of Beads and Pendants. *Archaeologia* 77: 1-76.

Choyke, A. M. and D. E. Bar-Yosef Mayer 2017. Introduction: The Archaeology of Beads, Beadwork and Personal Ornaments. In D. E. Bar-Yosef Mayer and C. Bonsall, A. M. Choyke (eds.), *Not Just for Show: The Archaeology of Beads, Beadwork, & Personal Ornaments*. Oxford: Oxbow Books, pp.1-4.

Endo, H. and A. Uesugi, R. Meena 2012. Minor Objects. In J. S. Kharakwal and Y. S. Rawat, T. Osada (eds.), *Excavations at Kanmer, 2005-06 - 2008-09, Kanmer Archaeological Research Project an Indo-Japanese Collaboration*. Kyoto: Research Institute for Humanity and Nature, pp.481-748.

Good, I. L. and J. M. Kenoyer, R. Meadow 2009. New Evidence for Early Silk in the Indus Civilization. *Archaeometry* 51 (3): 457-466.

Kenoyer, J. M. 1991. Ornament Styles of the Indus Valley Tradition: Evidence from Recent Excavations at Harappa, Pakistan. *Paléorient* 17 (2): 79-98.

Kenoyer, J. M. 1998. *Ancient Cities of the Indus Valley Civilization: American Institute of Pakistan Studies*. Oxford: Oxford University Press.

Konasukawa, A. and H. Endo, A. Uesugi 2011. Minor Objects from the Settlement Area. In V. Shinde and T. Osada, M. Kumar (eds.), *Excavations at Farmana, District Rohtak, Hryana, India, 2006-2008*. Kyoto: Research Institute for Humanity and Nature, pp.369-529.

Law, R. W. 2011. *Occasional Paper 11: Linguistics, Archaeology and the Human Past. Inter-regional Interaction and Urbanism in the Ancient Indus Valley: A Geologic Provenience Study of Harappa's Rock and Mineral Assemblage*. Kyoto: Research Institute for Humanity and Nature.

Mackay, E. 1933. Decorated Carnelian Beads. *Man* 33: 143-146.

Possehl, G. L. 1999. *Indus Age, the Beginning*. Philadelphia: University of Pennsylvania Press.

第7章 弥生・古墳時代の多様なビーズ

社会の複雑化と装飾

谷澤亜里

1 弥生・古墳時代の社会とビーズ

弥生時代は日本列島に本格的な農耕社会が成立した時代であり、続く古墳時代は、前方後円墳が近畿を中心に列島広域に展開する時代である。本章では、弥生時代を、縄文時代以来の部族社会が本格的な食料生産を契機に階層化し首長制社会へと変質していく時代、古墳時代を、各地の首長の間で「畿内」地域の首長を核とした同盟関係が結ばれた時代と考えておきたい。

弥生・古墳時代の埋葬遺跡からは多くのビーズ（玉類）が出土する。日本列島の歴史のなかでもとくにビーズが好まれた時代といえよう。また、弥生時代後期以降は、舶載品のガラスビーズが列島の広域で受容され、大陸で展開する広域的なビーズの交易・流通網の末端に日本列島が接続された時代ともいえる。本章では、この時期の日本列島でなぜビーズが必要とされたのか、当時の社会でビーズがどのような役割を果たしたのかを考えたい。

この問題に迫るため、以下では、まず弥生・古墳時代に用いられたビーズの種類を、生産・流通の側面から整理する。そのうえで、墓地でのビーズの出土状況から推測される使用方法や、ビーズを副葬された被葬者の情報から、ビーズを用いた装飾の社会的機能を検討したい。以上を通じて日本列島の弥生・古墳時代のビーズの特質を考えるが、その結果は、階層化や広域的社会秩序の形成といった社会の複雑化において、世界規模での交易・流通網との接触や、ビーズを用いた装飾の「美」が果たす機能を考える一助となろう。

なお、ビーズは弥生・古墳時代の全時期を通じて用いられるが、本章では、主な検討対象時期を、古代国家形成への動きが本格化する以前の、古墳時代前期までとする。また、対象地域は、初期の前方後円墳の分布が顕著な西日本を中心とした。

2 弥生時代から古墳時代前期におけるビーズの多様性

碧玉製管玉と翡翠製勾玉

弥生時代から古墳時代を通じて用いられるビーズに、青灰色から緑色の石材を用いた整美な円筒形のビーズ（管玉（くだたま））がある。このような管玉は、当初、水田稲作農耕の伝播とともに、朝鮮半島を経由して列島へと持ち込まれたものであった（大賀二〇一〇a）。大賀克彦氏は、このような管玉を半島系管玉と呼んでいる。

半島系管玉の流入は弥生時代前期後半以降も続くが、これと併行して、列島内でも半島系管玉を模倣した管玉生産が行われるようになる。弥生時代前期後半から中期には、素材となる緑色凝灰岩や碧玉（へきぎょく）の産地を擁する、山陰から北陸にかけての地域を中心に管玉生産遺跡が広域に展開する。とくに弥生時代中期中頃には、石川県小松市菩提・那谷近辺に生産地が想定される「女代南B群」と呼ばれる石材（藁科 一九九四）が、管玉素材として多くの生産遺跡へと供給されていたらしい（大賀 二〇一一）。

北陸の管玉生産遺跡では、新潟県糸魚川に産出する翡翠（ひすい）を用いて勾玉（まがたま）生産も行われた。ただし、北部九州で製品として出土する翡翠製勾玉には、サイズや形態的特徴から北陸で生産されたとは考えがたいものが存在する。このことから、北部九州でも北陸から搬出された素材原石を用いて翡翠製の勾玉生産が行われていたと考えられている（河村 二〇〇〇、大賀 二〇一一）。

しかし、弥生時代後期に入ると、ビーズや工具の素材となる石材の供給が途絶えるようで、管玉生産はいったん低調化する。その後、弥生時代後期後半に、山陰では花仙山産碧玉、北陸では緑色凝灰岩を素材として、鉄製工具を用いた管玉生産が行われるようになり、両地域の管玉生産は古墳時代前期へと展開していく。翡翠製勾玉の生産も弥生時代後期後半には復調するようだが、古墳時代前期の製作遺跡は現状では確認されておらず、生産の実態は不明瞭な部分が大きい。

舶載ガラスビーズ

以上で見てきた石のビーズは、石材を割り、形を整え、穿孔（せんこう）し、磨くことで完成する。ガラスビーズは、このような石のビーズとは製作技術の系譜がまったく異なり、人工の素材であるガラスを、高温で溶融して操作することでビーズの形を作る。製作技法によっては、一度に大量生産することも可能なビーズである。

現在では、出土ガラスビーズの材質分析や製作技法の観察から、弥生時代から古墳時代前期にかけてのガラスビーズのほとんどは、列島外で製作された舶載品であると考えられている（第五章）。この時期のガラスビーズには鉛バリウムガラスを素材とする中国系のものと、いわゆるインド・パシフィックビーズ（Francis 1990）をはじめとする南アジア・東南アジア系のものがある。弥生時代前期末から中期後半までは、北部九州を中心に中国系のガラスビーズが断続的に流入していたが（大賀 二〇一〇b）、弥生時代後期から、南アジア・東南アジア系のガラスビーズが列島広域に流通するようになる。

このような南方系のガラスビーズについて、製作地である南アジア・東南アジアとの直接的な交渉により入手されたとする見解がある（大賀 二〇一〇c）。しかし、ビーズ以外の文化要素はもたらされていないことから、いわゆる海のシルクロードを経て中国へと至ったガラス小玉が、楽浪郡や朝鮮半島を経て列島へと流入したと考えるべきだろう。

なお列島内でも、舶載のガラス素材を用いたり、ガラスビーズを再加工したりして、ガラスの勾玉や管玉の製作が行われている。ただし、鋳型や、研磨・穿孔を多用する技術でビーズを成形しており、ガラスビーズ製作の技術として高度なものとは言い難い。この時期の日本列島のガラスビーズは、基本的に列島外からの舶載を前提としており、そのうえで舶載品にはない形態やサイズのものが製作されていたといえよう。

古墳時代開始期におけるビーズ流通の画期

列島の広域にガラスビーズが普及するのは弥生時代後期だが、これによって石製のビーズが駆逐されるわけではなく、弥生時代後期から古墳時代前期にかけてビーズの生産・流通、舶載の動向は複雑な様相を見せる（谷澤 二〇一九）。

弥生時代後期前半～中頃は石製ビーズの生産が低調化し、舶載ガラスビーズが急速に普及する。多量のガラスビーズが流入する背景には、『後漢書』東夷伝に見られる「倭奴国王」（紀元後五七年）や「倭国王帥升等」（一〇七年）の遣使のような、後漢王朝との接触や、これと連動する対外交渉を想定できる。しかし、大陸側の情勢が混乱する後漢後期～末期に併行する、弥生時代後期後半～終末期には、列島へ舶載されるビーズの種類に変化が生じ、分布傾向も変化する。既存の舶載経路の動揺が、列島内での流通ネットワークの変動につながっているといえよう。

弥生時代後期後半は、それまで低調化していた列島内での玉生産が復調する時期でもある。この時期の玉生産には、山陰や北陸における管玉生産だけでなく、四国東部など、それまで石製の玉生産の伝統がなかった地域での小型の滑石（かっせき）製勾玉生産も含まれる（大賀 二〇〇九）。これらの多様なビーズは種類ごとに独自の分布パターンを示し、各生産地から独自の経路で流通したと考えられる。この時期には、玉の流通ネットワークが複合的に展開していたといえよう（谷澤 二〇一四b）。

ところが、古墳時代の開始とともに、列島外から舶載されるビーズは、銅着色のインド・パシフィックビーズと半島系管玉にほぼ限定されるようになる。これらの種類は近畿を核とした分布を示すことから、列島側のガラスビーズの舶載窓口は近畿中部に集約され、そこから各地へと分配される形に流通形態が変化したと考えられている（大賀 二〇〇三、二〇一〇a、谷澤 二〇一五）。列島内でのビーズ生産にも変化が生じ、弥生時代後期～終末期に各地で行われていたガラス勾玉や滑石製勾玉の生産は途絶えてしまう。山陰や北陸での管玉生産も古墳時代初頭に一時的に落ち込んでいる可能性があり、その後、とくに北陸では、古墳時代前期における管玉生産の盛衰が、近畿が生産に関与したと考えられる腕輪形をはじめとする石製品の生産動向と連動する。また、翡翠製勾玉も、古墳時代前期には近畿中枢の政体が生産・流通に関与していた可能性が高いことが、製品の分布傾向から指摘されている（大賀 二〇一二）。

このように、古墳時代前期には、近畿中部地域の政治的中心性が顕在化するのと連動して、ビーズの船載、生産・流通のセンターも近畿中部をセンターとして再編される。

3 埋葬遺跡からみるビーズの社会的役割

ビーズの使用方法——装身具・装飾品

弥生・古墳時代の多様なビーズは、当時の人々にどのように使用されたのだろうか。ガラスビーズ導入以前の様相も含め、墓地での出土状況から見ていきたい。

弥生時代前期〜中期の石製ビーズを伴う埋葬では、被葬者の頭、胸、腕などがあったと考えられる位置から管玉がまとまって確認される。綴った管玉を頭飾りもしくは耳飾りや、首飾り、腕飾りなどに用いていたと考えられる。管玉のみを綴ったものもあるが、勾玉と組み合わせる事例もある（図7－1）。このように、被葬者の上半身の装飾にビーズを用いたと考えられる事例は、その後も多く見られる。弥生時代後期以降、ガラスビーズが普遍的に用いられるようになった後も同様である（図7－2）。また、弥生時代中期の佐賀県柚比本村遺跡では、漆塗りの銅剣の鞘を、石製管玉を半裁したもので飾りつけた事例が確認されており、ビーズが装身具以外の装飾に用いられることもあったようである。

ビーズを面的に組み上げて作った装飾品と考えられる事例はあまり見られないが、弥生時代中期後半の大分県

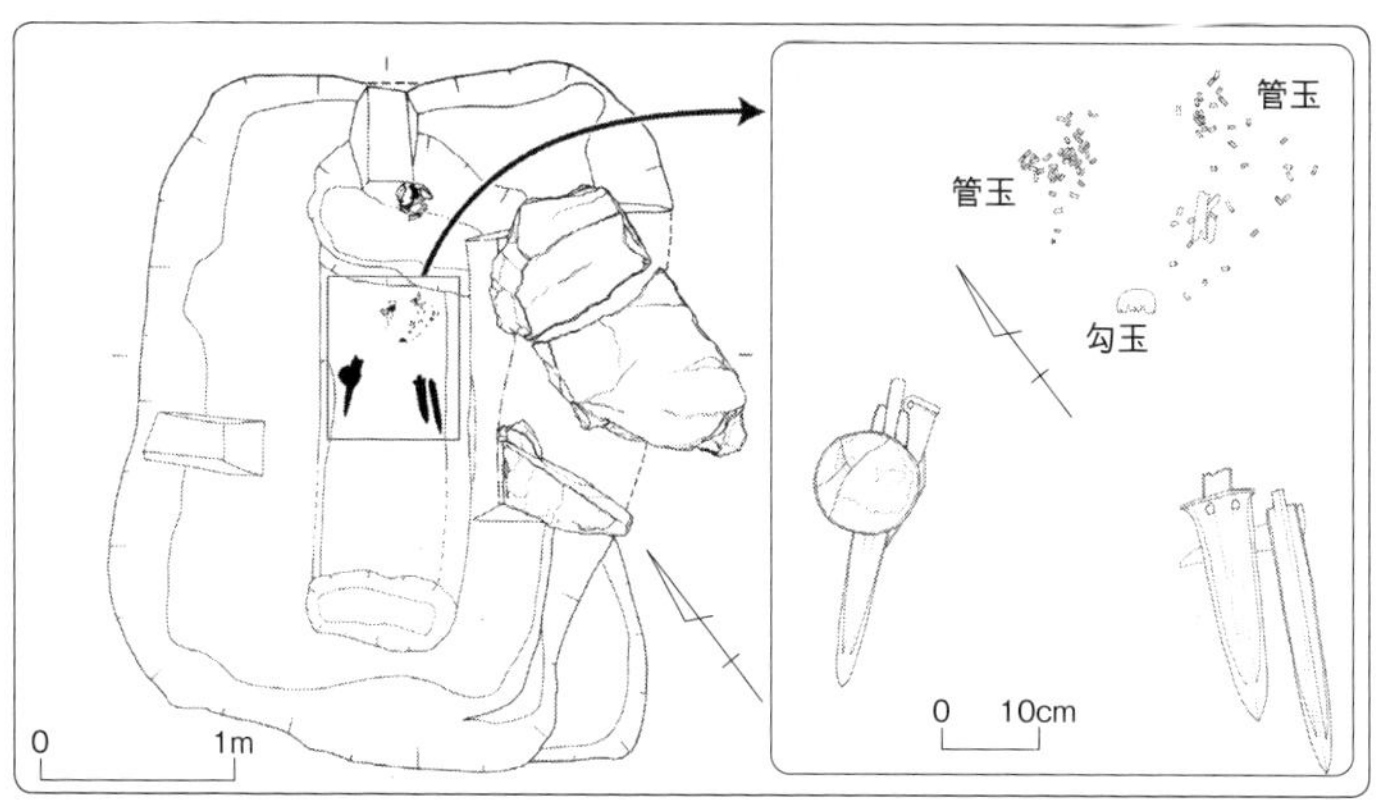

図7-1　首飾りとみられる管玉・勾玉（吉武高木3号木棺墓）
出所）福岡市教育委員会 1996：77、78を筆者改変。

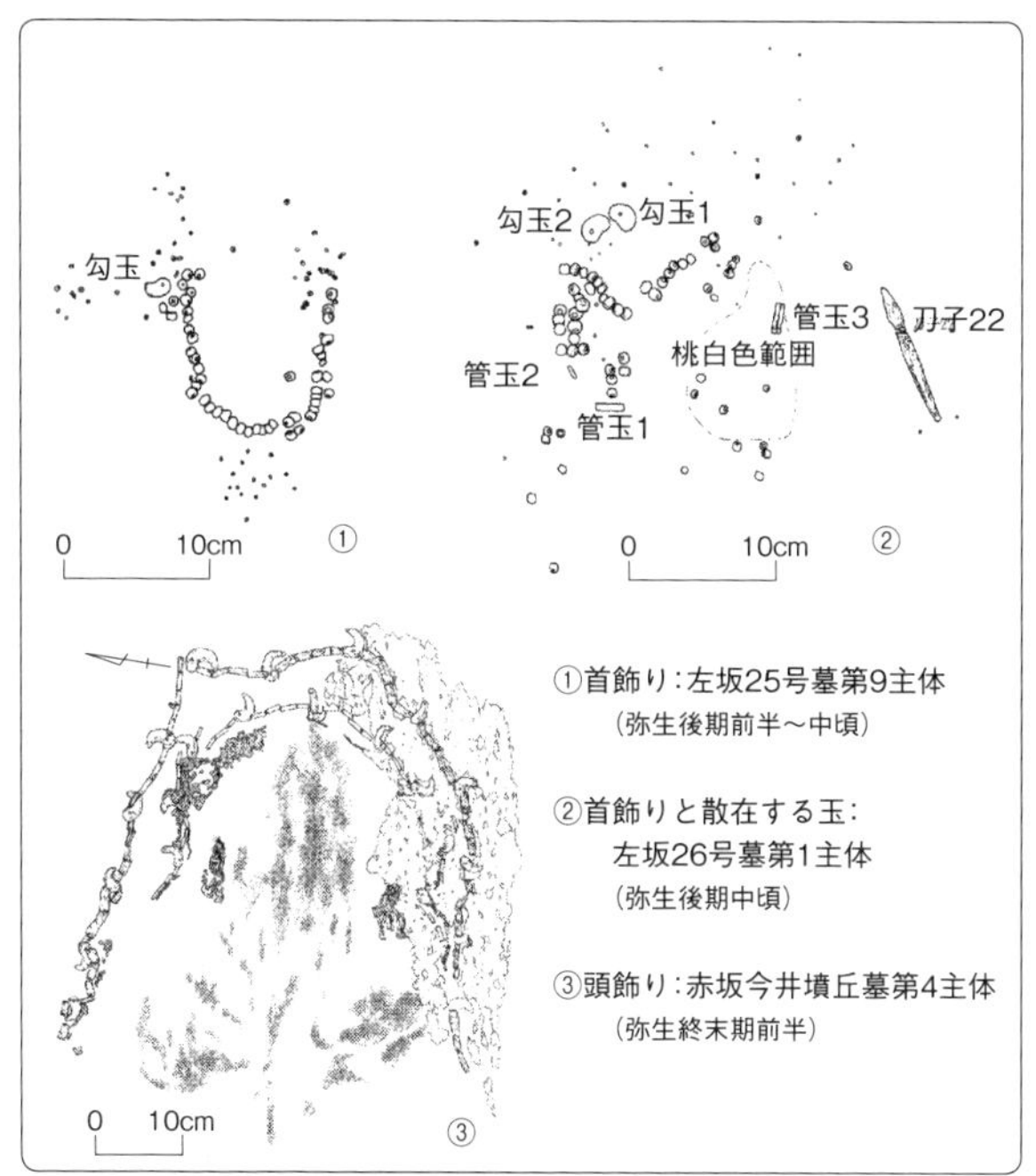

図7-2　弥生時代後期のガラスビーズの出土状況
出所）①②大宮町教育委員会 2001：63、③峰山町教育委員会 2004：51。

吹上遺跡では、甕棺墓出土人骨の腰部付近からガラス管玉が密に出土しており、管玉を編み上げた敷物があった可能性が指摘されている（田中 二〇一四）。また、首飾りと考えられるビーズと別に、頭部付近に散在するビーズが見られることもあり、布にビーズを縫いつけるような使用方法も考えてよいかもしれない。

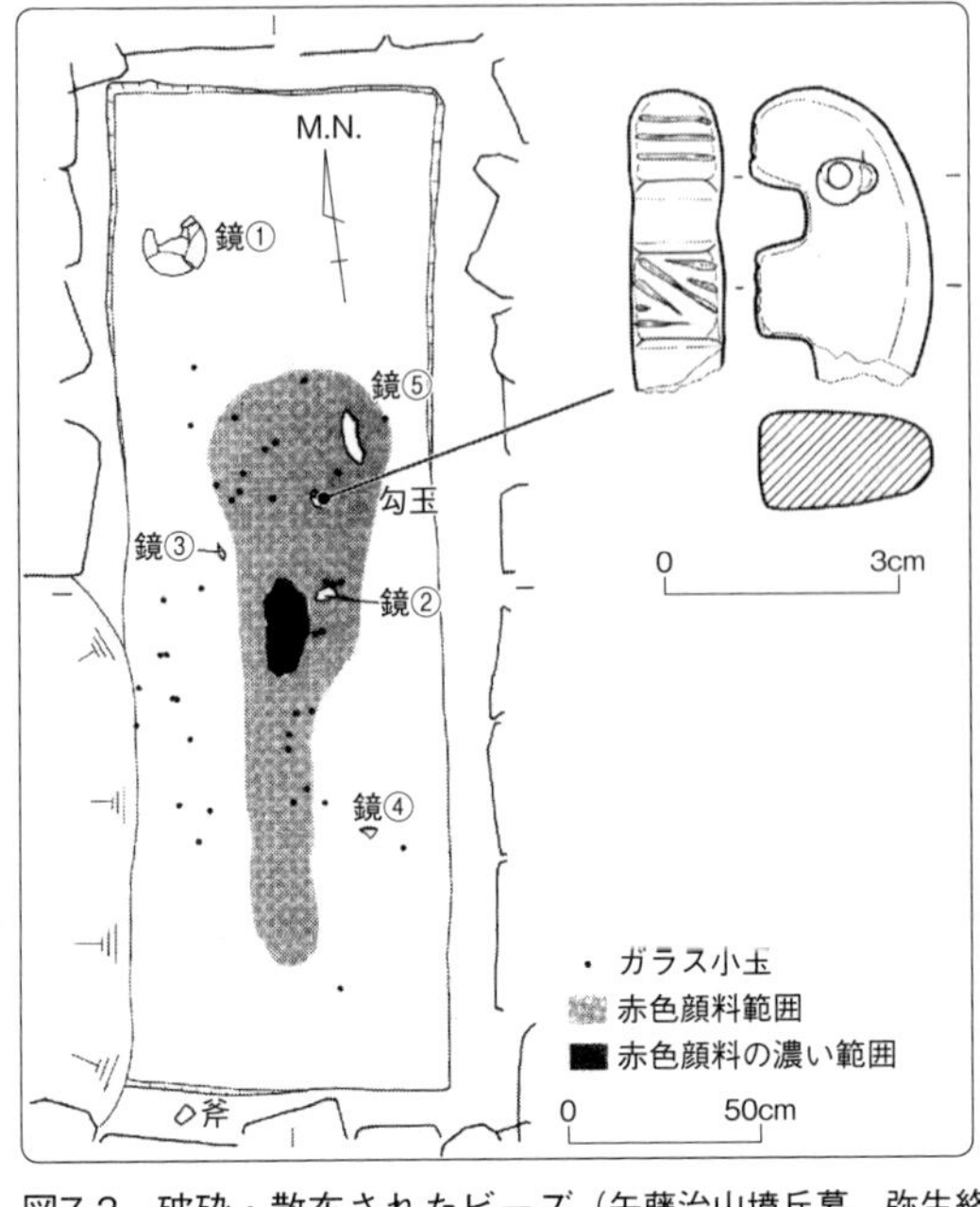

図7-3　破砕・散布されたビーズ（矢藤治山墳丘墓、弥生終末期）
出所）矢藤治山弥生墳丘墓発掘調査団 1995：39、60を筆者改変。

ビーズの使用方法——葬送儀礼

ビーズが装身具や装飾品とは考え難い出土状況を呈する場合もある。弥生時代の墓では、出土する管玉やガラス小玉が一点から数点にとどまる事例がしばしば見られ、装身具というより、呪的な意味をもって死者に添えられた可能性が指摘されている（森 一九八二）。

また、弥生時代後期前半の福岡県井原ヤリミゾ遺跡では、墓壙内の広い範囲にガラスビーズが散らばった状態で出土しており、木棺の上にビーズが散布された可能性が指摘されている（糸島市教育委員会 二〇一三）。その場合、ビーズは埋葬儀礼のアイテムとして使用されたといえよう。このほか、弥生時代後期後半から終末期には、被葬者の上半身の周辺、とくに頭の上方に、綴った状態のビーズを添え置く事例が複数見られる。棺内でビーズを散布したり、ビーズそのものを破砕したりする事例もあり（図7－3）、葬送儀礼でのビーズの使用方法も一様ではなかったようだ。また、古墳時代前期に入ると、被葬者身体の周辺に、鏡や石製品などとともにビーズを配置する事例が増加し、ビーズが副葬品としての側面を強めていることが窺える。

ビーズを用いた人々――弥生時代前期～中期

弥生時代前期末から中期初頭の北部九州では、ビーズが武器形青銅器とともに出土する事例が目立つ。福岡県吉武高木遺跡は弥生時代前期末から後期初頭にかけての甕棺墓地で、豊富な副葬品をもつ埋葬が集中する一角がある（図7－4）。武器形青銅器をもつ埋葬は八基、ビーズをもつ埋葬は七基見られ、両方を副葬する埋葬はそのうちの四基である。これらの埋葬は前期末～中期前半に営まれたもので、すべて成人埋葬で、墓壙も大きい。このような墓域について、階層分化の結果出現した「王」たちの墓とする説もあるが、近年では、複数の集落から選出された代表者たちの墓で、むしろ部族の共同性を確認する機能をもっていたとする理解が有力である（田中 二〇〇〇、溝口 二〇〇〇）。筆者も後者の立場をとるが、この場合、ビーズは集団の代表者の身を飾る装飾品として用いられていたといえよう。また、武器形青銅器は基本的に男性に伴う副葬品と考えられていることから、ビーズを用いた装飾品の着用が、必ずしも女性に限定されないことも分かる。

ただし、ビーズの副葬が見られるのは、副葬品に富む埋葬ばかりではない。佐賀県宇木汲田遺跡や同中原遺跡のように、集団墓地のなかの多くの埋葬がビーズのみを副葬する場合もある。弥生時代前期～中期において、ビーズは必ずしも有力者に独占されていたとはいえず、権威の象徴以外の意味をもつこともあったといえよう。

以上の様相に変化が生じるのが、弥生時代後期である。弥生時代後期初頭には、列島の各地で集団墓地が解体し、墓に埋葬される人々が減るという現象が確認されている。そして、後期前半以降、有力な出自集団のために独立して営まれたと考えられる墓域が顕在化する（田中 二〇〇〇、溝口 二〇〇〇）。この変化は、列島内でガラスビーズの出土が増加するタイミングと重なっており、ガラスビーズを副葬する埋葬の多くが、このような墓地で見られる（図7－5）。また、墓域を共有する集団のなかでビーズが分有されていたと見られる事例も確認できる。ここでのビーズの分有は、墓に埋葬されないような一般層との差異化の機能をもっていたと考えられよう。墓地における社会的上位層の顕在化と、ガラスビーズの広域流通開始が連動している点に注目したい。

弥生時代後期後半以降には、弥生墳丘墓と呼ばれるような、古墳へとつながる大型の墳丘墓が築造されるようになる。墳丘や墓壙の規模などで格差の表現が明確となり、明確な首長制社会の様相と捉えられる。このような墳丘墓や区画墓の多くでビーズの副葬が見られ、かつ、埋葬に見られる階層性と、ビーズの種類構成に対応関係が見られる。その具体的な内容には地域色が見られるが、西日本では、大型の翡翠製・ガラス製勾玉や、舶載品のガラス管玉・半島系管玉がより上位の埋葬でまとまって出土し（大賀 二〇一〇c）、在地で生産されたビーズは相対的に劣位の埋葬に伴う傾向が確認できる（谷澤 二〇一四a・b）。上位層のなかでも、より有力な集団が遠隔地の集団や列島外とコネクションをもち、そこから手に入れたビーズを用いて自らの身を飾ることで、自らの社会的地位を強化しようとした様子が窺えよう。

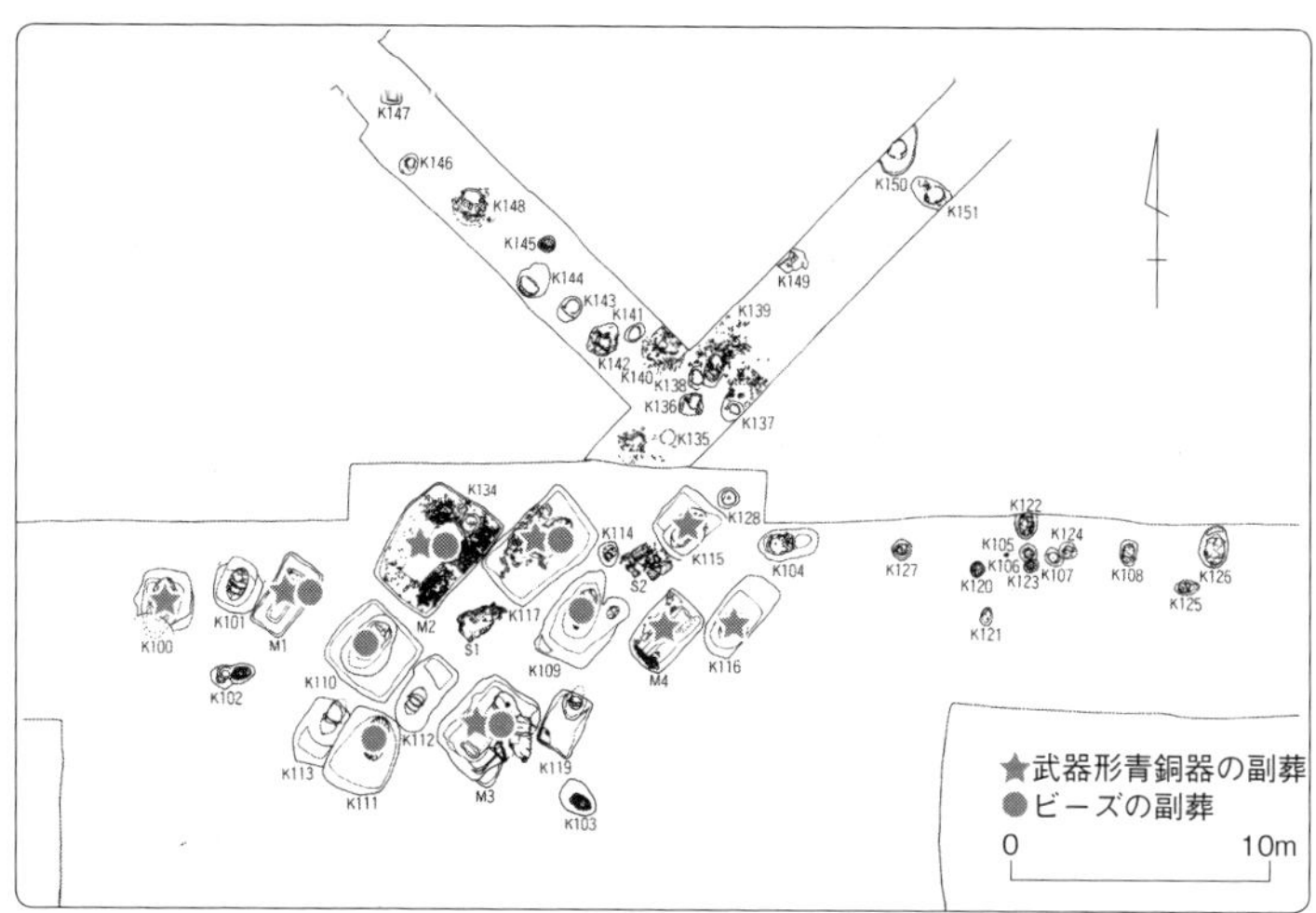

図7-4　ビーズ副葬が見られる墓地（福岡県吉武高木遺跡）
出所）福岡市教育委員会 1996：35を筆者改変。

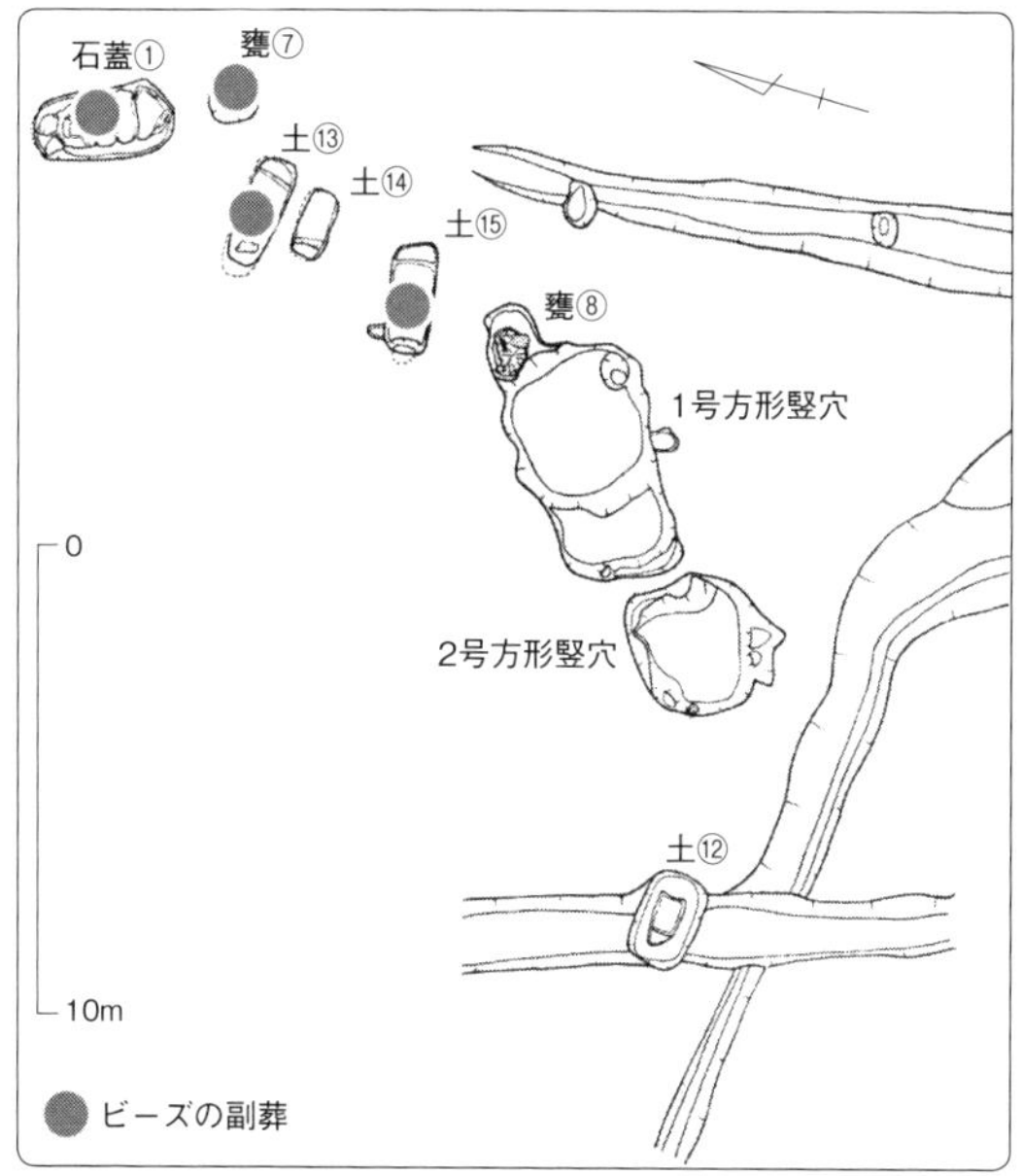

図7-5　ビーズ副葬が見られる墓地（福岡県門田辻田遺跡）
出所）福岡県教育委員会 1978：53を筆者改変。

古墳時代前期には、列島の広域で前方後円墳が築造される。この現象は、各地の首長間で政治的な同盟関係が結ばれたことを示すと考えられているが（近藤 一九八三）、このような前方後円墳からビーズが出土する事例も多数認められる。

古墳時代前期にとくに目立つのは、翡翠製勾玉と半島系管玉を組み合わせた装身具である。このような組み合わせの装身具は、前期中頃から出現し、近畿中部の有力古墳を中心に広域で確認できる。このような埋葬では、他の種類のビーズは、被葬者の体幹より下方に配置される傾向にあり、ビーズの使い分けのパターンが見られる（谷澤 二〇一六）。この点は、弥生時代後期～終末期の墳丘墓・区画墓では、用いられるビーズの種類と使い分けの仕方に地域色が見られるのと対照的である。また、三角縁神獣鏡や腕輪形石製品のように、近畿中部の政体が同盟関係の確認のために各地の集団に配布したと考えられているアイテムとの共伴も多く見られる。翡翠製勾玉と半島系管玉を組み合わせた装身具も、これらのアイテムと同様に、その授受によって、近畿中枢の政体との関係を確認するものであった可能性が高い。

4 弥生・古墳時代のビーズの特質

弥生時代前期末から中期においては、ビーズを多数用いた装飾が権威の象徴として用いられることもあったといえるが、必ずしもビーズが有力者に独占されていたとは考え難い。しかし、首長制社会としての様相が明確となる弥生時代後期以降は、ビーズが上位層の間で競って求められ、用いられる傾向が顕著となる。そして、古墳時代前期には、翡翠製勾玉と半島系管玉からなる装飾品が、近畿中枢と地方の首長の間の同盟関係を象徴するものとして配布されたと考えられる。このように、分析対象時期にビーズが果たした役割は一様ではないが、とくに弥生時代後期以降は、その流通と消費によって、階層上位層を下位層と差異化し、広域的な首長間の関係を創出・再確認する役割を果たしていたといえよう。

この時期の日本列島におけるビーズ文化は、列島外から流入する多量の舶載(はくさい)ビーズに支えられている。整美な円筒形の石製管玉は、当初は舶載品で、後に列島内で模倣生産されるようになったものであるし、弥生時代後期以降に普及するガラスビーズも、基本的に舶載品である。列島へ舶載されるビーズの種類や量は時期ごとに変化しており、その時々の対外関係の影響を受けているといえよう。とくに弥生時代後期～終末期は、地域社会における上位層の顕在化と、舶載ガラスビーズの広域流通が連動しており、地域社会で自集団の優位を保つために、列島外からの財の獲得が重要だったことが窺える。

ただし、ガラスビーズが普及した後も列島内での玉生産は継続し、両者は共存する。列島内でビーズ生産が続くのは、ビーズの需要に応えるためでもあっただろうし、列島に特有な形態のビーズが求められたことも一因であろう。

ここで重要なのは、列島への舶載ガラスビーズの導入が、大陸風の装身具の体系をそのまま受容した結果であるとは言い難い点である。大陸側の主な交渉窓口であったと考えられる楽浪郡では、漢墓においてインド・パシフィックビーズの出土が見られるが、少量を瑪瑙製玉類や水晶製玉類と組み合わせて装身具として用いる例が多い。翡翠製勾玉や碧玉製管玉と組み合わせたり、ガラス小玉のみを数千点も連ねたりする日本列島の様相とは装飾の嗜好が異なり、その背景にある「美」意識も異なっていたと考えられるのである。当時の列島社会で多量のビーズが求められた背景には、列島独自の論理があったといえ、この点は、より後の時代の、アフリカやオセアニアへのヴェネチアンビーズの導入（第Ⅲ部）とも比較が可能と考える。

本章で見てきた時期の後、古墳時代中期から後期にも、列島内でのビーズ生産と船載ガラスビーズの共存は続く。しかし、前方後円墳の築造停止とほぼ連動して、ビーズは上位層の副葬品から姿を消す。この段階で、古代国家の形成とともに、ビーズは、上位層の身辺を飾るものとしての役割を終えることとなったといえよう。

参照文献

糸島市教育委員会　二〇一三『三雲・井原遺跡——総集編』糸島市文化財調査報告書一〇。

大賀克彦　二〇〇三「紀元三世紀のシナリオ」古川登編『風巻神山古墳群』清水町埋蔵文化財発掘調査報告書七、清水町教育委員会、七二—九〇頁。

大賀克彦　二〇〇九「弥生時代後期の玉作」一山典還暦記念論集刊行会編『考古学と地域文化——一山典還暦記念論集』一山典還暦記念論集刊行会、八九—一〇二頁。

大賀克彦　二〇一〇ａ「東大寺山古墳出土玉類の考古学的評価——半島系管玉の出土を中心に」金関恕・小木田治太郎・藤原郁代編『東大寺山古墳の研究』東大寺山古墳研究会・天理大学・天理大学付属天理参考館、三一五—三三七頁。

大賀克彦　二〇一〇ｂ「弥生時代におけるガラス製管玉の分類的検討」古川登編『小羽山墳墓群の研究』福井市郷土歴史博物館・小羽山墳墓群研究会、二一三—二三〇頁。

大賀克彦　二〇一〇ｃ「ルリを纏った貴人——連鎖なき遠距離交易と『首長』の誕生」古川登編、前掲書、二三一—二五四頁。

大賀克彦　二〇一一「弥生時代における玉類の生産と流通」甲元眞之・寺沢薫編『講座日本の考古学五　弥生時代（上）』青木書店、七〇七—七三〇頁。

大賀克彦　二〇一二「古墳時代前期における翡翠製丁字頭勾玉の出現とその歴史的意義」高橋浩二編『古墳時代におけるヒスイ勾玉の生産と流通過程に関する研究』平成二一～二三年度科学研究費補助金若手研究（Ｂ）研究成果報告書、富山大学人文学部、四九—六〇頁。
大宮町教育委員会　二〇〇一『左坂古墳（墳墓）群G支群』大宮町文化財調査報告二〇。
河村好光　二〇〇〇「ヒスイ勾玉の誕生」『考古学研究』四七（三）、四四—六二頁。
近藤義郎　一九八三『前方後円墳の時代』岩波書店。
田中良之　二〇〇〇「墓地から見た親族・家族」都出比呂志・佐原真編『古代史の論点二　女と男、家と村』小学館、一三一—一五二頁。
田中良之　二〇一四「吹上遺跡四・五号人骨の装身具着装状態について」『吹上Ⅳ』日田市教育委員会、二一一—二一四頁。
谷澤亜里　二〇一四a「玉生産の画期と弥生社会」『季刊考古学』一二七、五七—六〇頁。
谷澤亜里　二〇一四b「弥生時代後期・終末期の勾玉からみた地域間関係とその変容」『考古学研究』六一（二）、六五—八四頁。
谷澤亜里　二〇一五「古墳時代開始期前後における玉類の舶載」『物質文化』九五、四九—六一頁。
谷澤亜里　二〇一六「古墳時代前期における玉類副葬の論理」田中良之先生追悼論文集編集委員会編『考古学は科学か——田中良之先生追悼論文集』中国書店、六〇五—六二三頁。
谷澤亜里　二〇一九「玉から弥生・古墳時代を考える」北條芳隆編『考古学講義』筑摩書房、一六五—一九二頁。
福岡県教育委員会　一九七八『山陽新幹線関係埋蔵文化財調査報告』九。
福岡市教育委員会　一九九六『吉武遺跡群Ⅷ』福岡市埋蔵文化財調査報告書四六一。
溝口孝司　二〇〇〇「墓地と埋葬行為の変遷——古墳時代の開始の社会背景の理解のために」北條芳隆・溝口孝司・村上恭通『古墳時代像を見なおす』青木書店、二〇一—二七三頁。
峰山町教育委員会　二〇〇四『赤坂今井墳丘墓発掘調査報告書』峰山町文化財調査報告二四。
森貞次郎　一九八二「管玉」唐津湾周辺遺跡調査委員会編『末盧国』六興出版、三一一—三一四頁。
矢藤治山弥生墳丘墓発掘調査団　一九九五『矢藤治山弥生墳丘墓』。
藁科哲男　一九九四『玉類の原材産地分析から考察する玉類の分布圏の研究』平成五年度科学研究費補助金研究成果報告書。
Francis, P. 1990. Glass Beads in Asia Part 2: Indo-Pacific beads. *Asian Perspectives* 29(1): 1-23.

第8章 古代エジプトの社会をつなぐビーズ

王と家臣、神と人

山花京子

1「つなぐ」役割を果たすビーズ

古代エジプトでは紀元前三一〇〇年頃に統一国家が誕生したとされている。古代エジプト国家が成立するとほぼ同時期に文字体系も成立しており、後の時代につながる複雑な社会構造の原型もできあがっていたと考えられている。約二〇万年前に現れた我々の祖先ホモ・サピエンスが道具を手に狩猟採集を営み始めた頃からゆっくりと進んでいたかに見えた人類の歴史は、約一万年前に農耕・牧畜の段階に入った頃から加速を始める。ホモ・サピエンスが現れてエジプトに農耕と牧畜がもたらされるまでの時間を六〇分とすると、農耕・牧畜の始まりからファラオの出現までは七秒しか経過していない。

本章では、古代エジプト文明におけるビーズの役割について述べる。ビーズは装身具や装飾品を作るうえで欠かせなかったものだが、単にアドーンメント、つまり身を飾るためのものではなかった。第一節では王朝時代以前の古代エジプト社会におけるビーズ使用と、王朝開始後のビーズの使用について、遺物統計や墓に刻まれた自叙伝などの史料をもとに、王朝が成立し、中央集権国家が誕生する社会のなかでビーズが果たした役割について考察する。そして、ビーズ素材の代表格といえるファイアンスをファラオの工房で作り、製品を臣民に下賜していると推測される事例も取り上げ、ファイアンス素材が多用された理由を考える。そして第二節では、古代エジプトで作られたファイアンスの大部分が青緑色であることから、なぜ葬祭および祭祀儀礼の祭具として使われるのか、神との関連を取り上げながら検討する。そして第三節では古代エジプト人の葬送および祭祀儀礼に不可欠であった青緑色ビーズ製ネックレスについて言及し、ビーズ製品が「王と家臣をつなぐ」、さらに「神と人をつなぐ」役割を果たしていたことを概観する。

2 文明とビーズ

王朝時代以前のビーズ使用

古代エジプトにおいても、約一万年前の北アフリカの乾燥化が引き金となり、それまでサバンナに暮らしていた狩猟採集民たちがナイル河畔に集まるようになった。ナイル河畔には人々がナイル川の堆積土を捏ね、人工の容器(土器)が出現する。さらに、エチオピア高原に吹く偏西風の影響で一年に一度ナイル川が増水することを知った人々は、雑穀の採集、漁撈や野生動物を狩ることで生活を維持していたが、紀元前五五〇〇年頃に西アジア地方（メソポタミアを中心とする東地中海世界）で起こった農耕・牧畜革命に影響を受け、下エジプトに近いファイ

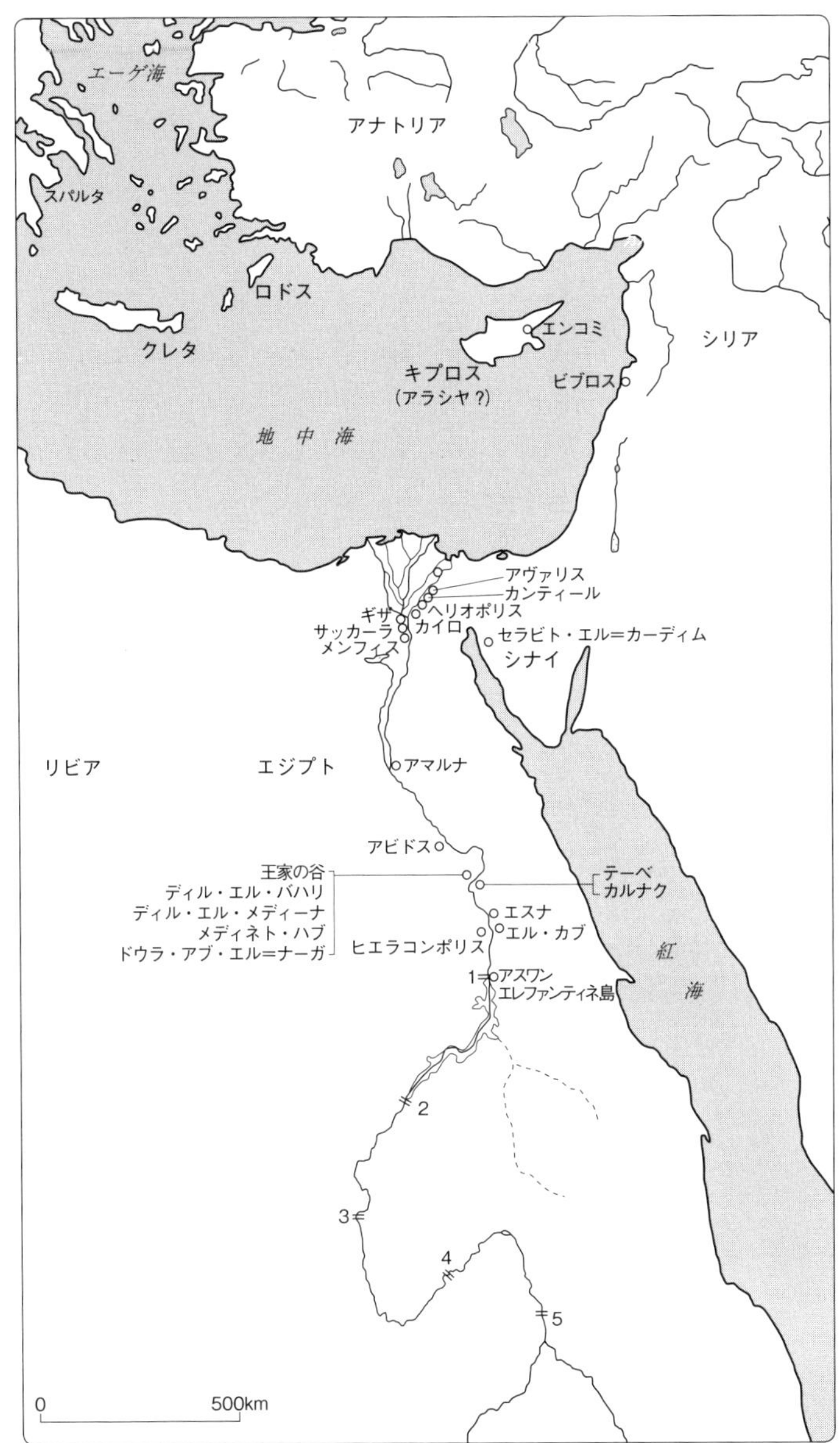

図8-1　古代エジプト地図
出所）筆者作成。

ユームにてコムギやオオムギの栽培を始め、そしてヤギやブタなどを家畜化するようになり、収穫物を貯蔵する施設を作るようになる。その頃から定住化して農耕を営む集落が現れ、次第に集落はナイル河畔全体に分布していく。しかし、ファラオが出現するより以前の時代（先王朝時代）においては、定住して農耕を営む農耕民と、家畜を追い狩猟採集の生活を営む遊牧民たちの二通りの暮らしが調和を保ちながら併存していたと考えられる。

この頃、つまり先王朝時代初期のバダリ文化期やナカダI期までの物質文化において、ビーズは普遍的に現れる。ビーズはおおむね加工の容易な土製や凍石（とうせき）製で、ナイル河畔に定住する農耕民が周辺地域で入手できる素材で作ったものが多いが、なかにはサンゴやダチョウの卵殻などのように、遊牧民を仲介とする交易によって紅海や南方から運ばれてきたものもあった。ビーズは先王朝時代初期のすべての墓から出土するわけではないが、ビーズのある墓とない墓を比較しても、副葬品には富の格差を明らかに示すものは見当たらない。多くの研究者が考えるように、先王朝時代初期は比較的「平等」な社会であったといえよう。

ところが、先王朝時代の終盤であるナカダII期からIII期になり、ファラオが全土を掌握する王朝時代に近づいてくると、集落の墓地の規模や副葬品には明らかに富の集積の差異による格差が見て取れる。つまり、社会が「持てる者」と「持たざる者」に分化し、複層化が顕著になってくるのである。この時期にビーズ事情も一変する。

表8－1はロンドン大学ピートリ・エジプト考古学博物館に収蔵されている七九遺跡の遺物から集計した先王朝時代のビーズの材質別統計である。同博物館には、先王朝時代のほぼすべての遺跡からの遺物が収蔵されており、時代と地域の偏重が少ないため、精度の高い統計を取ることができる。

表8－1には、前述のように、古代エジプトの先王朝文化がバダリ期からナカダI期へ、そしてII期からIII期へと王朝の幕開けに近づくにつれて、ビーズの数が増え、遺物登録件数に対してビーズの占める割合が高くなっ

表8-1　ロンドン大学ピートリ・エジプト考古学博物館が所蔵する先王朝時代のビーズ統計

先王朝時代の文化期区分	土製	歯骨角製	石製（硬）	石製（軟）	金属製	ファイアンス	ビーズ総数	各文化期の遺物登録件数	ビーズが占める割合（％）
バダリ期	1	4	4	2	0	0	11	2,075	0.53
ナカダⅠ期	2	7	4	4	1	1	19	2,297	0.83
ナカダⅡ期	11	6	24	10	1	6	58	1,456	3.98
ナカダⅢ期	1	1	8	4	2	3	19	300	6.33

出所）筆者作成。

ていることが分かる。とくにナカダⅡ期以降、トルコ石、ラピスラズリ、カーネリアン（紅玉髄〔こうぎょくずい〕）、水晶などの加工が難しい硬い石を使ったビーズが現れ、同時に銅製や金製のビーズも確認されている。現在では、ナカダⅢ期の後半（紀元前三二五〇～三一〇〇年頃）にはすでに統一王朝が成立していたと考えられており、ナカダⅡ期より加速する階層化と専業化が硬い石からビーズを作り出すことを可能にし、さらに遠距離交易網の発展によってもたらされた貴重な素材を使ったビーズの出現は、エジプトが国家形成に向けて胎動を始めたことを物語っている。

王朝時代以降のビーズ使用

通説では、ファラオが国家を統一したのは紀元前三一〇〇年頃で、ハヤブサの神が祀られていたネケン（ヒエラコンポリス）（図8－1）の神殿への奉納品であったナルメルの化粧板には、上下エジプトの白冠と赤冠を戴く王が初めて表わされており、この化粧板は神殿に奉納した国家統一の記念物である、といわれている。ファラオの出現によって、古代エジプトは王朝時代と呼ばれる時代に突入していき、ファラオは彼に付き従う人民との結びつきを強め、より強固な中央集権国家を築いていった。

ピラミッドが多く建造された古王国時代の社会は、中央政府と地方に拠点を構える諸侯および中央政府から地方に派遣された官吏が線状に結びつき、国家という大きな実体を構成していた。ファラオは自らに付き従う諸侯らに対して新たに開拓した農地や交易で得られた海外の珍しい品々を分配し、諸侯はその見返りとしてファラオに忠誠を誓い、様々な支援を行った。このような体制のなかでは「贈物」は大きな意味をもつ。

ファラオが地方に拠点をおく諸侯たちを満足させるために贈る品々は、諸侯たちとファラオをつなぐ絆の役割を果たした。諸侯はファラオからの贈物に不満がある場合はファラオとの協力体制を拒むこともできたのである。ファラオはこのような諸侯の心をひきつけておくために、贈物に数々の工夫を凝らし、様々な品を作り出す必要があった。第六王朝時代（紀元前二三二一～二二九一年頃）のファラオ、メルエンラーからペピ一世に仕えたアンクメリラーメリプタハ（ネケブ）の墓には、ファラオが命じた運河掘削を成功させた褒章として、黄金のアンク（生命のシンボル）護符が下賜されたことが記されている（Strudwick 2005: 266）。

また、王の墓所とされたピラミッドの周辺の土地も「下賜」の対象となった。第四王朝（紀元前二六一四～二四七九年頃）のメンカウラー王に仕えたデベヘンは、ファラオにより墓所が与えられ、墓の地盤整備や墓内部の建築も王の命によってなされた、と記している（Strudwick 2005: 271-272）。ファラオの膝元、つまり国家の中枢に造営された墓や副葬品は当時のエジプトの地方では見られないほど豪奢なものであり、この場所に葬られることこそが出世の誉れである、というイメージを作り出している。したがって、地方出身者が王の膝下での墓の造営を許可されることは名誉であった。第六王朝の王室書記の監督官ネフェルセシェムラーやヘジは地方出身者であるが、王のために仕え、墓所は出身地ではなく、サッカーラ（図8-1）に造営している（Lichitheim 1983: 17）。

ファラオは持てる富で他の者たちを圧倒し、その財の一部を贈物として家臣に与えることで支配者と被支配者の「差別化」を明確にし、地方の諸侯や有力家臣たちの目線が常にファラオに向けられるような国の仕組みを作り上げたのである。

3　古代エジプト社会とビーズネックレス

黄金製のネックレス

首飾り（以降、ネックレスと表記）はもちろん古代エジプト社会のなかで商業的に取り引きされている物品ではあるが、一方で特別な意味をもつものもある。たとえば、「武勇（名誉）の黄金」（古代エジプト語ではシェブウ *šbw*）（写真8－1）と呼ばれるビーズネックレスである。新王国時代以降、王はとくに戦において功績のあった家臣に対して大ぶりな黄金製のビーズをつなげた「武勇（名誉）の黄金」と呼ばれる褒章品を下賜している。第一八王朝（紀元前一五五〇～一二九二年頃）の三代の王に仕えたイバナの息子アハメスは、アスワンの彼の墓に自叙伝を遺したが、そこにはエジプトを脅かす異民族

写真8-1　ファラオから「武勇（名誉）の黄金」首飾りを授けられた家臣の浮彫（第18王朝ホルエムヘブの墓浮彫。サッカーラ遺跡にて、筆者撮影）

ヒクソスとの戦闘における功績により、「武勇（名誉）の黄金」を二度にわたって授かったことを記している(Breasted 1962: 34-35)。そして、「武勇（名誉）の黄金」首飾りは、授与の場面が墓壁画や彫像に表わされるだけではなく、実際に墓の副葬品としても出土している。写真8－1は第一八王朝最後の王となったホルエムヘブが宰相時代に造営していた墓の浮彫に表わされている王の謁見場面だが、左手にファラオの玉座があり、「武勇（名誉）の黄金」を数多く首にかけた高官たちが表現されている。これは前述のように、ファラオを中心とする国家体制を維持するために黄金ビーズ製のネックレスを家臣に下賜し、支配する者と支配される者の関係を強固なものにしようとする工夫にほかならない。

奢侈品（しゃしひん）の代用品としてのファイアンス

しかし、金製品が下賜される例はそれほど多くはなかった。現代において金銀などの貴金属が高価であるのと同様、古代エジプトにおいて金や銀は大変貴重で、それらの所有者は王や王族、そして大神殿であり、金製品や銀製品が下賜されることは稀であった。むしろ、ファラオの臣民に下げ渡されたのは「ファイアンス」と呼ばれる素材で作られた物品が非常に多い。ファラオにとって、金や銀を採掘して入手するには相当な時間と労力を費やさなければならないが、ファイアンスの素材は古代エジプト人の居住域周辺で比較的容易に入手でき、製作コストも廉価である。もちろんファイアンスは民間の小規模な工房で作り出すことも可能だが、質も芸術性も高いものはより良い材料を調合して王立の工房で作られたと考えられている。そして、王の工房で作られた質の高いファイアンス製品は、前述の王から下賜された金の護符やネックレスと同じような役割を果たした。金製品が次第に枯渇しつつあった新王国時代中期から後期にかけては、色鮮やかで美しい光沢を放つファイアンス製品はファラオにとって費用対効果の高い下賜品であったと考えられる。

ファイアンスという物質

それでは、ファイアンスとは何だろうか。ファイアンスとは、端的にいえば現代のガラスと陶器の中間物質で、焼結石英という。材料のほとんどが古代エジプトで入手できたうえに、少ない燃料と低温焼成が可能であるため、砂漠に囲まれて燃料の乏しいエジプトにはうってつけの素材であった。

ファイアンスで作られた製品の大部分がトルコ石を模したような青緑色をしているが、それは入手しにくい天然のラピスラズリやトルコ石などを地場産の材料を使い人工的に作ろうとした結果だと考えられている。ファイアンスは古代エジプト語では「光り輝くもの」という意味のチェヘネト（チェネト *ṯhnt*）、「トルコ石」と同義のメフカート（*mfkȝt*）、そして「ラピスラズリ」と同義のヘスベジュ（*hsbḏ*）などと呼ばれることがあり（Harris 1961: 110, 128, 129, 135, 233）、準貴石の代用品を意図して作られたことを示唆している。

このようなファイアンス製作工房は、リシュト（第一二王朝の都イチ・タウイ近郊）、アマルナ（第一八王朝アクエンアテン王の都）、カンティールやテル・エル＝ヤフディーヤ（第二〇王朝ラメセス二世および第二一王朝ラメセス三世の居城）など、王宮の付近で発見されることが多い。ファイアンスはネックレス用の小さなビーズから、祭祀具、葬送用副葬品、化粧容器など多岐にわたるものが作られているが、第一八王朝アメンヘテプ三世からアクエンアテン、そしてトゥトアンクアメン（日本ではツタンカーメンと表記されることが多い）王に至るまで、ファイアンスの製作技術は飛躍的な進歩を見せ、赤・黄・黄緑・緑・青・藍色・茶・白・黒など、多色のファイアンス製品が作られている。トゥトアンクアメン王墓より発見された七面のファイアンス製広襟飾りには、広襟飾り一面につき約四四〇個の多色ファイアンスビーズが用いられ、アマルナおよびポスト・アマルナ時代（紀元前一四一〇～一二九二年頃）に生産されたビーズの数や色彩の華美さは、他の時代を凌駕する。そして、カンティールやアマルナからは窯址とともに夥しい数の指輪や形象ビーズの破損品や鋳型が出土しており、これらの窯で作られた指輪などが多くの臣民に下賜されたことを示唆している。

青緑色の意味

古代エジプトのファイアンス製品は、全体の約九割が青緑色をしている。したがって、エジプトのビーズは青緑色のものが大部分である。それはなぜなのだろうか。これには古代エジプト社会が青緑色に重要な価値を見出していたことが大きな理由としてあげられる。

古代エジプト人が生活していた自然環境においては、石灰岩台地の白、砂漠の黄色、ナイル川の堆積土の茶～黒褐色、植物の緑、花の赤、炭の黒などの色の材料は居住地の近くで入手できるが、青色は簡単には手に入らない。彼らにとって、遠方からの交易によってもたらされる青藍色の石ラピスラズリや、シナイ半島で銅の採掘時に入手できる空色のトルコ石やクジャク石などの炭酸銅鉱石は非常に珍しいものであり、貴重視され、青色を所有する者は裕福な者と見なされ、権力者と同義に扱われたとしても不思議ではない。

中王国時代に編纂されたといわれる古代エジプトの文学作品『難破した水夫の物語』には、難破した水夫が打ち上げられた島に住んでいたのは大蛇の形をした神で、その神の肌は黄金、そして眉毛は青藍色のラピスラズリでできていた、と記されている（Lichtheim 1983: 212）。さらに、古代エジプト歴代の王墓のうち、唯一盗掘を受けずに発見されたトゥトアンクアメンの墓からは、王の棺の中から黄金のマスクが発見されており、そのマスク

写真8-2　ファイアンス製ヌン碗。見込みにハトホル女神、牝牛、ナイルパーチなど豊饒（豊穣）に関連する図柄が描かれている（ルーヴル美術館蔵、筆者撮影）

の頭部の鬘も濃青のガラスと金で装飾されていた。つまり、古代エジプト人は、青色（空色～濃青色）は神とも関連する色であると認識していたことが分かる。

古代エジプトでは、「青」と「緑」は区別されておらず、ウアジュ（*w3ḏ*）と表記される。このウアジュには「新鮮」「瑞々しい」という意味も含まれており、下エジプトのコブラの形をした女神ウアジェト「緑（青）なる者」も、ウアジュから派生している。

シナイ半島にある古代エジプト王朝時代の銅鉱山セラビト・エル＝カーディムにある神殿には、国の守護、あるいは国母として豊饒（豊穣）を司るハトホル女神が祀られていた。ハトホル女神は「トルコ石の女主人」と修辞され、トルコ石＝青色＝ハトホル女神といった認識があったことを示している。

また、同神殿からヌン碗と呼ばれる儀式用の碗が出土している。通常ヌン碗にはハトホル女神の姿や豊饒のシンボルであるナイルパーチ（ナイルスズキ）、生命の根源であるヌン（原初の水）など、再生や豊饒（豊穣）と関連深い図柄が青緑地の上に描かれているものが非常に多い（写真8－2）。すべての図柄が再生・豊饒（豊穣）に関連する吉祥文と見なすことができる。

上述のように、古代エジプトの人々は、滅多に手に入らないラピスラズリやトルコ石のような準貴石の代用としてファイアンスを人工的に作り上げた。そして、その青緑色は再生や豊饒（豊穣）神と関連づけられていたため、葬送や祭祀の呪物や祭具にも青緑色が非常に多く、あの世での生活に使う副葬品も青緑色が大部分である。

それでは、青緑色ビーズで上記のような再生や豊饒（豊穣）との関連を示すようなものはあるのだろうか。次では、神と人をつなげるビーズについて述べる。

4 神と人とをつなぐビーズ

古代エジプトで重要な意味をもつビーズのネックレスにウセク（*wsh*）と呼ばれる広襟飾りがある（口絵9）。数多くのファイアンスや準貴石、そして金属のビーズを多連につなぎ、面的な装飾を施した広襟飾りで、主に葬送のコンテクストにのみ使用される（Aldred 1971: 145）。初現は古王国時代第四王朝で、この形の広襟飾りは貢献した家臣に対して王からの下賜品である例が多い（Wilkinson 2015: 32）。古王国時代（ピラミッド時代）後半期にピラミッド近くに造営された家臣たちの墓からは、ファイアンスビーズ製の広襟飾りが多く発見されている。さらに、サッカーラに墓所を築いた第五王朝中頃の王の側近アケトヘテプの墓には、ファラオが王子セアンクプタハを使者として立て、アケトヘテプにクジャク石とラピスラズリで作った広襟飾りを下賜したことが記されている（Strudwick 2005: 261）。

次の中王国時代には、広襟飾りの実物の出土数は減少するが、墓に納められた木棺の外側にはあの世に携える

写真8-3　メナト首飾り（メトロポリタン美術館蔵、筆者撮影）

必需品リストがあり、そのなかにはウセク広襟飾りが必ず描かれている。ウセクは古王国時代より神が身につける広襟飾りであったことから、被葬者が神々と同じ姿になるために必要な装飾品であったともいえよう。同様に、中王国時代の地方豪族たちの埋葬には、被葬者が二国の主であることを示す牧杖と殻竿、そして高位の人物だけが身につける腰布飾りがビーズ細工で作られていた。

また、トゥトアンクアメン王の埋葬に関連して、同王の葬儀の際に使用された道具や葬儀に参列した人々が身につけていたものを埋めた縦穴（ＫＶ54）が発見されている。この竪穴からは植物とファイアンス製ビーズで編んだ多くの広襟飾りが出土している（Winlock 2010: 58-59, Figs. 59-64）。ここから出土した広襟飾りは、参列者が同じものを身につけて死を悼む慣習があったことを示唆しており、たとえば日本で葬式の際に喪服を身につけるのと同様に、特定の種類あるいは配色の広襟飾りは葬送用に使用されていたことも考えられ、葬送儀礼におけるビーズの使途が社会的に規定されていた可能性があることを示唆している。

ビーズ製ネックレスが祭祀用として使用されている例は他にもある。古王国時代に現れているが、とくに新王国時代になって多く描写されるようになる女性神官は、メナト（*mnit*）と呼ばれる小玉を大量に連ねたビーズ製ネックレス（写真8－3）を持っている。女性神官はハトホル女神に仕える者で、女性王族がその役職を担うことが多い。ハトホル女神は王に授乳して養う図像が数多く知られており、国母的存在として崇められていた。メナトはネックレスの前垂れ部分の重量とバランスを取るように背中部分に錘がつけられているため、本来は身につけるものとして作られたが、儀式のなかでは小玉部分を揺すり、音を出すことが重要だったことから、次第に首にかけられる描写が少なくなり、女性神官が手に持つ描写が多くなる。ハトホル女神の祭祀の場では、女性神官がそのビーズ製ネックレスを揺すり、ビーズの摩擦音に導かれるように牝牛の姿をしたハトホル神がパピルスの繁みから顕れる。このメナトの音は、ハトホル女神がパピルスの繁みを掻き分けている場面を音で表現しているのである。つまり、ビーズで作られた祭具が必ずしも色や光沢などの視覚的な理由で選ばれているのではなく、ビーズがもつ音響的効果が「神と人とをつなぐ」ものとして認識されているのである。

5 古代エジプトのビーズ使用の重要性

本章では古代エジプトにおいてビーズ製品が社会を語る上で重要な鍵となるものであることを述べた。一つはビーズネックレスや広襟飾りに代表されるファラオからの「贈物」である。奢侈品としてファラオの工房で作られたビーズのネックレスはファラオから家臣へと下賜され、家臣たちはファラオから与えられた特権や奢侈品などの見返りに国家への忠誠を誓った。ファラオと家臣の間に成立した「贈物」と「奉仕」の関係は、ファラオに権力が集中する構図に拍車をかけ、古代エジプトが中央集権社会を構築するための重要な加速要因となっている。

もう一つは、トルコ石を模した青緑色のファイアンス素材を使った製品がもつ意味である。古代エジプトではファイアンス製の祭祀具や葬送用副葬品などが数多く作られているが、それはファイアンスの青緑色がもつ再生・豊饒（豊穣）の意味と深く結びついているからである。青緑ファイアンス製のウセク広襟飾りは、神となった死者が身につけるビーズ製品として王朝時代を通じて葬送のコンテクストにおいて使用された。また、青緑色小玉ビーズで作られたメナトは豊饒の女神ハトホルと結びつき、メナトを揺することで出る音はハトホル女神を呼び出すために不可欠なものであった。

以上、古代エジプト社会においてビーズは、単なるアドーンメント（装飾）ではなく、社会に織り込まれることによって、ファラオと臣民、神と人をつなぐ役割を担っていたのである。

参照文献

Aldred, C. 1971. *Jewels of the Pharaohs: Egyptian Jewellery of the Dynastic Period*.
Breasted, J. H. 1962. *Ancient Records of Egypt*, vol.2.
Harris, J. R. 1961. *Lexicographical Studies in Ancient Egyptian Minerals*. Deutsche Akademie der Wissenschaften zu Berlin Institut für Orientforschung, Veröffentlichung Nr. 54.
Lichtheim, M. 1983. *The Ancient Egyptian Literature: The Old and Middle Kingdoms*, vol.1.
Strudwick, N. C. 2005. *Texts from the Pyramid Age*. Writing from the Ancient World, no.16.
Wilkinson, A. 2015. *Ancient Egyptian Jewellery*.
Winlock, H. E. 2010. *Tutankhamun's Funeral*. The Metropolitan Museum of Art.

第9章 中国文明の宗教芸術にみるビーズ

敦煌莫高窟（とんこうばっこうくつ）の菩薩装身具

末森　薫

1 宗教芸術とビーズ装飾

宗教と芸術

人々の観念と強い結びつきをもつ宗教において、抽象的な事象を表象し、人々の精神世界を具現化する「芸術」は欠かすことができない。歴史を振り返れば、宗教は芸術とともに盛衰し、芸術は宗教とともにその形を変えていったといっても過言ではない。信仰心や美意識が込められた造形物は、ときに崇め祀られ、畏れられる対象となり、またときに宗教的空間を創出したり、儀礼を行ったりする道具として、宗教と密接に関わってきた。

古代の芸術には、それがつくられた当時の人々の思想や世界観などがあらわされている。ビーズは、古来より芸術を形づくる一つの構成要素として重宝され、信仰の対象や空間を飾り立て、ときに飾り立てる以上の役割を果たしてきた。本章では、仏教芸術にあらわされたビーズを介して、古代中国の宗教芸術が包含する情報の一端を読み解いてみたい。

仏教芸術とビーズ装飾

二五〇〇年ほど前に、インド北部に生まれたガウタマ・シッダールタ（釈迦）が説いた教えは、「仏教」として世界各地へと広まっていった。インドから中央アジアを経由して、中国、日本へと伝わった北伝仏教と、東南アジアを経由して伝わった南伝仏教に大きく分かれ、各地の土着の文化や信仰と交じり合いながら、それぞれに発展を遂げた。仏教の教えを人々に広めるうえで、僧が語る説教や文字で記された経典などとともに重要な役割を果たしたのが、彫刻や彫像、絵画としてあらわされた仏教芸術である。仏教芸術には、制作当時に信仰されていた思想や、制作地の人々の文化や世界観が表象されている。

仏教芸術では、建築の部材や服飾・装身具などに、様々なビーズの造形が用いられている。ビーズ装飾は、ときに造形物の性格や特徴を表すうえで重要な役割を果たす。たとえば、釈迦が出家する以前の王族の姿などであらわされる菩薩は、宝冠（ほうかん）をかぶり、頸飾（くびかざり）、胸飾（むねかざり）、瓔珞（ようらく）、腕釧（わんせん）、臂釧（ひせん）、足釧（そくせん）など多様な装身具で全身を飾る（口絵10、写真9-1）。菩薩の高貴な様子をあらわすうえで装身具は不可欠な要素であり、ビーズをつないだ装飾品が多用されてきた。他方、菩薩がつける装身具は一様ではなく、ビーズ装飾も時代や地域により特徴が異なる。本章では、北伝仏教の中継地である敦煌莫高窟にあらわされた菩薩の装身具の変遷を通して、ビーズ装飾について一考したい。

2 敦煌莫高窟の芸術

古代仏教芸術の宝庫・莫高窟

中国甘粛省の西端に位置する敦煌は、古代シルクロードの要衝であり、その近郊には、玉門関と陽関の二つの関所が築かれ、東西の人々や文化が行き交う交差点として栄えていった。敦煌の中心部から南東約二〇kmの山中には、七〇〇以上の洞窟が穿たれた一六〇〇m以上に及ぶ崖面がある。世界に名高い仏教遺跡「莫高窟」である。

六八九年に制作された『大周李懐譲重修莫高窟仏龕碑』には、前秦の建元二年（三六六年）に、僧の楽僔が、山々の光り輝く様子に千仏の姿を重ね、山の一角に洞窟を掘り出したという文言が刻まれている（東山 一九九六：三五―三六）。前秦に造営された洞窟は確認されていないが、莫高窟では一千年以上にわたり造営が続けられていった。洞窟内に芸術が残される四九二の窟は、北涼、北魏、西魏、北周、隋、初唐、盛唐、中唐、晩唐、五代、宋、西夏、元、清の各時代に分期されている（敦煌文物研究所編 一九八二）。本章では、北涼から隋に造営された窟にあらわされた菩薩の装身具を取り上げる。

莫高窟の芸術

一九〇〇年、道教僧の王円籙が偶然見つけた小さな洞窟により、莫高窟は広く世に知られることとなった。莫高窟第一六窟の主室へとつながる通路の隠されていた「蔵経洞」には、経書や写本、文献などが大量に納められていた。蔵経洞の発見以後、ヨーロッパや日本の探検家たちは、たびたび敦煌の地を訪れ、蔵経洞より発見された文書とともに、洞窟のなかにあらわされた芸術の存在を世に広めていった。

莫高窟の洞窟には、二千体以上の塑像と四万五千㎡におよぶ壁画が残されている。塑像は、木材や藁により芯部を作り、そこに泥土を重ねて造形し、彩色を施す立体的な芸術であり、如来（仏）、菩薩、弟子、力士、獅子などが造形された。一方、壁画は岩壁に幾層かの泥土を塗り重ねて平らな土壁を作り、その上に下地、彩色を施す平面的な芸術であり、釈迦の事績（仏伝）や釈迦の過去世の物語（本生（ほんしょう））、各種の経典の内容などが描写されている。本章では、塑像を示す場合には「像」、壁画を示す場合には「図」と記すこととする。

3 莫高窟にあらわされたビーズ装飾

北涼のビーズ装飾

莫高窟に現存する洞窟のなかで、最も古い北涼（四二一年〜四三九年）の時代に造られたとされる第二七五窟には、ビーズ装飾が多く確認される。第二七五窟の本尊である菩薩像は、脚を交差させた下半身に裙（くん）と呼ばれるスカート状の衣をまとい、上半身には両肩を覆う衣、頸飾、瓔珞をつける（写真9－1）。帯状の胸飾には釣鐘形のビーズが垂れ下がり、瓔珞は円形と細長い樽形のビーズを交互につなげ、最下部に花形の飾りをつける。また、第二七五窟の南壁・北壁（入口（東側）から見て左右の壁面）の上層には、それぞれ三つの小龕（しょうがん）が造られ、その内部に交脚あるいは半跏の坐勢の菩薩像が置かれている。これらの像は円形と樽形のビーズを交互につなげる瓔珞を身につけ、樽形のビーズのなかには斜めに線刻が施されたものもある（写真9－2の1）。また、北壁の小龕の

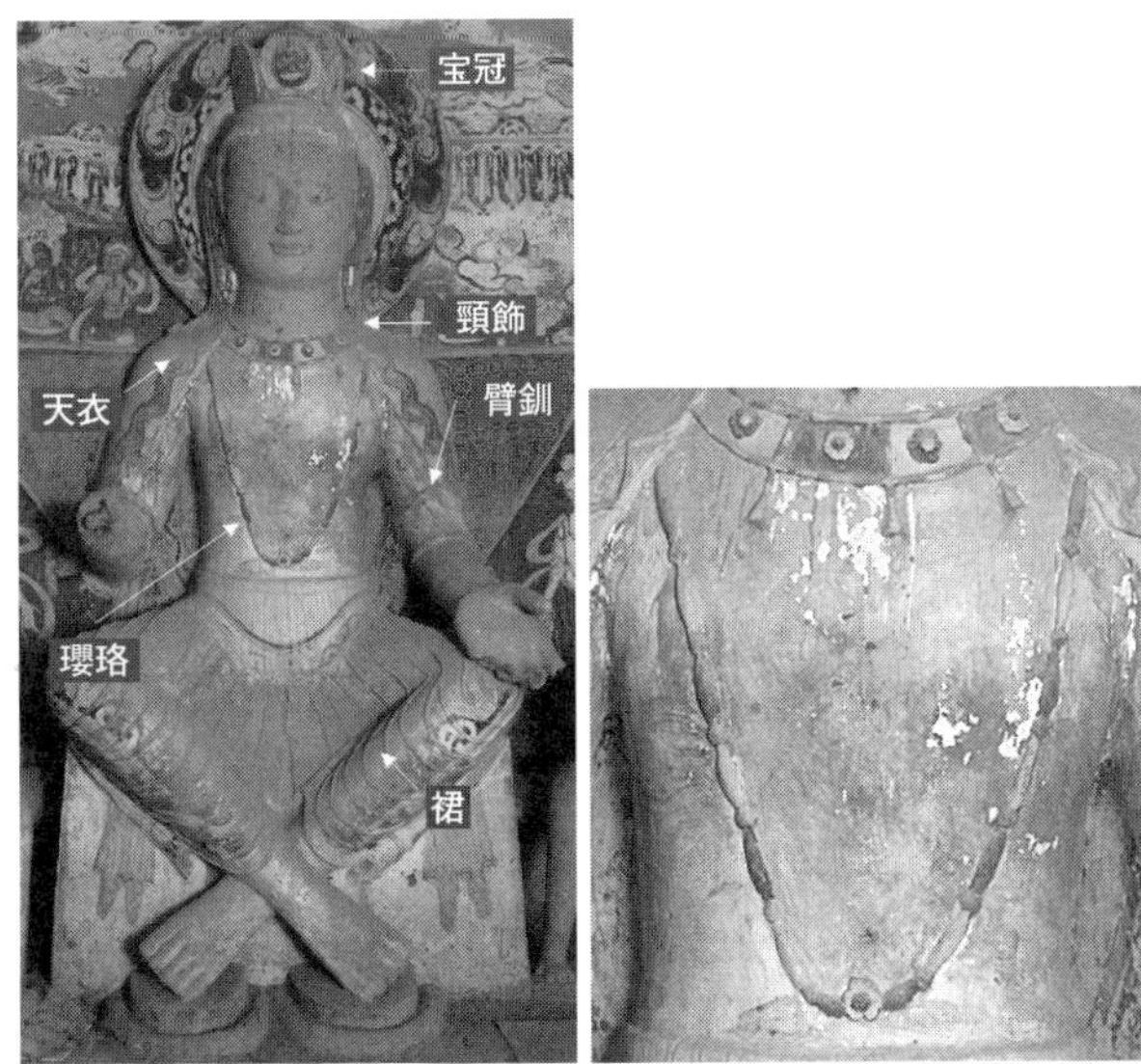

写真9-1　莫高窟第275窟（北涼）の菩薩像と装身具（敦煌研究院編 2011：643）

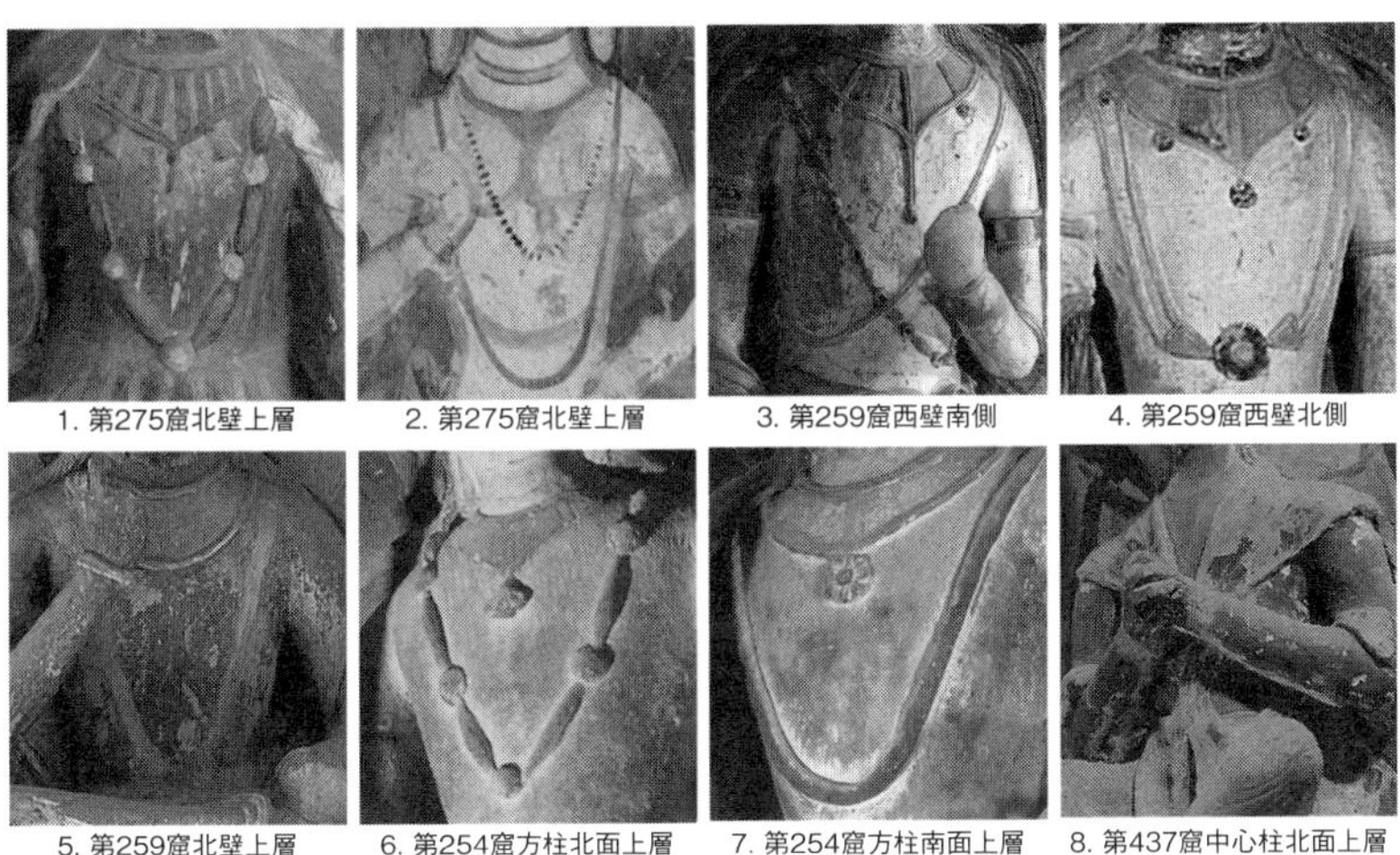

写真9-2　莫高窟（北涼・北魏）の菩薩像と装身具（1・2：敦煌研究院編 2011：663・667、3：中国美術全集編輯委員会編 1987：10、4・5・8：敦煌文物研究所編 1980：41・46・84、6・7：敦煌研究院編 1995：57・50）

間に描かれた菩薩立図は、円盤形と思われるビーズを連ねた胸飾を身につけている（写真9－2の2）。

北魏のビーズ装飾

北涼に続く北魏（四三九年～五三四年）の時代、中国全土に仏教が普及し、各地に寺院や石窟が数多く造営された。四九四年まで北魏の都が置かれた平城（へいじょう）（現山西省大同市）には雲岡（うんこう）石窟が、遷都後に都が置かれた洛陽（らくよう）（現河南省洛陽市）には龍門（りゅうもん）石窟が、ともに皇族の勅願（ちょくがん）によって造営された。莫高窟においても、中心に方形の柱を備える大型の窟（中心柱窟）が登場し、芸術にあらわされる題材が増えるなど、石窟の造営が隆盛した。一方で、ビーズ装飾には大きな進展は見られない。

中心柱窟への過渡期に造られた第二五九窟の本尊である二体の如来仏（二仏）の左右（以下、本尊から見た位置で左右を記す）には、それぞれ異なる瓔珞を身につける脇侍の菩薩立像が安置されている（写真9－2の3、4）。右側の像は、円形と樽型のビーズを交互につなぐ第二七五窟と同形式の瓔珞を左肩から襷（たすき）がけするのに対し、左側の像は二連の紐をつないだ帯状の瓔珞の最下部に花形の飾りをつなぐ。後者は北魏に新たに登場した形式ではあるが、ビーズをつなげるという点では単純化している。また、南北壁上部の小龕内に配された菩薩交脚像や菩薩半跏像が身につける瓔珞は、立体的に塑形はされておらず、平面的に描写されている（写真9－2の5）。

大型の中心柱窟である第二五四窟には菩薩も多くあらわされているが、ビーズ装飾の造形は後退する傾向にある。方柱の北面上部に配された菩薩交脚像は、第二七五窟や第二五九窟の菩薩像と同様に、円形と樽形のビーズを交互につなぐ瓔珞を身につけているが、双方に比べ、簡略な造形である（写真9－2の6）。また、ビーズをあらわさない瓔珞（写真9－2の7）や、瓔珞を身につけない菩薩も登場する。ビーズ装飾が後退した要因には、菩薩の服装の変化との関係性があげられる。この時期に造られた菩薩は、左肩から右脇腹にかけて条帛と呼ばれる薄手の布をまとう、あるいは天衣を両肩からかけ腹前でX字形に交差させる（写真9－2の8）など、上半身を露出することが少なくなり、それに伴い、上半身につけていた瓔珞などの装身具があらわされなくなったのである。

北魏の服制改革

北魏における服制の変化は、像の「漢化」あるいは「中国化」と呼ばれる現象として捉えられている。北魏は北方遊牧民族の鮮卑族・拓跋部が樹立した王朝であり、第六代皇帝の孝文帝は領内の支配を強固なものにするために、大勢を占める漢族の制度や風俗、文化を取り入れる漢化政策を実施した。その一環として、外来民族の胡服の着用を禁じる服制の改革を断行したのである（石松 二〇〇五：一〇七―一一二）。また、北魏の仏教では、皇帝と如来を同一視し、皇帝と同じ身体的特徴を如来の造形にもたせるという考え方が定着していた。そのため改革後、皇帝が積極的に関与した雲岡石窟では、如来像が袈裟や裳を重ねてまとうようになった。また、菩薩は両肩にかけた天衣を腹前でX字形に交差させ、飛天は足先を裳のなかに隠すなどの変化もあらわれた（八木 二〇〇〇：一八七―二〇七）。ただし、政治の中心地から離れている莫高窟では、服制の変化に関する情報が入ってくるまでに幾分かの時間差があったようである。そのため、菩薩や飛天の服制の変化が、如来の服制の変化に先行してあらわれた。菩薩が天衣を腹前で交差させる表現や飛天が足先を隠すなどの変化は北魏に見られるが、袈裟や裳を重ねて着る如来が登場するのは、北魏末から西魏にかけてであった（八木 二〇〇四：二三六―二六三）。

写真9-3　莫高窟第285窟（西魏）北壁　漢化した菩薩図（中国敦煌壁画全集編輯委員会編 2002：134）

西魏のビーズ装飾

内乱により北魏は東西（東魏・西魏）に分裂し、敦煌は西魏（五三五年～五五六年）の領内におかれることとなった。この時期、北魏第二代皇帝の明元帝の後裔である東陽王元栄が瓜州（現在の敦煌市）の刺史に任ぜられ、莫高窟の造営に関わったとする記録が残されている。第二八五窟北壁には「大統四年」（五三八年）と「大統五年」（五三九年）の紀年銘が記されており、芸術に新たな要素が多く見られることから、元栄が関わった窟ともされる。この窟の図像は服制の漢化が一段と進み、本尊の如来倚坐像は褒衣博帯と呼ばれる大振りの裾と帯を有する漢式の衣服をまとい、東壁および北壁に描かれた菩薩図は、大袖の衣と腹前で交差する天衣を身につけている（写真9－3）。西魏では、第二八五窟西壁に描かれた供養菩薩の瓔珞や、北壁の説法図中に描かれた脇侍菩薩が身につける頸飾の下絵などに、ビーズ装飾と思われる装身具がわずかに確認されるものの、服制の漢化の進展により、ビーズ装飾で菩薩を飾ることは積極的には行われなかった。なお、第二八五窟の天井には、二種類の色の玉を交互につなげた佩玉と呼ばれる装飾が描かれている。

北周のビーズ装飾

五五七年の元日に西魏の恭帝から禅譲を受けた宇文覚は、北周（五五七年～五八一年）を建てた。五五〇年代後半から五七〇年代頃に瓜州の刺史であった建平公が造営に関わったと推察される大型の第四二八窟では、図像

写真9-4　莫高窟（北周・隋）の菩薩像と装身具（1の上：敦煌文物研究所編 1980：172、1の下：中国石窟彫塑全集編輯員会編 1999：39、2・3・4：中国敦煌壁画全集編輯委員会編 2010：7・115・113、5の上下：中国美術全集編輯委員会編 1987：73・72）

の顔や身体がふっくらと丸みを帯びるようになり、上半身を裸形とする菩薩も多くあらわされている。天衣を腹前で結び、交差させて身体を隠す菩薩像も作られているが、身体を隠すことを好んだ服制の漢化の影響が弱まっていることが理解される。

服制の変化により、北周では、ビーズ装飾からなる瓔珞が再び登場するようになる。第四二八窟の上半身を裸形とする菩薩は、樽形のビーズをつないだ瓔珞や、二重の楕円形からなるビーズをつないだ瓔珞を身につけている。また、第二九七窟の本尊の脇侍菩薩立像は、天衣を腹前でX字形に交差させず、両肩から垂下させ、露わになった上半身に円形と樽形のビーズを交互につなぐ瓔珞をつけている（写真9－4の1）。

円形と樽形のビーズを交互につなぐ瓔珞は、第二九〇窟の方柱北面の菩薩立像の装身具にも採用されている。円形と樽形のビーズを交互につなぐ瓔珞は北涼や北魏にすでに見られるものであるが、その細かな造形や身につけ方の変化には、ビーズ装飾が再興する兆しを認めることができる。

隋・初唐のビーズ装飾

北魏が滅んで以降、東西に分裂していた北朝地域は、隋（五八一年〜六一八年）の誕生により再び同一王朝の支配下となった。そして、五八九年、隋は南朝の陳を制圧し、西晋（二六五年〜三一六年）が滅んだ以後、南北に分断していた中国の国土が統一されることとなった。隋は四〇年弱の短命な王朝であるが、初代皇帝文帝（楊堅）、第二代皇帝煬帝（楊広）はともに仏教に篤く、各地で寺院の建立や造経・造像がさかんに行われた。莫高窟での仏教活動も盛況であり、この時期に造られたとされる窟は一〇〇を超える。

隋初頭につくられた芸術は、北周からの形式を踏襲するものが多い。しかし、新しい要素も取り入れられ、菩薩の装身具にも変化が見られる。北周末から隋にかけて造営された第三〇一窟南壁の菩薩立図は、天衣を腰や膝あたりで翻し、宝冠、耳飾、頸飾、胸飾、瓔珞、腕釧、臂釧、足釧など多数の装身具を身につけている（写真9－4の2）。「開皇四年」（五八四年）の紀年銘が確認される第三〇二窟南壁にも、比較的大きな珠を連ねる胸飾を身につけた菩薩立図が描かれている。

隋の中葉を過ぎた莫高窟には変化の潮流が訪れ、より精緻なビーズの表現や、連結飾りを用いた複雑な構造の装身具が登場した。第四二七窟の方柱西面に描かれた菩薩立図の瓔珞は両肩から垂れ下がり、腹前の花形の飾りで連結したのちに、「八」字形に二本に分岐する（写真9－4の3）。瓔珞は全体が黄みを呈していることから、金製のビーズをつなげたチェーン状の装飾を表現したものと推測される。また、同窟の方柱東面に配置された菩薩立像の瓔珞は一段と複雑な構造であり、両肩からU字形に垂れ下がり腹前で連結した後に、下腹部の長方形の飾りと連結し、「八」字形に二本に分岐する（写真9－4の4）。なお、「八」字形に分岐する瓔珞はヒンドゥー教の神像に祖形を辿れることが知られ、同時期に西安近辺で作られた石像などにも同様の特徴が認められる（鄭一九九八、八木二〇一三）。

隋末から初唐にかけては、さらに複雑な構造を有する瓔珞が作られた。第二四四窟の菩薩立像は、腹前と下腹部に二つの連結飾りを配する瓔珞を身につけ、ビーズの一つ一つが丁寧に造形されている（写真9－4の5）。なかには細かいビーズをつなげた紐状の装飾を複数本束ねて、樽型の大きな飾りとする造形もある。また、第五七窟南壁に描かれた菩薩は、黄金色に彩色されたさまざまなビーズをつないだ煌びやかな宝冠や頸飾、臂釧、腕釧、瓔珞を身につけている（口絵10）。

4　莫高窟に現れた連珠文

本章では、北涼から隋・初唐の時代に莫高窟にあらわされた菩薩装身具の変遷を通して、仏教芸術にあらわされたビーズ装飾の事例を確認してきた。東西から様々な情報を受容しながら造営が進められた莫高窟では、時期によりビーズ装飾の造形にも変化が見られた。北涼や北魏の菩薩は二種類のビーズを交互に並べる装飾などを身につけていたが、北魏末から西魏にかけて、服制の漢化の影響を受け、菩薩の上半身は衣服や天衣で覆われるようになり、ビーズ装飾の使用頻度は減少した。しかし、北周において再び上半身を露わにして瓔珞を身につける菩薩があらわされるようになった。そして、仏教が興隆した隋・初唐において多種多様なビーズ装飾を身につける華やかな菩薩が登場することとなったのである。莫高窟では、時代の潮流や東西からの情報の流入により、刻々と芸術の造形が変化していったわけであるが、その変化は芸術を構成する一要素であるビーズ装飾にも如実にあらわれている。

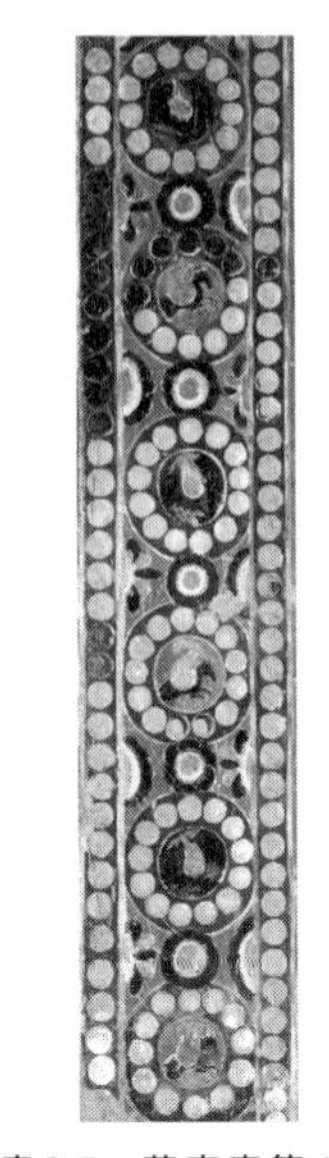

写真9-5　莫高窟第425窟（隋）西壁龕縁　連珠装飾（中国敦煌壁画全集編輯委員会編 2010：56）

最後に、隋から初唐にかけて莫高窟で流行した「連珠文」を取り上げておきたい。ビーズ装飾が華やぐ隋の時代、同じ大きさの円を連続させる連珠文が突如として多用されるようになった（末森 二〇二〇：二二三）。その形式は大きく三つに分類され、一つは、光背や台座などに用いられる楕円や真円の図案を複数並べるもの、もう一つは直線的に真円を並べて壁面や区画を区切るもの（連珠文帯）、そして、円の外部に真円を並べて円の外縁を作り、その内部に動物や植物の図案を配するもの（連珠円文）である（梁 二〇〇三：四六九―四七一）。第五七窟南壁の菩薩立図は、連珠円文をあしらった内衣を左肩から吊り下げている（口絵10）。また、連珠文帯と連珠円文が組み合わされ、龕の縁を飾る建築的な装飾として使用される例もある（写真9－5）。

連珠文については、ササン朝ペルシアに祖形が求められることや、ソグディアナ地方を本拠地としたイラン系のソグド人の影響とする説が提示されている（Compareti 2003）。また、古代イランにおいて連珠の表現は「神の恩寵・加護を象徴する光」である「フワルナフ」を造形したものとされ、「真珠」がモチーフとされたことが指摘されている（道明 二〇一〇：一四七―一五〇）。莫高窟の芸術にも大きな影響を及ぼした『法華経』において真珠は七宝の一つに数えられ、宝塔を飾る装飾や貴族が身につける装身具として登場する。莫高窟に描かれた各種の連珠文は、白色を呈するものが多く、真珠をイメージした図案であった可能性も十分に考えられる。隋で連珠文が流行した要因については多方面からのさらなる検討を要するが、ビーズをデフォルメした可能性が窺える模様が、身体を飾るという機能を超え、宗教的空間を形づくる役割を担っていることは、宗教芸術におけるビーズの多様性を鑑みるうえで大変興味深い。

参照文献

石松日奈子　二〇〇五『北魏仏教造像史の研究』ブリュッケ。
末森薫　二〇二〇『敦煌莫高窟と千仏図――規則性がつくる宗教空間』法藏館。
中国石窟彫塑全集編輯委員会編　一九九九『中国石窟彫塑全集　敦煌』重慶出版社。
中国敦煌壁画全集編輯委員会編　二〇〇二『中国敦煌壁画全集二　西魏』天津人民美術出版社。
中国敦煌壁画全集編輯委員会編　二〇一〇『中国敦煌壁画全集　隋』天津人民美術出版社。
中国美術全集編輯委員会編　一九八七『中国美術全集　彫塑編七　敦煌彩塑』上海人民美術出版社。
鄭禮京　一九九八「隋菩薩像の成立について」『佛教藝術』二四〇、五三―九四頁。
道明三保子　二〇一〇「東西交流におけるイラン染織――連珠円文錦の系譜」『アジア遊学一三七　東西交渉とイラン文化』勉誠出版、一四五―一五五頁。
敦煌研究院編　一九九五『敦煌石窟藝術　莫高窟第二五四窟附第二六〇窟（北魏）』江蘇美術出版社。
敦煌研究院編　二〇一一『敦煌石窟全集一　莫高窟第二六六～二七五窟考古報告』文物出版社。
敦煌文物研究所編　一九八〇『中国石窟　敦煌莫高窟一』平凡社。
敦煌文物研究所編　一九八一『中国石窟　敦煌莫高窟三』平凡社。
敦煌文物研究所編　一九八二『敦煌莫高窟五　付篇　敦煌莫高窟内容総録』平凡社。

東山健吾　一九九六『敦煌三大石窟』講談社。
八木春生　二〇〇〇『雲岡石窟文様論』法蔵館。
八木春生　二〇〇四『中国仏教美術と漢民族化――北魏時代後期を中心として』法蔵館。
八木春生　二〇一三『中国仏教造像の変容――南北朝後期および隋時代』法蔵館。
梁銀景　二〇〇三「莫高窟隋代聯珠紋與隋王朝的西域經營」『唐研究』九、四五七―四七六頁。
Compareti, M. 2003. The Role of the Sogdian Colonies in the Diffusion of the Pearl Roundels Pattern. *Ērān ud Anērān: Studies Presented to Boris Ilich Marshak on the Occasion of His 70th Birthday, Buenos Aires.*

Ⅲ 大航海時代と世界システム

第10章 アフリカに渡ったガラスビーズ

ビーズ文化を受容した社会、しなかった社会

戸田美佳子

1 アフリカで消費されるヴェネチアビーズ

一九世紀のヴェネチア製ガラスビーズの最大の消費地はアフリカであるといわれる。たとえばカメルーンでは、ヴェネチア製もしくはオランダ製のトンボ玉の一つであるシェブロン玉が地域社会に導入された（Harter 1992）。当時、カメルーンでは、狩猟採集民、牧畜民、そして農耕民に至るまで社会は多様であり、そうした生業を支える生態環境に根づいた様々な自然素材のビーズが作られていた。しかしカメルーンでは、ヨーロッパの交易でもたらされたガラスビーズを受容しビーズ文化を築いた社会もあれば、導入が進まなかった社会もある。

本章では、第二節においてアフリカにおけるビーズ交易を概説する。とくにカメルーン北西部の諸王国でビーズ文化が花開いた、その歴史的背景を紐解く。続く第三節では、「アフリカの縮図」と呼ばれるカメルーンを対

象に、熱帯林の狩猟採集民を中心とした無頭制社会（首長などをもたない平等主義的社会）、グラスフィールドと呼ばれる高原に居住する階層化された農耕民の首長制社会、そしてスーダン・サヘル地域の牧畜民が中心となるイスラーム社会という三つの異なる社会で利用されるビーズに焦点を当てる。最後の第四節では、社会構造や生態環境で特徴づけられるビーズ利用とその変化を、三つの社会の比較を通して考察する。

2 アフリカにおけるビーズ交易

アフリカのトンボ玉は「トレードビーズ」とも呼ばれる（Dubin 1987）。透き通った光沢のある現代のガラスビーズとは対照的に、マットな赤、青、黄、緑色を中心としたアンティーク調のビーズである。アフリカのトレードビーズは大玉で独特の味わいと重厚感があり、多くのアフリカの首長制社会において富と権力の象徴となってきた。そして「トレードビーズ」の名の通り、アフリカが孤立した大陸ではなく、交易を通して世界とつながっていた証拠を示すものでもある。

広大なアフリカ大陸におけるビーズ利用は、原材料の入手が可能となる環境要因や、イスラームおよびヨーロッパからの技術導入、そして交易ルートが深く影響している。つまり、アフリカのビーズ文化を捉えるためには、地勢と交易の役割を理解することが肝要となる。

サハラ交易

ヨーロッパ列強が海路によって世界各地に進出を始める一五世紀の大航海時代以前から、アフリカ大陸ではすでに、トランス・サハラ、紅海・インド洋の二つのルートによる長距離交易が発達していた。サハラ交易を担ってきたアラブ商人の仲介によって、中東イスラーム社会や地中海からの貴重な赤サンゴやタカラガイ、ガラス製ビーズがサハラを越え、サブサハラ・アフリカの森林地域まで持ち込まれていた。

カメルーンのガラスビーズを研究したピエール・ハルター（Harter 1992）によると、カメルーンにはかつて土着のビーズがあったという。それはナイジェリア西部から現在のカメルーン英語圏にあたる海岸地域の岩底から採集された、青みがかったサンゴ（*Allopora subviolcea*）であった。一六世紀までの複数の文章に「ビーズのような青い石」として登場する。この青サンゴからビーズが成形され、近隣地域で取り引きされていたと記録されている。ただし、ハルターが現地調査をしていた一九八〇年代には、その存在は一般には知られることがなくなっていたという（Harter 1992: 5-7）。

青サンゴの次に登場したのが、サハラ交易によってもたらされた青や赤色の管状ガラス製ビーズであった。この地に初めてもたらされたガラスビーズは非常に貴重であり、一八五〇年の行政官は、ガラスビーズが同重量の砂金の半値で売買されていたと記している（Harter 1992: 6）。

このように、カメルーンをはじめとする中西部のアフリカ諸国においては、ヨーロッパとの接触以前に、ビーズに関する広大な商業ネットワークが築かれており、地元の人々はすでに所有していたビーズのスタイルを好んでいた。そのため、初期のヨーロッパの航行者が持ち込んだヨーロッパ産の煌びやかなガラスビーズは現地の人々に受け入れられなかったという。それゆえ、ヴェネチア、ボヘミア、オランダのガラス製造業者は、現地にあったビーズを模倣してガラスビーズを製作することになった（Harter 1992: 5-6）。

ヨーロッパとの交易

ヨーロッパからアフリカに交易品として持ち込まれた代表的なガラスビーズに、ヴェネチア製やオランダ製の鋸歯文様のシェブロンビーズと、ミルフィオリと呼ばれる断面に花柄など模様のあるモザイクビーズがある。シェブロンは、一五世紀にヴェネチアのムラノ島で初めて製作されたといわれている（Dubin 1987: 117）。他方モザイクビーズの歴史は古く、世界各地で製作されてきたが、とくにヴェネチアでは色彩豊かなミルフィオリー・グラス技法を生かした万華模様の製品がさかんに製作され、これを宝石箱や調度品の象嵌装飾に使い好評を得た。これらの美しい模様のガラスビーズは主にアフリカに輸出され、交易品として大成功した（谷一・工藤 一九九七：一〇一―一〇二）。

こうしてアフリカに向けて大量に生産されたヴェネチア製やオランダ製のガラスビーズは、当初はアフリカ西部の黄金やゴムや象牙などの天然資源を、ついで南北アメリカ大陸開発のための奴隷を求めてサブサハラ・アフリカの海岸にやってきたヨーロッパ人の手によって、奴隷や資源の積荷とひきかえに、アフリカ各地に無数にばらまかれることになる。奴隷貿易による競争が過熱した一八世紀になると、奴隷貿易業者は奴隷供給地のアフリカで好まれるヴェネチアやオランダ産のガラスビーズをさらに優先的に調達するようになる。その当時、奴隷貿易の中心的役割を担ったリヴァプールの奴隷商社ウィリアム・ダヴェンポート商会（William Davenport & Co.）は、イギリスからアフリカに向けて輸出されたガラスビーズの半分を供給していたが、一六世紀後半から一八世紀後半にかけてヴェネチアガラスビーズの輸出額は七％から七〇％以上に成長したと記録されている（Guerrero 2010）。

サハラ交易からヨーロッパとの海洋交易へと交易ルートが転換したことによって、ビーズが稀少であった沿岸部や内陸の森林地域にまでビーズが導入され、その価値も時代とともに変容していった。ガラスビーズと同様に、ヨーロッパとの交易によってアフリカに大量に入ってきたものにタカラガイがある。

タカラガイは東アフリカの海岸やモルディブで採集されるまでアフリカ中西部の内陸社会にはサハラ交易によってもたらされ、貴重な通貨として普及していた。しかし、文献調査を行った嶋田（一九九〇）によると、一九世紀以降のカメルーンではサハラ交易による稀少取引からヨーロッパ船による大量導入へと移行したことにより、一九世紀初頭はタカラガイ五千個が一ドル銀貨に相当していたのに対し、一九世紀中頃には沿岸地域でタカラガイ一万個が一ドル銀貨に相当するまで貨幣価値が下落したという（嶋田 一九九〇：五〇六–五〇七）。

ヨーロッパ諸国との大西洋航路による交易は、大規模な取引によって、これまで稀少性によって価値づけられてきたガラスビーズやタカラガイの意味づけを変え、より広く地域社会に導入させることとなった。ただしバミレケ諸王国など、タカラガイを儀礼や王宮の装飾品に用い、特別な価値づけをする社会もあった。

このように、ヨーロッパとの交易を通して、ガラスビーズが導入（adoption）され、その後、アフリカ諸社会に適用（adaptation）され、それぞれのビーズ文化を形成していった。次の節では、カメルーンの異なる三つの社会を比較しながら、ガラスビーズが地域社会の文化に適用されていく過程を明らかにしていく。

3　カメルーンにおけるビーズ

中部アフリカに位置するカメルーン共和国は、南部の熱帯雨林から、緯度が高くなるにつれてサバンナ、乾燥帯へと植生が移行し、さらに、西部には標高一四〇〇mほどの起伏に富んだ肥沃な高地性草原もあり、多様な自然環境に根づいた社会が構成されている。

「アフリカの縮図」と呼ばれるカメルーンの首都ヤウンデの土産物市には、各地から集められた多種多様な工芸品が所狭しと並んでいる。たとえば、カメルーン北部のサバンナ地域を中心とした牧畜社会の工芸品であるウシやラクダの骨をつなげて作った首飾りや革製品、南西部高原地域のバミレケやバムーンの首長制社会における仮面やブロンズ彫刻、ビーズ細工などがある。

物質文化もまた、こうした社会・自然環境の構成によって三地域に大別される。一つめは、ピグミー系狩猟採集民やバントゥー諸語を話す農耕民が暮らす南部の森林地域である。二つめは、イスラーム国家であるフラニ王朝の一部に属していた歴史を背景に、人口の大多数を占める牧畜民フルベと、少数グループの複数の非イスラーム系農耕民が居住する北部サバンナ地域である。そして三つめは、高度に組織化された複数の首長制の王国を築いてきたバミレケやバムーンなどの農耕民と、遊牧生活を営む牧畜民フルベが暮らすグラスフィールドと呼ばれる南西部高地社会である。

次に、カメルーンの首長制社会、狩猟採集社会、牧畜社会におけるビーズの素材やその利用法、装飾文化を比較していく。

北西部高地の首長制社会

第二節で述べた通り、カメルーンでは、かつてサハラ交易によって北部からビーズやタカラガイなどの装身具の素材が導入されたが、ヨーロッパとの接触によってヴェネチア製・オランダ製のガラスビーズが大量に地域社会に入り、ビーズ文化の中心は沿岸地域に移った。

現在のカメルーン地域は、一五世紀末にポルトガル人航海士によって「発見」され、一四七二年には沿岸部地域の住民と商業取引が始まった。ポルトガルとの交易は当初友好的な関係として一五〇年ほど続いた。一八六八年から、港町ドゥアラにハンブルグ貿易会社が設立されると、ドイツの影響力が拡大し、一八八四年にドゥアラの王たちとの間で独占商業条約が結ばれた。一九〇〇年代前半には、ヴェネチア製のトンボ玉を扱う商社の事務所がドゥアラに開設された。ガラスビーズは、間接統治を推し進めるために、首長などの地域の有力者への品として利用されたのである。

ただし興味深いことに、カメルーンで最もビーズ文化が花開いたのは、ヨーロッパと初めに接触した沿岸部の王国ではなく、グラスフィールドのバミレケ諸王国であった。グラスフィールドには大小一〇〇を超える王国がある。バミレケとは、ドイツやフランスによる統治化によって形作られてきた地域集団の総称であり、一つの言語集団でも、民族集団でもない。バミレケの人々の間にはバミレケというまとまりの実体も帰属意識もない一方で、それぞれの首長制社会に対する帰属意識をもち、それぞれの王国では高度に組織化された首長制社会を築いてきた（野元 二〇〇五）。そして共通する文化的特徴にビーズ細工を用いた王国文化があげられる。ヨーロッパとの接触により高価なトレードビーズが王国に入り、今日に至るバミレケ諸王国の伝統文化が築かれたのである。

ヨーロッパとアフリカの交易によってもたらされたガラス製ビーズは、今日においてもバミレケ諸王国のヒエラルキーを特徴づける要素になっている。ヴェネチアあるいはオランダ製のシェブロン玉の首飾りは、王や貴族といった地位の高い人々のみが身につけることを許されている。シェブロン玉は大きなもので一玉の長さが七㎝、直径五㎝もある。現在では、首都ヤウンデの土産物屋において一玉＝二万フランＣＦＡ（約六千円）の高値で販

写真10-1　バミレケ王国の王直属結社による仮面儀礼。結社のメンバーは、シードビーズを用いたビーズ細工の仮面をかぶり舞踏を演じる（Denis 1989: 135）

売されている。

バミレケのビーズ文化のなかで特徴的なのは、ガラス製シードビーズを用いたビーズ細工である。一九世紀にはビーズ細工が製作され、現在、その多くが欧米の博物館に展示や保管がされている[*1]（口絵12）。写真10－1はバミレケ王国の王直属のクオスィ結社の仮面儀礼の様子である。仮面には交易で入手された貴重なガラスビーズやタカラガイがふんだんに用いられている。その仮面をかぶった結社のメンバーは、王国の例祭やメンバーの葬儀で舞踏を演じる。王の力と富を象徴するガラスビーズは、代々王家や貴族の家系で受け継がれ、特別な祭事を彩るものとなっている。

現在においてもビーズ細工の仮面などはカメルーンで製作されている。ただし用いられるガラスビーズはかつてのヨーロッパ産のトレードビーズではなく、アンティーク調のマットな中国製ガラスビーズが利用されることが多くなっている[*2]。さらには最近では、中国でシェブロン玉が作られ、トレードビーズとして売買されているという噂まである。

写真10-2　タカラガイで編み込まれた頭飾りを身につけた赤道ギニアのファンの戦士（Louis and Delage 1990: 28）

狩猟採集民と農耕民が居住する無頭制社会

カメルーン南東部の森林地域では、こうした首長制社会とは異なる、ピグミー系狩猟採集民の一集団であるバカの人々や焼畑農耕を営む複数の言語集団の人々が暮らす無頭制社会が広がっている。

カメルーン南部から、赤道ギニア、ガボン北部にかけて居住するバントゥー系言語集団であるファンの人々は、一八五〇年から一八九〇年代にかけてカメルーンの森林地域において奴隷貿易や象牙貿易の仲介者であったといわれる。写真10－2は、タカラガイで編み込まれた頭飾りをかぶった赤道ギニアのファンの戦士である。奴隷貿易時代、彼らはギニア湾から侵入したヨーロッパ勢力からタカラガイを利用したと考えられる。髪にタカラガイ、白いボタンなど色のついたビーズを縫いつけている。男性と女性で頭飾りの特徴に違いはほとんどない（Louis and Delage 1990）。この伝統はヨーロッパによる植民地化とキリスト教化の影響でしだいに廃れたとされる。現在では、ファンの人々は農耕民として知られ、こうしたビーズ装飾を使用することはなくなっている。

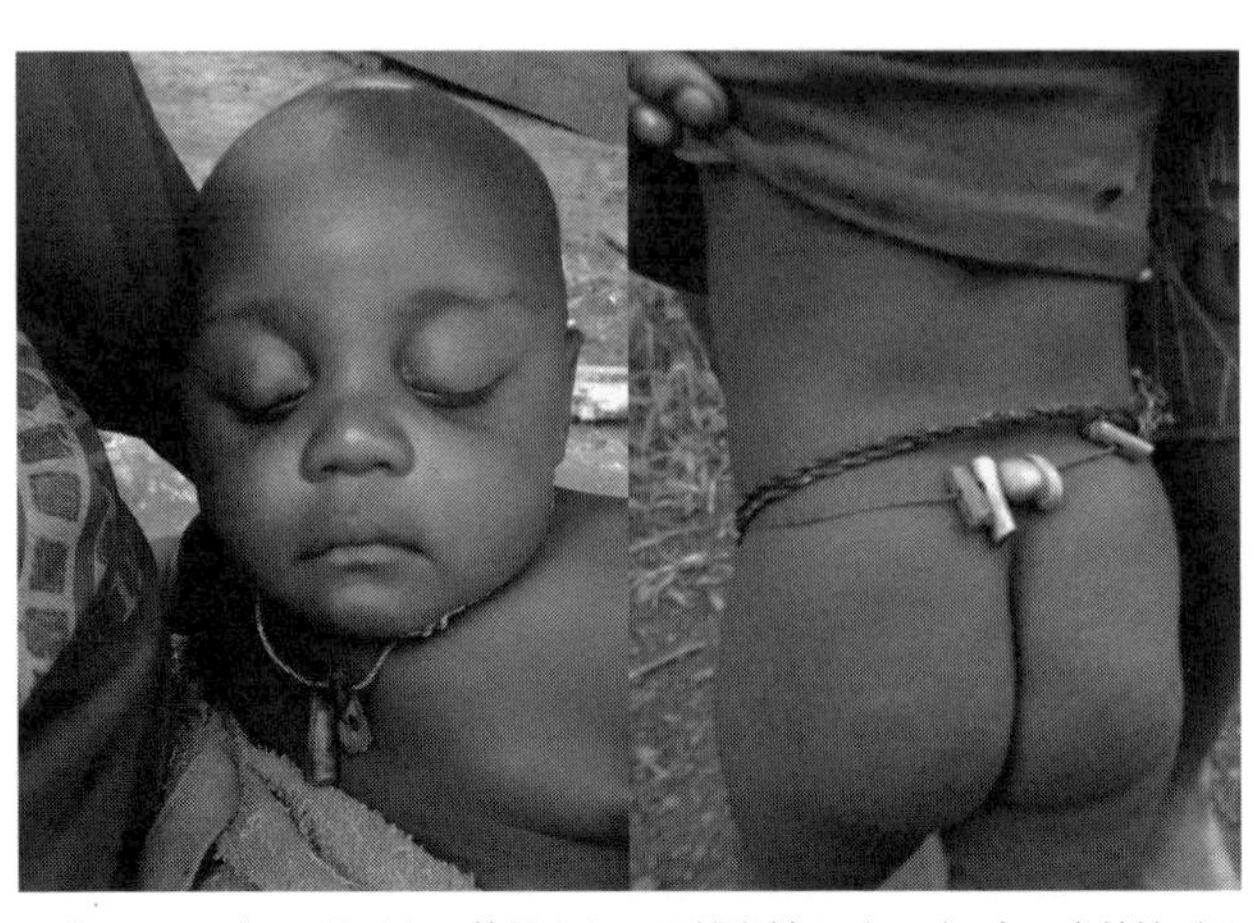

写真10-3　バカの子どもに使用される天然素材のビーズ。左は森林性ダイカーの角。右は森で集めた木の実や枝から作ったお守り（筆者撮影）

狩猟採集民バカの社会では、力や富を象徴するようなビーズ細工や装飾品は見られない。男性だけでなく女性でさえも、平素、装身具のビーズを身につけることはほとんどない。バミレケ首長制社会のビーズ利用とは対照的に、バカは身近な森の産物を用いた厄除けを身につけている。

子どもが産まれると、バカの親は「赤子が早く歩き出しますように」「災難から守ってくれますように」と願いを込めて、森で見つけた木の実や枝に穴をあけ、首やお腹、手首に巻きつける。たとえば写真10－3は、森林性ダイカー（*Cephlaophus* spp.）の角で作ったお守りで、赤ん坊がダイカーのようにすぐに歩き出すことを願っている。

このようにバカにとってビーズとは、子どもや病気の人々を守る厄除けであり、装身具とはいえない。ただし、バカの人々がおしゃれに興味がないということではない。バカは装飾品で着飾らず、日常的に入れ墨や抜歯、瘢痕（はんこん）などの身体加工を行い、おしゃれを楽しんでいる（Peng 2017）。平等主義に根差したバカの社会では、稀少品に価値を見出すのではなく、日常生活のなかで人々とモノを共有することに関心を示しているために、バミレケのようなビーズ文化が浸透しなかったのではないだろうか。

牧畜民を中心とするイスラーム社会

最後に、カメルーン北部のビーズ利用について説明する。カメルーン北部では、一八世紀から一九世紀に起きた「フルベの聖戦（ジハード）」によってイスラーム化が進んだ。フルベとはニジェール＝コンゴ語派に属するフルフルデ語を話す民族集団で、北カメルーンに居住する牛牧畜民である。一九世紀初頭にフルベのウスマン・ダン・フォディオが聖戦によってイスラーム国家のソコト・カリフ国を建国した。フルベの多くが地元民と混血を進めて定住化していったのに対し、遊牧生活を続けるフルベは「原野に住む人」という意味の「ボロロ」と呼ばれるようになる。

こうした歴史背景から、カメルーンは南部のキリスト教圏と、北部のイスラーム圏に分かれている。そのことはビーズ利用にも大きな影響を与えている。

サバンナが広がるカメルーン北部では牧畜社会に特徴的なウシやラクダの骨がビーズの素材として利用されている。かつて貨幣として使用されていたジギダ（*djiguida*）や、サハラ交易によってもたらされたと考えられるガラスビーズやブロンズで製作された首飾りや頭飾りも利用されてきた。またカメルーンではガラスビーズを作る技術がなかったため、ナイジェリア国境の極北部地域では色とりどりの既製のガラス材を砕き、再度融解して作ったトンボ玉再生ビーズも製作されていた（写真10－4）。

ナイジェリア国境の北部カメルーンの村で調査した江口は、著書『アフリカ最後の裸族』のなかで、非イスラームのヒデの人々の詳細な身体装飾を紹介している（江口 一九七八）。男性は皮の腰飾り、女性は未婚の娘ならす

（平均値 径：2cm　厚1cm）

写真10-4　カメルーンの再生玉。1連51玉を4万フランCFA（約8000円）で筆者購入（筆者撮影）

だれ状の皮の腰飾り、既婚者なら鉄製の腰飾りをつけるというように、装身具は性別や既婚の有無などの徴として用いられていた。またこの地域特有のものとして、男性は牛皮の帽子をかぶり、女性はヒョウタンを半切りにした帽子をかぶることが知られている。つる植物の足輪、ヒョウタンやヤギの角などの首飾りや岩ネズミの牙で作った耳飾りや鼻飾りという具合に、身近な自然素材を用いた装身具があった（江口一九七八：五六―五七）。

しかし、こうした装飾文化は、一八世紀以降のイスラーム化によって大きく変化している。最も大きな変化は衣服文化の到来である。江口（一九七八）にあるように、非イスラームの人々の多くは、植物や動物の皮の腰飾りをまとうだけであった。イスラーム化によって、衣服の着用が急速に普及し、フルベを中心にムスリムに特徴的な貫頭衣を多くの男性が着用している。また、清潔を重んじるイスラーム教は衣服の着用だけでなく、体や身だしなみを綺麗に保つこと、剃髪をすることもまた必要とした（嶋田一九九〇）。身近な自然素材を用いた装身具の多くは、衣服へと置き換えられていった。

かつては男女ともビーズをはじめとする装身具を身につけていた。たとえば、先述の遊牧民ボロロは男性でも化粧をし、ときに長い髪をビーズとともに編み込み、色鮮やかな装身具をまとっていることで知られていた。しかし、一八世紀以降のイスラーム化によって男性によるビーズ利用は減り、今日では女性の美しさや女性としての成熟さ（既婚の有無など）を含意する装身具となっている。

前述したバカの人々に通じるようなビーズの利用法はかつてカメルーン北部でも一般的で、非イスラーム系グループは病気や呪いから赤子を守るために、ヒツジの皮をなめして柔らくしたものを細く切って紐にし、ライオンやヒョウの歯を通した首飾りを身につけさせていた。大人はこうしたお守りをお腹に巻きつけていたという（Ousmanou Adama より私信）。

イスラーム化によってビーズ利用に変化は見られるが、こうした土着文化がすべて奪われたわけではない。イスラームに改宗した人々はアニミズムに通ずるような自然素材のビーズのお守りも用いなくなったが、その代わりに、生まれたばかりの赤子に、父方祖母が厄払いの意味を込めて、左脇腹に二つ傷をつけることがあるという。五歳くらいに成長すると、コーランを記したパンツにお守りを縫いつけたものを外からは隠して穿かせる。邪悪な力から保護し、人生の成功を確実にすると一般に信じられる魔除けやお守りをイスラーム文化のなかで製作・販売することは、改宗者を獲得するうえで重要であった（Adama 2016）。つまりは、この地域へのビーズ文化の再適用（readaptation）として、イスラームのアフリカ化と呼べるような現象が見て取れる。

4　変化するビーズ──カメルーンの三つの社会の比較

最後に、カメルーンの三つの異なる社会におけるビーズ利用とその意味をまとめる。表10－1は、バミレケ、フルベ、バカの三集団におけるビーズ文化を比較して示している。

バミレケ首長制社会ではヨーロッパとの接触により高価なトレードビーズが入り、王国の伝統文化が築かれた。

表10-1　カメルーンの主な3集団におけるビーズ文化の比較

人々	バミレケ	フルベ（ボロロ）	バカ
社会	首長制社会	首長制社会、イスラーム社会	無頭制社会、平等主義社会
生態環境	グラスフィールドと呼ばれる高地性草原	サバンナ	森林
身体加工	現代ピアス（女性のみ）	入れ墨やピアス（ただしイスラーム化以降、男性は特に衰退。アニミズム的なビーズの利用の代替として傷をつけることもある）	入れ墨や抜歯、瘢痕、ピアス
ビーズ	輸入ガラスビーズ	輸入ガラスビーズ、ブロンズ、再生玉、動物の骨	自然素材（その場にあるもの）
利用者	有力者（男女）	女性（イスラーム化以降）	乳幼児
利用方法	装身具、儀礼用の仮面や椅子、杖など	装身具	お守り、治療（儀礼）など
管理	代々引き継がれる	引き継がれることもある	その場限り
製作	結社メンバー、専門職	主に専門職（女性が多い）	両親や居住集団内の近しい人
意味するもの	富や権力の象徴	女性としての美しさと成熟さ（既婚の有無）、富や権力の象徴	特になし

出所）現地調査をもとに筆者作成。

そして現在でも、王の力と富を象徴するガラスビーズは、代々王家や貴族の家系で受け継がれ、特別な祭事を彩るものとなっていた。それとは対照的であったのが、南部森林地域のピグミー系狩猟採集社会であった。ここでは力や富を象徴するようなビーズ細工や装飾品はほとんど見られない。身近な素材で作られる素朴なビーズはお守りとして機能しており、親しい者たちの愛情が込められていた。最後の北部カメルーン牧畜社会では一八世紀以降のイスラーム化によって男性が自然素材やガラスビーズ製の首飾りや頭飾りを利用することはなくなり、今日ではビーズは女性の美しさや既婚の有無などを含意する装身具となっていた。

　狩猟採集社会やイスラーム化以前の社会におけるビーズからは、ビーズの利用が装身目的に限ったものではないことが示唆されている。ビーズは、その場にある自然素材で作られる呪具として誕生し、後に交易による稀少な素材の導入によって装身具としての利用が始まったのではないだろうか。そしてカメルーンの事例からは、ビーズ文化は時代とともに常に変化していることも分かる。外部社会との接触・交渉によって、一八世紀から一九世紀以降のバミレケ諸王国ではビーズ文化が花開いたのに対して、北部カメルーン牧畜社会ではイスラーム化によってビーズ文化の一部が衰退していた。

ピグミー系狩猟採集民のバカの人々もまた、古くより外部との接触があり、ビーズ装飾文化を育む素地はあった。それにもかかわらず、これまで一度も装飾文化としてビーズがあったという研究報告はない。本章ではその理由を、バカの社会が平等主義社会であり、稀少品に価値を見出してこなかったためではないかと考えた。しかしカラハリ砂漠の狩猟採集民サンの人々は、ダチョウの殻を用いたビーズ装飾で知られているように、装飾文化と平等主義社会が相対するものであるとは限らない。それでは、装身具としてのビーズがある（発達している）ところ、ない（発達していない）ところの差は何であろうか。その問いについては課題のままである。

注

＊1　国立民族学博物館所蔵アフリカ資料のうちカメルーンの資料数が最も多く、そのなかでもバミレケ資料数は群を抜いている。バミレケ資料の三分の一（全一五二点中五一点）がビーズ製首飾りやビーズ細工の仮面や腰かけ、足のせ台、像、帯、上衣、帽子、払子（蠅払い）と多種多様である。

＊2　中国製シードビーズは一般市民が利用できる市場では販売されていない。筆者の現地調査より、ナイジェリアから輸入された一袋五〇〇gの中国製シードビーズは、三千フランＣＦＡ（約六〇〇円）でビーズ職人の間で売買されていた。

参照文献

江口一久　一九七八『アフリカ最後の裸族——ヒデ族と暮らした一〇〇日』大日本図書。

嶋田義仁　一九九〇「裸族文化から衣服文化へ——西アフリカ内陸社会における『イスラム・衣服文化複合』の形成」和崎正平編『国立民族学博物館研究報告一二　アフリカの民族技術の伝統と変容』四四七—五三〇頁。

野元美佐　二〇〇五『アフリカ都市の民族誌——カメルーンの「商人」バミレケのカネと故郷』明石書店。

谷一尚・工藤吉郎　一九九七『世界のとんぼ玉』里文出版。

Adama, O. 2016. Essai d'interprétation des figures géométriques des gandouras au nord-Cameroun: Patrimoine culturel ou religieux? In H. Adama (ed.), *Patrimoine et sources de l'histoire du Nord-Cameroun, sous la direction de, Etudes africaines Hors Série*. Paris: l'Harmattan, pp.219-245.

Denis, A. 1989. *Au-delà du regard, le Cameroun*. Paris: Editions du Damalisque.

Dubin, L. S. 1987. *The History of Beads from 30,000 BC to the Present*. New York: Harry N. Abrams, Inc.

Guerrero, S. 2010. Venetian Glass Beads and the Slave Trade from Liverpool, 1750-1800. *BEADS: Journal of the Society of Bead Researchers* 22: 52-70.

Harter, P. 1992. The Beads of Cameroon. *BEADS: Journal of the Society of Bead Researchers* 4: 5-20.

Louis, P. and M. S. Delage 1990. *The Art of Equatorial Gunea: The Fang Tribues*. New York: Random House Incorporated.

Peng, Y. 2017. *Inscribing the Body: An Anthropological Study on the Tattoo Practice among the Baka hunter-gatherers in Southeastern Cameroon*. Kyoto University African Study Series 019. Kyoto: Shoukadoh Book Sellers.

第11章 アイヌと北方先住民を結ぶガラスビーズ

交易の歴史と文化的役割

大塚和義

1 集団としてのアイヌの成立とガラスビーズ

アイヌの人たちの民族的枠組みが成立したのは、日本と中国の二つの国家の経済的発展の波動を受けた、およそ一三世紀から一四世紀であると考えられる（大塚 一九九三）。大陸の周辺諸民族が巨大な北東アジアの商品経済圏に組み込まれ、アイヌもそれに対応する社会へと変容していった。これまでの自家消費的規模の採集経済に沿った生活システムから、隣接する国家や諸民族のニーズをもとにした、アイヌ居住地域の特産品生産に重心が移っていく。たとえばコンブ・干しアワビ・干しナマコなどの海産物や、アザラシ・オットセイなどの海獣類、陸で捕獲するクロテン・カワウソ・エゾシカなどの毛皮類や、ワシ・タカ類の矢羽根の需要が高まり、自家消費物品とは異なる「商品」としての資源獲得に力が注がれることになる（大塚 二〇〇一）。

接触してきた和人商人や政治的権力者である松前藩主のもと、あるいはそれ以前から中国の版図で実施されてきた先住民に対する支配体制（辺民制度）の影響（松浦 二〇〇六）による東アジア経済の活性化などによって、アイヌ社会は、特定の商品資源を供給する経済体制の一翼を必然的に担わされた。こうした経済環境の変化が、同族間における資源獲得のための狩場や漁場の境界をめぐる争いを惹起し、地域間での対立関係が顕在化する大きな要因となった。

本州の日本社会、とくに武士層において高価な贈答品として斑（羽根の模様）が重視されたワシ・タカ類の矢羽根の例に見るように、商品の価値をより高めるための選別や加工の技術が求められた（大塚 二〇〇一）。また、生産物を集荷し、外部の交易者との取引を実行するためには、指導的役割を担う人物が必要となる。これによってアイヌ社会には階層化が生じ、一定の地域単位すなわち大きな川筋を基盤とする首長制的な集団組織に移行した。

アイヌが、アイヌとして言語や文化を共有する「なかま」を意識し、異なる文化をもつ集団に対応するための結合と意思疎通を円滑にするために、「ユニフォーム」としての民族服が成立した。そしてそれを飾る民族文様や大陸経由で入手したガラスビーズ（ガラス玉、玉）の首飾りで装うなど、民族としての装いの様式も磨かれていく。また、椀や天目台、行器など交易で入手した漆器類が「カムイノミ」と呼ばれる飲酒儀礼に不可欠な用具となり、儀礼の様式が整備された。そしてアイヌ自ら海の道を往来し交易する手段として、一木を刳りぬいた丸木舟の舷側に板を綴って容積を大きくした「イタオマチプ（板綴り船）」を建造するなど、造船技術や航海技術も格段に向上していくのである（大塚 一九九一）。

北東アジアの先住民は、中国やロシアという強大な国家からの働きかけによって毛皮などの狩猟採集をもとにしながら対外交易を活性化させた。アイヌ社会においても、本州和人社会から入手した漆器類や太刀などの自製できない外来品が、貴重な財貨的価値をもつ「イコㇿ（宝物）」として位置づけられた。そして、一七世紀後半頃まで存在した集団による共同所有財的な位置にあった儀礼用具などが、社会階層化が生じるにしたがって個人の所有物に変化し、さらに個人の性別や社会的地位をも表す「表象の具」に変化していった。また、外来品の酒やたばこも、儀礼に欠かせぬ存在としてアイヌ社会に溶け込んでいく。

　こうした社会状況のなか、ガラスビーズも、ことにアイヌ女性を表象する重要なアイテムとしての位置づけを得ることとなる。交易の活性化という文脈のなか、従来自家消費されてきた毛皮獣などが、「商品」として大規模に捕獲されていくこととなるが、ガラスビーズの価値もアイヌ社会で高まり、その入手意欲が、交易拡大の大きな要因の一つとなってきたことは疑いない（大塚 二〇〇一、二〇〇三）。

　本稿では、アイヌの生活領域「アイヌモシㇼ」を主軸に、日本列島およびこれに連なるサハリン（樺太）と沿海州・アムール川流域、さらに千島（クリル）列島からカムチャッカ半島・ベーリング海域における先住民を通じて、主に商品経済の大きな発展が見られるおよそ一三世紀以降、アイヌの人々がどのようにガラスビーズを入手してきたかを考古学的発掘資料や家筋ごとに継承されてきた民族資料などをもとに辿りたい。またアイヌの人々が、いかにガラスビーズに、装飾をはじめとして多様な用途や社会的・文化的役割などをもたせてきたのかを、アイヌの人々のガラスビーズへの「こだわり」や「想い」とともに考察したい。

2 アイヌ社会の先住民交易を通じたガラスビーズの受容

北海道島に、外部世界からサンタン（山丹、山靼、アムール川下流域を指し、「サンタン人」は現在のウリチを中心とするアムール川下流域の先住民）ルートで中国製のガラスビーズなどがもたらされたのは、交易によってであり、それはおよそ一三世紀から一九世紀半ばまで継続した（大塚 二〇〇一、二〇〇三、二〇一七）。

北海道西岸に位置する余市大川遺跡と同入舟遺跡は一体と見られるが、この遺跡のアイヌ文化期の埋葬墓出土品は、アイヌのガラスビーズ受容を考察するうえで重要な情報を提供している。およそ一四世紀から一七世紀に及ぶ埋葬墓群からは大量のガラスビーズをはじめ大陸製の金属製品や錦の断片、青磁などの副葬品が出土している。また、本州産の太刀や漆器、木櫛なども出土するなど、大川・入舟両遺跡は、北方のサンタン地方と本州との両者を結ぶ交易ルートの中継地として重要な位置にあったことが出土した交易物品から知ることができる（岡田・宮 一九九六、一九九九、乾 二〇一四）。

一五世紀のアイヌ文化期である釧路市幣舞遺跡四三号墓の、遺体の胸の位置には、青いガラスビーズと中国銭を交互に綴った一連の首飾りがほぼ原形のまま出土している（石川 一九九四、石川・中村・三宅 二〇一六）（図11－1、口絵41）。この華やかで規則的に綴られた首飾りの貨幣のなかで最も新しいのは、一四〇八年に初鋳された永楽通寶であることから、首飾りが綴られた年代は一五世紀以降と推定できる。この幣舞遺跡出土の首飾りは、首に下げたときに下端中央に金属製の円環の飾り具が取り付けられており、アイヌの首飾りで二つに大別される「シトキ」と「タマサイ」のうち、シトキに該当するものである。

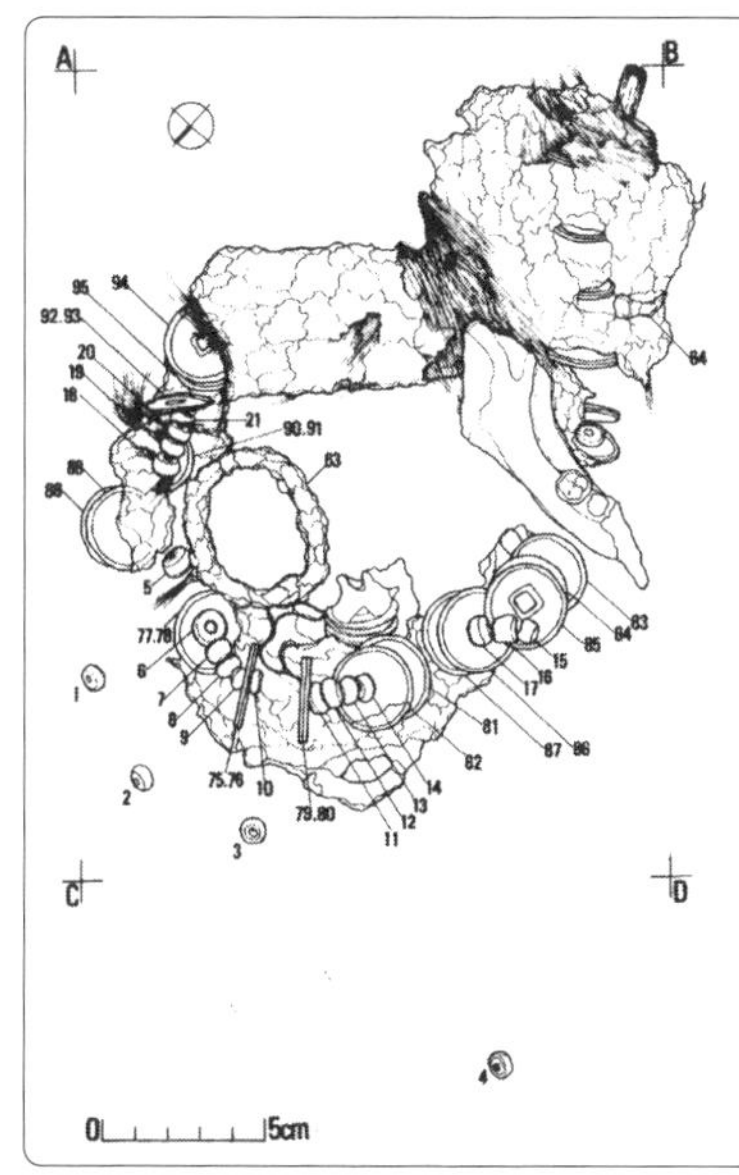

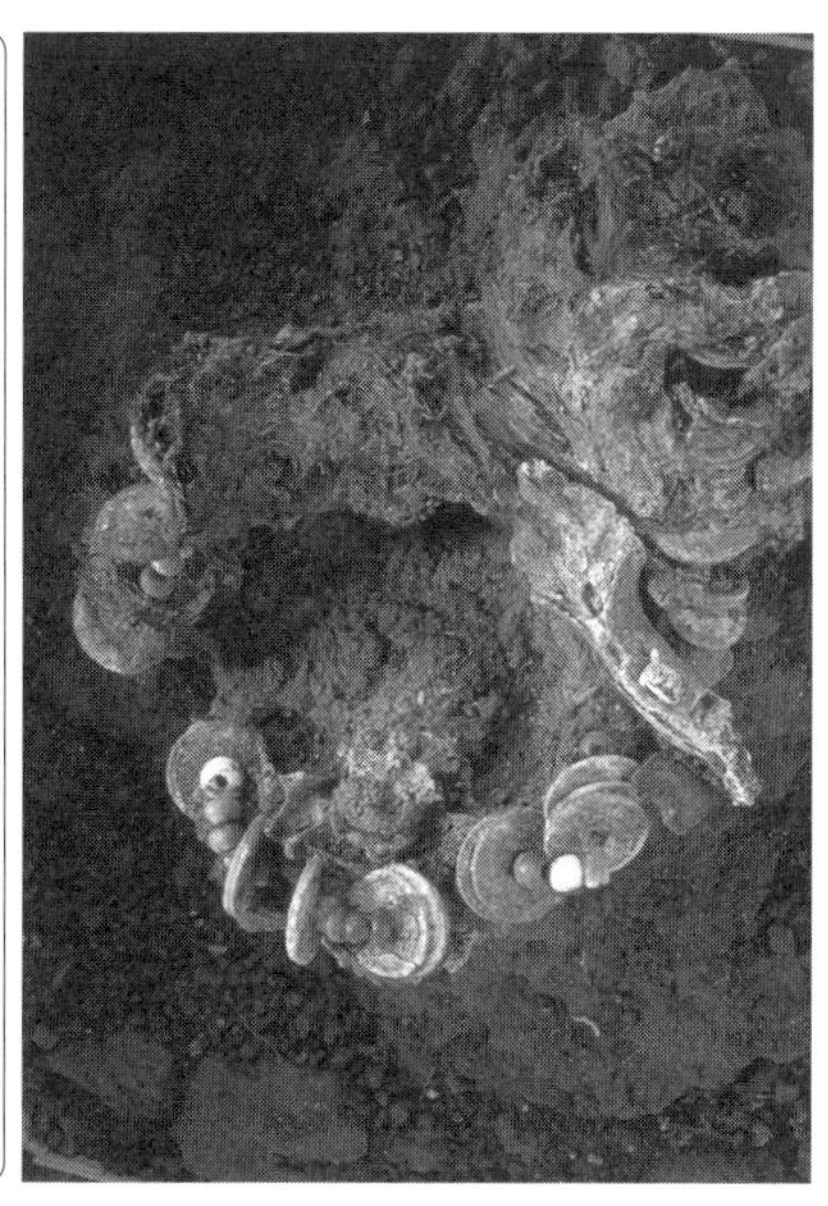

図11-1　釧路市幣舞遺跡43号墓のシトキ様式の首飾り出土状況（実測図・写真）
出所）釧路市教育委員会・同埋蔵文化財調査センター提供。
注）ガラスビーズは小型の丸玉で、中国銭54枚と組み合わせて綴られている。中国銭の主体は北宋と明代。最新は1408年鋳造の永楽通寶で、これから15世紀初頭以降の所産と推定。

アイヌの首飾りのなかで際立って豪華なのはシトキ様式であり、苫小牧市の東に位置する厚真町の上幌内二遺跡の一三世紀前半の遺構から一二〇六年鋳造の銭貨とともに出土しているシトキが、現在知りうる最古のものである。同町オニキシベ二遺跡からは一四世紀前半に位置づけられるシトキが出土している（天方・小野・乾二〇一一）。

現在の考古学的調査の結果によれば、北海道全域のアイヌ社会においてシトキ様式の首飾りが広く見られるようになったのは、一三世紀から一五世紀であり、シトキを身につけられるのも地域の首長層の妻や娘であった可能性が高い。ちなみに、タマサイの様式は、縄文時代からアイヌ文化期に至るまで持続しており、シトキ様式の成立が、アイヌ文化期の社会を特徴づけるものと考える。

また、これ以降の時期に、アイヌが交易という手段によって自力で、居住地であるアイヌモシㇼに莫大なガラスビーズの蓄積を成し遂げたことを指摘したい。現在、国内外の博物館や個人所蔵のアイヌの首飾りの数量は、筆者の調査に基づく推計では五千連をはるかに超えるものであり、今なお土中に埋もれているものを加えると、どれほどの量になるか計り知れない。一三世紀から一四世紀にかけて本格化するアイヌ文化の独自性をもった文化的枠組みは、アイヌ自身の主体的交易であるプレ・サンタン交易の時代に成立し成熟していき、一九世紀からの幕府管理のもとで行われたサンタン交易の時代にも、自前の毛皮や海産物を交易品として、アイヌはガラスビーズの入手にひたむきにこだわっていたと見たい。その要因は、ビーズのもつ魅力はいうまでもなく、社会的価値づけが成立し、ハレの場での正装に身につけることが女性にとって不可欠となり、重要なステータスシンボルの位置を占める存在になっていたことによるといえる（図11－2）。

さらに、千歳市美々8遺跡では、明らかにアイヌ文化期に属する木器などとともにガラスビーズが出土している。火山灰の年代測定から一六六七年と一七三九年の間と、一六六七年以前の文化層からガラスビーズが三〇個ほど出土しており、成分分析の結果、鉛ガラスとアルカリ石灰ガラスの二種が判明している。やがて原材料の産地が明らかにされて流通ルートも正確なものになるであろう（大塚 二〇〇一）。

これらのことから、幕藩体制の成立する一七世紀以前の時期に、アイヌの自立的な交易活動が、本州和人の動向と連動し、大規模に展開されていたことは確実である。

ちなみに、アイヌが担ったサンタンルートの交易は江戸幕府によって遮断され、一八〇八年（文化四）以降、樺太南端の白主（シラヌシ）におかれた幕府直轄の役所においてのみ、サンタン人との交易が続けられた。江戸末期一八五三年（嘉永六）のサンタン交易の記録『北蝦夷地御引渡目録』「山靼人交易取扱手続書」には、ワシ・タカの羽根

図11-2　シトキを身につけた人物像

出所）秦檍丸『蝦夷島奇観』1800年（自筆本）（個人蔵）。

注）すべて青玉をシトキ様式に仕立て上げたものと、もう一連、短い首飾りをつけている。

図11-3　青いガラスビーズを手にしたアイヌ男性

出所）秦檍丸『蝦夷奇観』1800年（自筆本）（個人蔵）。

注）北方ルートでの中国製錦の点検場面とともに描かれている。

や中国製錦と並んで「青小玉千九百五連、白同七十七連、飴色同拾連、青中玉五百拾五」と記載される（海保一九九一）。その対価として、幕府直轄の白主交易役所はサンタン人にテン皮、キツネ皮、カワウソ皮や鉄鍋などを支払っている。ここに書かれた「連」がいくつのビーズを連ねたものかは不明であるが、小玉に分類されるものは、現存するアイヌの首飾りに綴られたガラスビーズから推測すれば、およそ直径一cm前後のものであろうから、一〇個とか二〇個などの綴りではなく、さらに多くの単位での交易場面が思い描けるはずである（図11-3）。

北海道島では、海浜や川筋に沿って形成された強固なアイヌの集団組織は、大きな河川単位での結合であり、アイヌ全体を統括した首長制的社会を形成しなかったために、豊富な資源を求めて侵入してきた和人の交易者たちによってアイヌの川筋集団は崩壊させられ、和人に従属する社会へと変容していった。そして、松前藩の場所請負制度をはじめとする諸政策によって、各地の集団結合の力は弱まり、アイヌ社会の共同体的集団も崩壊へと向かったのである。和人の請負商人たちがアイヌの個人を対象にして産物や労働の対価を支払うようになった結果、一人一人の労働能力や狩猟技術・生産技術などの高低によって獲得できる対価は異なり、「個人」あるいは「家」単位に財貨が蓄積されるようになったと考えられる。

そこで、アイヌの家単位に和人から入手した財貨、すなわちイコロを飾り置く場が設定され、さらに家ごとに祭祀の場が設けられることになったと見なしたい。集団祭祀から個人祭祀への転換である。家屋内のイコロを置く場は、内浦湾のアブタ付近では「イヌマ」、日高地方沙流川流域の二風谷コタンでは「イヨイキリ」と呼んでいる。このように、宝物の所有が集団の共有的性格から個人の威信財的性格のものに変容したことは、樺太のアイヌにおいてもほぼ時を同じくして起こった現象である。

一四世紀から、アイヌ社会では本州で作られた「シントコ（行器）」や杯台などの漆塗り製品が需要され始める。そして一八世紀から一九世紀前半の時期には大量にアイヌ社会に流入し、そして威信財的地位を得た。

アイヌ社会の首飾りの需要を概観すると、個人でも数本から十数本もの首飾りが、こうしたシントコなどの容器に大切に保管されていたと聞く。基本的に北方経由でのガラスビーズが多数を占めたが、需要の拡大に応えて本州社会でも一八世紀頃から相当数が作られたようである。特徴として、装飾性に富んだトンボ玉や比較的大きい乳白色を帯びた青色のビーズが、江戸の浅草や大坂の細工谷、堺の職人の工房で製作され、ことに大坂近辺のものは北前船で蝦夷地に運ばれた。対価として、蝦夷地からはコンブや身欠きニシンなどの海産物が、蝦夷地産物として和人社会の食卓を彩った。

アイヌのみならず北太平洋沿岸の先住民社会は、毛皮が交易品としての重要な役割をもったことによって大きな変容を迫られた。その生活の多くの面で、交易によって得られる外来品への依存が高まっていったのである。アイヌ社会にとって酒やたばこが儀礼に欠かせない存在になったのはその一例に過ぎない。交易者は毛皮供給者の要求や好みに合わせた交換商品を探し出し、先住民向けの商品すら製作して持ち込んでいる。交易当初はガラスビーズにしても、色数も少なく安価に入手できるものを持ち込んでいたが、後にはほかの交易者たちとの競合に打ち勝つために、良質な品物も持参している。しかし、狡猾な交易者も少なくなく、また中国やロシアのように、自国領土に組み込んだ先住民から、毛皮税として成人男子からクロテンの毛皮を徴収することもあった。かくして、先住民社会は、高級毛皮などの産物を重要な収入源の一つとする国家の支配下におかれ、銃器などの武力を背景とする交易者に、毛皮獣の捕獲を強いられる状況に追い込まれていくのである。

しかし、先住民にとって交易者の来訪と商品の持ち込みは、すべてがマイナス要素ではなかった。技術進歩の所産である外来の交易品の到来は、単に「もの」の交換だけに終わらず、人との接触・交流でもあり、これまでに先住民社会になかった知識や技術の導入が行われた。たとえば、鉄製品を再加工する小鍛冶の技術がそれである。また、ガラスビーズを綴り合わせて首飾りにするだけでなく、彩りよく数多くのビーズを綴って繊細で華麗な頭飾りなどの装飾品も生み出した。まさに先住民工芸の華ともいえるものである。さらには、ガラスビーズそのものに、多くの先住民が、単なる装飾品としてのみでなく、特別な意味や価値を付与した場合も少なくない。たとえば、カムチャッカ半島のエヴェンでは、ソビエト革命以前には、ガラス玉の色は三種類しかなかった。すなわち、黒、青、白で、その色は「土地」「空」「幸福」を意味していた。また、ガラス玉は、一筋の紐孔が穿たれているが、その穴から覗くと別の世界が視野に入ってくると信じる人々もいた（大塚 二〇〇一）。

3 アイヌ女性とガラスビーズの魅力

彩りや形の美しいガラスビーズは、先住民社会のみならず現代においても民族や年齢や性別を問わず人々の心を引きつけ、装身具ばかりか多様な場面、用途に使われている。北太平洋の先住民は、交易者との接触によってガラスビーズと出会い、これに魅力を感じたが、自らの手で作り出すことや破砕品を再製することはしなかった（大塚 二〇〇一）。交易によって、世界各地の生産地からもたらされる自分たち好みの色や大きさの玉を入手し、それらを独自のデザインで首飾りに綴り、また衣服や帽子、ベルト、かばんなどの装飾に用いてきた。

アイヌの所有するガラスビーズについて、実物を見ながら具体的に記述がなされたと見てよい文献資料の初出は、新井白石の『蝦夷志』で、一七二〇年（享保五）である（図11－4）（新井白石 一七二〇）。しかし具体的にビーズの多様な形態が図示されたのは、一七八一年（天明元）の松前広長による『松前志』においてである（図11－5）。『松前志』の「巻之十　貨財部」に「アヲタマ」「シトケ」の項目で、それぞれ彩色された図が示されている。「アヲタマ」すなわち青玉が和人社会では蝦夷渡りの玉を代表する色調（浅葱）のもので、アイヌのビーズの総称として呼びならわされてきた。

「アヲタマ」のページには二八個のビーズ玉が描かれている。青色が主で緑、白、黄、赤褐色などで、形態も大小の丸形、和人社会で「みかん玉」と呼ばれる縦縞の凹凸をもつものなどが、単体のビーズ玉として図示される。この図からビーズ玉は和人社会では主に単体で流通・利用されていたことが窺われる。具体的には根付や風鎮、簪（かんざし）の飾りなどに用いられて珍重された。

「シトケ」は、アイヌ語で「シトキ」と呼ばれる首飾りの形態であり、シトキと呼ぶ飾り具を中央に置いてガラス玉や金属玉、銭貨などを綴ったものである。ここでは二頁を使って「西部ル、モツへ（現在の留萌市城）酋長コタンヒル妻・娘所携」の首飾り二種が詳しく図示されている。妻のものは直径四寸の銀製円盤のシトキに青玉と銅銭を綴ったもので、娘のそれは直径二寸四分の銀製方形盤のシトキに青玉と銅銭が綴られたものである。方形盤には草花の浮彫が施されている。広長は、これらは「北韃」の品、すなわちアムール川下流域からもたらされたと書いている（松前広長 一七八一）。

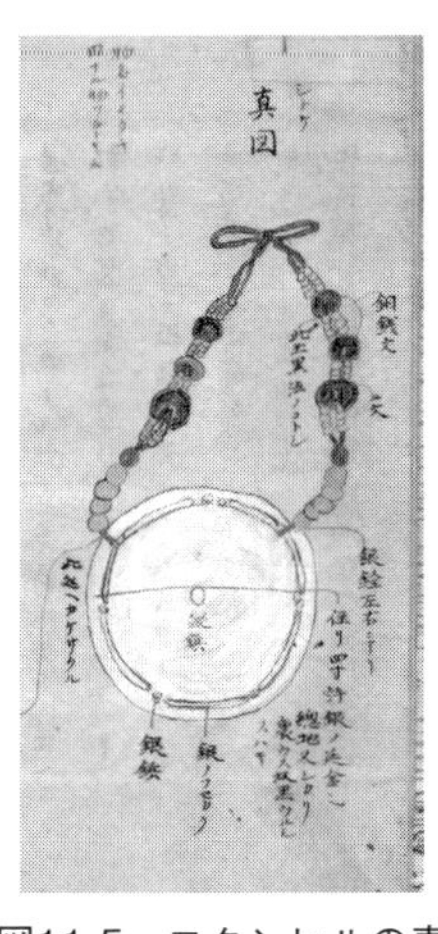

図11-5　コタンヒルの妻所持の首飾り

出所）松前広長『松前志』1781年（写本）（個人蔵）。
注）「シトケ」の項に描写。青玉を主に、銅銭と交互に綴り、中央にある円形シトキは銀製。

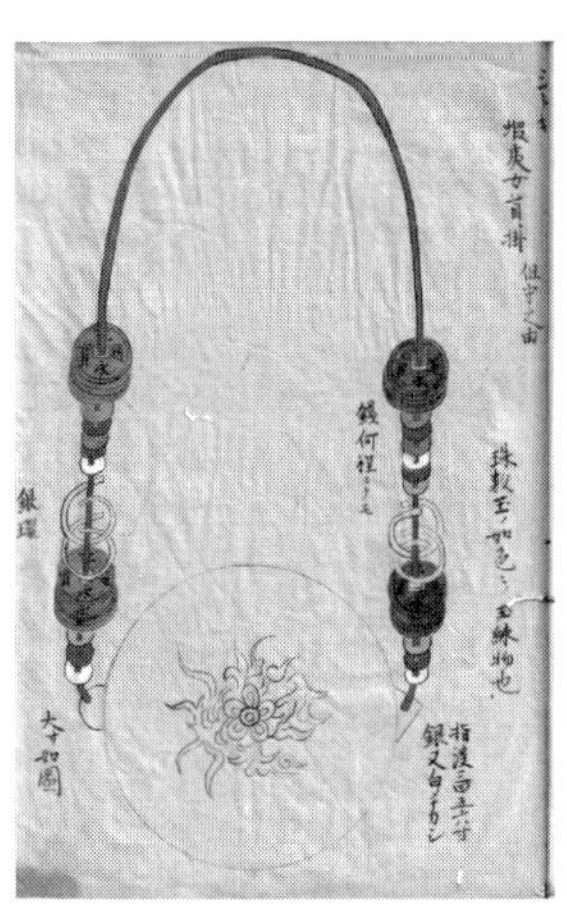

図11-4　シトキ図

出所）新井白石『蝦夷志』1720年（写本）（個人蔵）。
注）シトキ様式の写生図としては現在最古のもの。丸玉と寛永通宝銭を綴り、中央に円形金属板。

アイヌの女性が正装するとき身につけなくてはならない首飾りは、色もサイズも様々のガラス玉のほかに、少ないながら真鍮や錫などの金属製、鳥の管骨や石の玉、古銭、あるいは中国製のキセルの雁首を切断したものなども綴られている。直径五cm以上もある大きな青（浅葱色）玉や、金属板を中心に置いてガラス玉を連ねた、総重量が数kgにもなるものもある。また左右対称に同様の大きさや色合いの玉を二〜三筋に部分的に連ねるなど、アイヌの首飾りは特徴あるものである（口絵42）。

千島アイヌの首飾りに触れておきたい。緑と琥珀色と青の直径一cmばかりのガラス玉を連ねたものである。これらのガラス玉は明らかにロシア交易によるもので、ラッコの毛皮を原資にしているのであろう。この特徴ある緑色のガラス玉はアメリカ北西海岸の先住民も数多く所持しており、ガラス玉がロシア商人から拡散した壮大なルートと人々のつながりの複雑さ、歴史を示している（大塚 二〇〇一、二〇〇三）。

さらに中国製や日本製のガラス玉の道だけでなく、世界的に見れば、ロシアがシベリアのクロテンやラッコの毛皮を求めてシベリアを東へ進み、やがて海峡を越えてアラスカに先住民との交易拠点を設けた。そして現在ロシアビーズと総称される、ボヘミア産を主体にしたカットされたガラスビーズ（カット・グラスビーズ）が大量に露米会社等によって運ばれ、交易品として先住民側に渡された。これらのガラス玉も首飾りに連ねただけでなく、衣服に縫いつけたり、ヘアバンドや靴を飾ったりするなど、いわゆるビーズ工芸が見事な技法で発達している。

4 アイヌ文化の表象とガラス玉の「美」

江戸中期から後期にかけて、和人社会には「蝦夷趣味」ともいうべき流行があり、煙草入れの尾締としてアイヌ玉、とりわけ浅葱色の「虫巣玉」と呼ばれるガラスビーズが好まれた。このビーズには虫の巣のように見える穴がある。「樺太玉」とも呼ばれることは、このビーズが北からアイヌの手を経て本州にもたらされたことを物語る。本州の和人がガラスビーズを豊富に生産してアイヌ社会にもたらすのは一八世紀以降と推定される。現在各地に大量に残されている大玉や各種のトンボ玉を綴った派手な形態のアイヌの首飾りの多くは、それほど古い時期のものではないであろう。明治末から大正時代にかけてのアイヌ観光の隆盛に伴って衣装が華やかになり、数多くの刀や漆塗りの行器などが蓄積されたのと同じ現象であったと考える。

近年においても、観光絵葉書やポスター、木彫など、各種土産品のなかに、アイヌ女性を表す際、青玉を連ねた首飾りを身にまとわせたものが数多く使われてきた。これは、先に記した通り、シトキがアイヌの民族誌的記述に必須の道具立てとなったことも関連をもつと思われるが、ことにシトキやタマサイなど、ガラス玉を主とする特徴的な装飾が、アイヌ女性を表象するものとして認知されてきたことを示すといえるであろう。

交換財として流入したガラスビーズは、やがてアイヌ社会に受容され、社会的・文化的に欠くべからざるアイテムの一つとなっていった。それは、古来から、本州社会の古墳出土や伝世の翡翠（ひすい）の勾玉（まがたま）などに感じられてきたと同様の色彩的・質感的魅力が、ガラスビーズにも備わっていたからかもしれない。

ただし民族集団ごとに、好みの色や大きさなどの差異が観察され、先述の通り当時の絵画や文字資料などから判断して、とりわけ北海道島のアイヌの人々は大ぶりの青玉を殊に好んだようである。そして、青玉を好んで身にまとうアイヌ女性の姿を通して、ガラスビーズの首飾りが、自他両面から、アイヌを表象する一つのシンボル的位置づけを得ることとなったと考えられる。

かくして、アイヌ社会に不可欠なアイテムとなったガラスビーズは、今後もその色彩的・形態的魅力とともに、アイヌの人々の手で継承されていくことであろう。

ガラスビーズを世界史から見ると、その生産と流通の加速は、ヨーロッパ人の手で開始された大航海時代、即ち一五～一六世紀であり、その主たる要因は、未知なる先住民世界の資源・労働力の獲得にあった。当時、ガラスビーズの生産技術は欧米列強や中国などに限定され、先住民は、単にその美しさに魅了されただけでなく、自己の文化的文脈で読み取り価値づけたために、交易者にとって、交易の交換財として格好のアイテムとして活用された。まさにガラスビーズは、列強諸国に莫大な利益と富をもたらし、さらに先住民世界を支配し植民地化へと突き進んだ歴史を象徴する存在の一つといえる。まさにアイヌもこの歴史の流れに組み込まれていたのである。

参考文献

天方博章・小野哲也・乾哲也　二〇一一『オニキシベ二遺跡』厚真町教育委員会。
新井白石　一七二〇『蝦夷志』。
石川朗　一九九四『釧路市幣舞遺跡調査報告書Ⅱ』釧路市教育委員会・釧路市埋蔵文化財調査センター。
石川朗・中村和之・三宅俊彦　二〇一六「北海道釧路市幣舞遺跡から出土した銭貨の調査と分析」『釧路市立博物館紀要』三六、一―一六頁。
乾芳宏　二〇一四『考古遺物が語る余市の歴史』特別展解説書、余市水産博物館。
大塚和義　一九九一「アイヌ文化のダイナミズム」大塚和義著『アイヌ――海浜と水辺の民』新宿書房、六―一九頁。
大塚和義　一九九三「民族の象徴としてのアイヌ文様」大塚和義編『アイヌモシリ――民族文様から見たアイヌの世界』国立民族学博物館、九―三一頁。
大塚和義　二〇〇三「北太平洋の先住民交易とその歴史的意義」大塚和義編『北太平洋の先住民交易と工芸』思文閣出版、五―一六頁。
大塚和義　二〇一七「ガラスの道――北東アジアのビーズ交易」池谷和信編『ビーズ――つなぐ　かざる　みせる』国立民族学博物館、五一―五三頁。
大塚和義編　二〇〇一『ラッコとガラス玉――北太平洋の先住民交易』国立民族学博物館。
岡田淳子・宮宏明　一九九六『一九九五年度余市入船遺跡発掘調査概報』北海道余市町教育委員会。
岡田淳子・宮宏明　一九九九『入舟遺跡における考古学的調査』北海道余市町教育委員会。
海保嶺夫　一九九一「『北蝦夷地御引渡目録』について――嘉永六年（一八五三）の山丹交易」『一九九〇年度「北の歴史・文化交流研究事業」中間報告』北海道開拓記念館、一―六六頁。
松浦茂　二〇〇六『清朝のアムール政策と少数民族』京都大学学術出版会。
松前広長　一七八一『松前志』。

第12章 オセアニアのガラスビーズがきた道

航海誌・考古学・民族資料からたどる

印東道子

ガラス素材は、現在に至るまでオセアニアで製作されたことはなく、発掘調査で見つかるガラスビーズは、鉄片などと同様にヨーロッパ人との接触以降の歴史遺物として扱われてきた。ところが、ミクロネシア西部の島々にはヨーロッパ人との接触以前からガラスビーズが持ち込まれていたことが明らかになり、ヨーロッパ人から初めてガラスビーズを受け取ったポリネシア地域とは対照的であった（図12－1）。本章では、ガラスビーズがどのようにオセアニアへもたらされ、どのように受け入れられたのか、その多様な歴史を探っていく。

1　オセアニアの伝統的ビーズ

多様な素材を使ったビーズ

オセアニアの人々は、一七～一八世紀頃まで、金属を使わない石器時代文化を生きていた。身体装飾用のビーズには石や貝、ココナツ殻、イヌやブタ、オオコウモリの歯、べっ甲など、それぞれの島で利用できる多様な素材が用いられていた（印東 二〇〇二）。最も古いビーズは今から八千年前から七千年前頃の旧石器時代に遡る（Spriggs 1997）。

狩猟採集民であるニューギニアのアスマット族は、ブタやイヌ、クスクス、ヒトなどの歯のほか、イノシシやブタの骨、ヒクイドリの骨、人骨、タカの爪や嘴などに穴をあけてビーズ状にして身につけていた。これらは主として男たちが狩猟の成果を誇るために身につけたものであった（Maynard 2010）。

その後、オセアニアに広く拡散したオーストロネシア系言語を話す根栽農耕民は、貝製ビーズを広く使っていた。一般的なものは、小さなイモガイ科（*Conus* sp.）の体部を取り去って残る下部を平坦に削り、中央に穴をあけた直径三～一〇㎜のビーズである。これらを連ねたものは、ネックレスや装飾ベルトなどに加工され、メラネシアや中央ミクロネシアでは貨幣的価値をもつものとして交易にも使われた（本書一三章、印東二〇一八参照）。

イモガイビーズを連ねると白い単色の連ビーズになるが、色彩に対して敏感なオセアニアの人々は、これに黒や赤のビーズをところどころに配して単調さに変化をもたせた連ビーズを作っていた。黒いビーズにはココヤシの殻やべっ甲が、赤いビーズにはウミギクガイという二枚貝が広く使われた。ウミギクガイはその赤い色のため、オセアニアのみならずアンデス地域でもビーズなどに加工され、非常に高い価値をもっていた。ヤップ島では数種類の貝貨が使われていたが、ガウと呼ばれる貝貨は大きめのウミギクガイビーズを連ね、中央に大きなクジラの歯を配したものである（写真12-1、口絵17）。首長の権威の象徴として儀礼時に装着されたもので、ウミギクガイの赤さと希少性がその価値を高めていたといえる。

ビーズが楽器としての用途を担っていた例もある。ハワイではイヌの犬歯製ビーズを、フラダンサーが膝下に

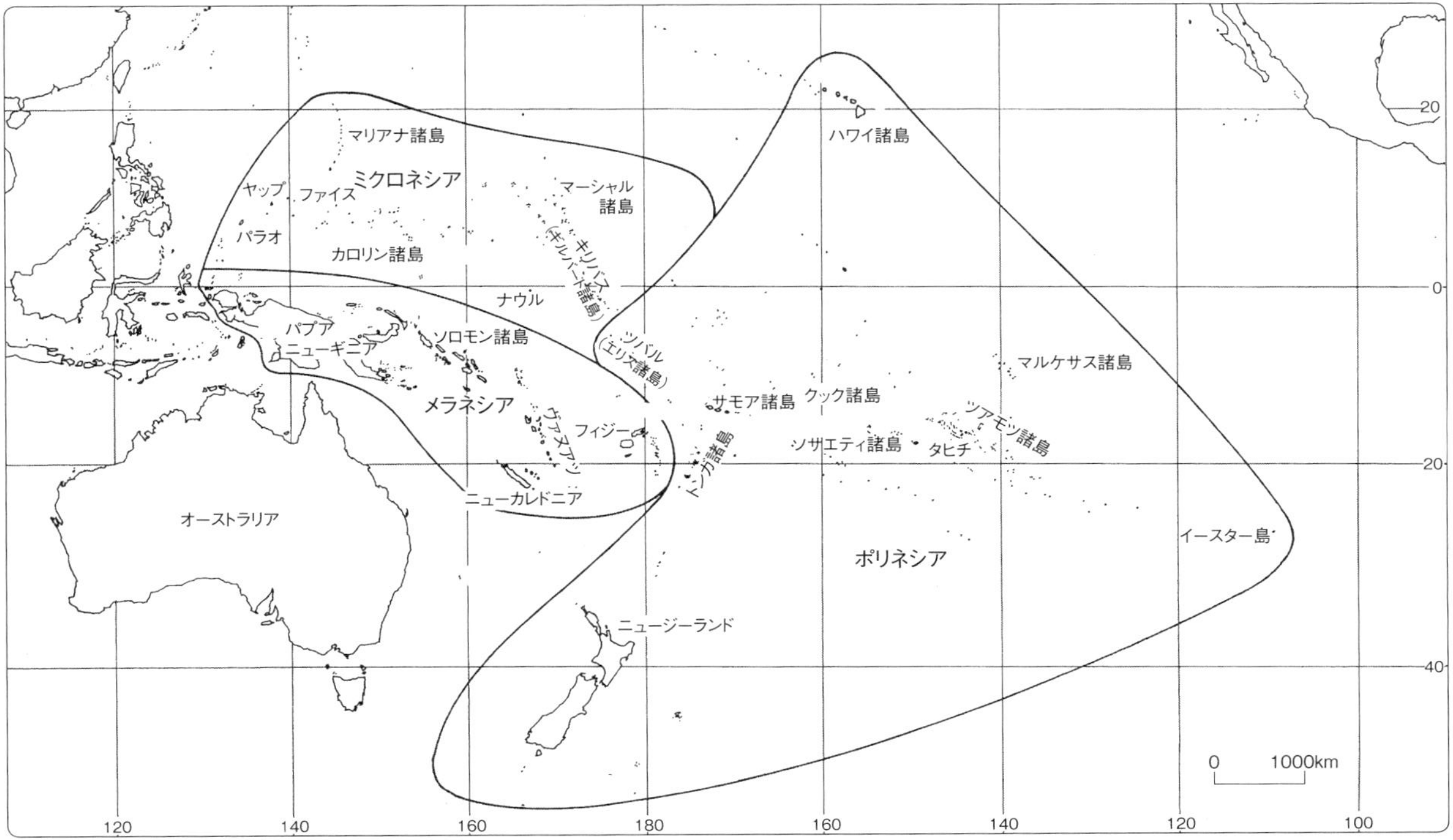

図12-1　オセアニアの地図

写真12-1　ウミギクガイ製ビーズ（貝貨）をかけたヤップ島首長（1980年、筆者撮影）

巻きつける太いバンドに大量に取りつけた。上下数段に数十個の犬歯ビーズが隣り合って結びつけられているので、ダンサーが足を踏みならすとじゃらじゃらとした音を出す。現在のフラダンサーはこれをつけていないが、一八〜一九世紀に来島したヨーロッパ人の記録には残されている（Morris 1993）。

ビーズ利用の地域差と時間差

イモガイビーズはオセアニアで広く見られると前述したが、ポリネシアではほとんど見られず、主としてミクロネシア（パラオを除く）とメラネシアで使われていた。

では、ポリネシアにビーズはなかったのだろうか。一九世紀の民族誌などには、首長階層が儀礼時に身にまとう装身具類が多く記録されているが、貝製ビーズ類はほとんど見られない。ハワイのネックレスは羽毛製であり、マルケサスの男性はクジラ骨製の耳飾りを身につけるがビーズ製品はない（Handy 1971）。ただ考古学的には、ハワイやニュージーランドでマッコウクジラの牙に穴をあけたペンダントやリール状に加工したものを連ねたネックレスが見つかっており（Davidson 1984）、中央〜東ポリネシアへの移住初期（西暦八〇〇〜一二〇〇年）には貝や歯を利用した大きめのビーズ類が使われ、次第に姿を消したことが分かる。

ビーズのサイズが大きくなった例がフィジーやサモアの首長が身につけたクジラの歯を連ねたネックレスである（口絵20）。マッコウクジラの歯を放射状に連ねたネックレスはみごとで、一目で装着者の社会的権威の象徴であることが見て取れる。オセアニアの人々はクジラ漁をしなかったので、弱って打ち上げられたクジラなどから入手したと思われ、その希少性が社会的価値を生み出したと考えられる。

ポリネシア人はイモガイビーズを移住当初から作らなかったのだろうか。その疑問を解くのが考古学資料である。ポリネシア人はラピタと呼ばれる祖集団をもち、メラネシアを通過した際にラピタ遺跡を残している。量的な差異はあるものの、ほとんどのラピタ遺跡からはイモガイビーズが出土している（Szabo 2010）。つまり三千年前には身近な素材を使ったイモガイビーズを作っていたが、西ポリネシア（サモア・トンガ）でそれが消滅し、そこから拡散した東ポリネシアではもっぱらクジラの歯などの大型ビーズへと変化したが、それも消滅したことになる。

2　ポリネシアのガラスビーズ

キャプテン・クックの記録——持ち込まれたガラスビーズ

ポリネシアに初めてガラスビーズをもたらしたのは一八世紀にヨーロッパから訪れた航海者たちだった。クック船長の第一回航海（一七六八～七一年）では、金星観測をするために滞在したタヒチ島で、島人との友好関係を作る際や、食料を入手する際にガラスビーズ、メダル、布、釘、ナイフ、手斧などが渡された（クック 一九九二）。ガラスビーズはパンノキの実やバナナ、ココナツなどの植物食料との交換に多く使われており、価値の低い交換物として位置づけられていた。対極にあったのが鉄製のナイフや斧で、ニワトリやブタとの交換には欠かせなかった。

ガラスビーズの記述は少なく、豆ぐらいのサイズのガラスビーズ一個とパンノキの実を四〜六個とココナツを同量交換したこと、カットグラスのビーズ玉は大変珍重されたこと、などが記録されたが、ビーズの色についての記録はほとんどない。

また、タヒチの人々が入手したガラスビーズをどのように扱ったのかについても、航海誌には書かれていない。例外として、タヒチでは男女とも片方の耳に穴をあけ、花や小さな真珠や赤エンドウ、貝などを重ねてつけていたが、すぐにそれらはガラスビーズやボタンに取って代わったという記述はある。

第二回航海（一七七二〜七五年）では、カヌーを漕ぎ出してきたタヒチの人々にガラスビーズや釘、メダルが渡され、カヌーからは緑の枝が手渡された。この平和儀礼の後、ただちに交易が始まった。植物食料はビーズや釘などと交換できたが、今回はブタを入手するのが大変困難で、値段も釣り上がっていた。

しかし、同行した植物学者のフォルスターが島内を歩き回った際には、エビをもってきた子どもたちへのお礼など、ちょっとした交換にガラスビーズは有効だった。ビーズ一個でカゴ一杯のパンノキの実やココナツ一房が手に入り、彼らが母船に帰る際にはビーズ二個を支払ってカヌーに乗せてもらったことも書かれている（フォルスター 二〇〇六）。ガラスビーズの価値はこのようなちょっとしたサービスや少量の植物食料への返礼に見合うとヨーロッパ人は考えており、内陸で日常生活を送っていた住民にとっても充分な対価だと思われたのであろう。連ねたビーズではなく個別のビーズとしてやりとりされた。

ガラスビーズの価値――島による価値の違い

タヒチ島ではビーズにある程度の価値が置かれていたが、他の島々での反応はやや異なっていた。タヒチ近隣のライアテア島では「ビーズは女性たちからは装飾品として貴重がられたが、ビーズでは果物を買うことすらできなかった」（フォルスター　二〇〇六：一六二）ようで、同じ諸島内でもビーズの価値は異なっていたことが見て取れる。

トンガでは大量の食料を得た返礼として首長にシャツ、斧、赤い布、望遠鏡、メダル、ビーズ玉などが贈られたが、ビーズ玉よりも釘の方が好まれた。ところが、同じトンガでも相手が首長でなければ、一枚のシャツや小さな布地、ほんの数個のビーズでも誘惑となり、自分の身体と引き替えに入手したがる女たちまで現れた。つまり、ビーズのもつ価値は社会階級によっても異なっていたことが分かる（フォルスター　二〇〇六）。

ニューカレドニアのように、鉄は欲しがったが、ビーズや鏡は評価されなかった島もあった一方で、マルケサスのように時間がたつにつれ鉄製品でさえ交換価値が下落し、ビーズに至っては一瞥すらされなくなった島もあった（フォルスター　二〇〇六）。

クックの七年後にサモアを訪れたラ・ペルーズによると、サモアのツツイラ島は非常に豊かな島で鉄にはほとんど執着を示さず、ブタやニワトリ、ハトなど五〇〇体をわずかなビーズのみと交換したという（ラペルーズ　二〇〇六）。

島の人々がビーズの価値をどのように認識し、その差はどこから出てくるのか、フォルスターは自然史学者らしい考察をしている。「それ（ビーズ）自体に価値など何もなかったのではあるが、タヘイテ（タヒチ）人たちはビーズなどの安ピカ物をライエテア島人よりも重要視していた。（中略）特に裕福さは一般的に奢侈に走る傾向があるのだから」(フォルスター 二〇〇六：一六二)。これはツイラ島の状況と合致するし、今日にも通じる指摘であろう。

フアヒネ島へ着いた際、タヒチから乗船してきた青年(首長・神官)トゥピアが先導して上陸し、島の住民と来島の儀式を行った。その際に彼がプレゼントしたものは二枚のハンカチ、黒い絹の襟巻き、ビーズをいくらかと二本の大変小さな羽毛の束だった。これに対し、向こう側の二人の首長はいくつかの若いバナナと二個の小さな羽毛の束を返し、友好関係が成立した。平和裡にお互いの領域に上陸するときには、このようなプレゼントの交換とマラエ(石敷きの祭壇)への供物の奉納がいつも行われたようであったと、クックは観察している(クック 一九九二：一五四―一五五)。ここで注目したいのは、島の男たちが欲しがる鉄製品は一つも含まれていないことである。ガラスビーズは儀礼的な交換と神への奉納物としてふさわしいという判断がされていたのである。

もしヨーロッパ人たちがガラスビーズをこのような交換の場や首長へのプレゼントとしてのみ使っていたなら、ビーズの社会的な価値はもっと上がっていたかもしれない。しかし、食料交換の場でビーズは安売りされ、しかも身分の低い女たちも入手してしまったことで、タヒチ社会におけるビーズの価値は高まらなかったと考えられる。

3 西部ミクロネシアの先史ガラスビーズ

ファイス島――副葬された先史ガラスビーズ

ミクロネシアはオセアニアで最初にヨーロッパ人と接触した地域であるが、ガラスビーズがどのようにもたらされたか、詳しい記録はない。一般に、探検家のあとに入った宣教師がビーズを広めたと考えられており、考古学調査で出土するガラスビーズは歴史時代の遺物として一括され、発掘報告書に詳しい記述はほとんどされない。

そのような状況において、筆者が発掘調査を行ったミクロネシア西部のファイス島から大量のガラスビーズが出土した。若い女性人骨に副葬されたもので、その起源地に注目が集まっている。紙数に余裕がないので、以下、概略を紹介する。

ファイス島はヤップ島の東一八〇kmにある人口三〇〇人ほどの小さなサンゴ島である。一九九四年に島の南西部ハサハペイ埋葬遺跡を調査した際、六体の攪乱されていない一次埋葬骨を発掘した。ほとんどが女性と子どもで、イモガイビーズが大量に副葬されていた。ウミギクガイビーズが少量ながら混じっていた人骨もあった。そのなかで、一七～一八歳の若い女性人骨の手首周辺から小さなガラスビーズが大量に見つかった（詳しくは印東二〇一四）。大半は直径二mm前後の小さく淡い緑色の透明なビーズで、三〇〇個以上あった。これらとともに、二個のやや大きめの不透明な黄色いビーズと一個の灰色っぽいビーズも見つかったことから、ともに紐に通されて手首につけられていたと考えられる（口絵22）。

年代は一四五〇～一六〇〇年で、ヨーロッパ人との接触前後であるが、少なくともファイスにはまだヨーロッパ人は来島していない。この年代のガラスビーズはミクロネシアばかりか他のオセアニアからも報告されていない。ガラス成分からは、緑色と黄色のビーズは鉛の含有量がかなり高く、中国製である可能性が高い。ところが灰色のビーズはグースベリービーズと呼ばれる一六世紀以降にヴェネチアで作られた独特のビーズであった。このように製造地の異なるビーズの入手先としては、東南アジア島嶼部が考えられている。なお、この女性には伝統的なイモガイビーズとウミギクガイビーズも首から胴部にかけて大量に副葬されていたため、いずれも装身具として身につけていたと思われ、以下に紹介するパラオのように個別のビーズに価値をもたせた例とは異なる。

ヤップ・パラオの民族資料――貨幣価値をもつガラスビーズ

考古学的な出土品はまだないが、民族学者によって早くから存在が指摘されたガラスビーズがヤップとパラオにあった。パラワンマネー（パラオ貨）と呼ばれるビーズで、パラオでは伝統的貨幣として現在でも高い価値をもつ。円形や管状ビーズもあるが、最も特徴的なものは大きめの断面三角形のもので、両端に紐を通す穴が斜め上にむけてあけられている（図12‐2の1）。このタイプのガラス貨は身分の高い女性が儀礼時に身につけ、非常に価値が高い（土方 一九九〇など）。色は多様で、黄色やオレンジ、緑などの不透明なものから透明な濃紺のものまであり、表面に異なる色の渦巻き状の模様が付帯しているものもある。一九五〇年初頭には二八二タイプ、二九四七個のビーズがパラオに存在し、個々のビーズが価値をもった財として認識されていた（Ritzenthaler 1954）。

一七八三年にパラオで座礁し、パラオを初めてヨーロッパ社会に紹介したH・ウィルソンは、パラオ貨が婚資や離婚、葬式、誕生、政治的取引、戦争、社会的地位の誇示など、すでに多様な社会システムと結びついて使われていたことを記録しており、パラオ貨の歴史の古さが窺える（Osborne 1966）。パラオ貨の多くは不透明であるためガラス製に見えず、二〇世紀初頭には土製であると考えられていた。しかし、断面三角の特異な形状に着目したR・フォースは、土製よりずっと硬度が高いこと、成分には鉄や銅も含まれていること、細長い気泡が観察されることなどから、土製ではなくガラス製であることを明らかにした。そのうえ、フィリピンのセブ島から出土した腕輪と類似した断面をもつことから、東南アジア（ベトナム～カンボジア）に分布していたガラス製腕輪を裁断・加工したものであることをつきとめた（Force 1959）。

同じようなガラスビーズは、数は少ないがヤップにも存在していた。ほとんどが首長の所有物で、その価値は非常に高く、なかには竹筒に入れて保管されていたものもあった。その多くは、パラオで石貨を切り出す許可を得るためにパラオ人への支払いに使われてきたことが、二〇世紀初頭のヤップ、パラオ双方で記憶されており、貨幣的価値が共有されていたことを示している（Beauclair 1963）。

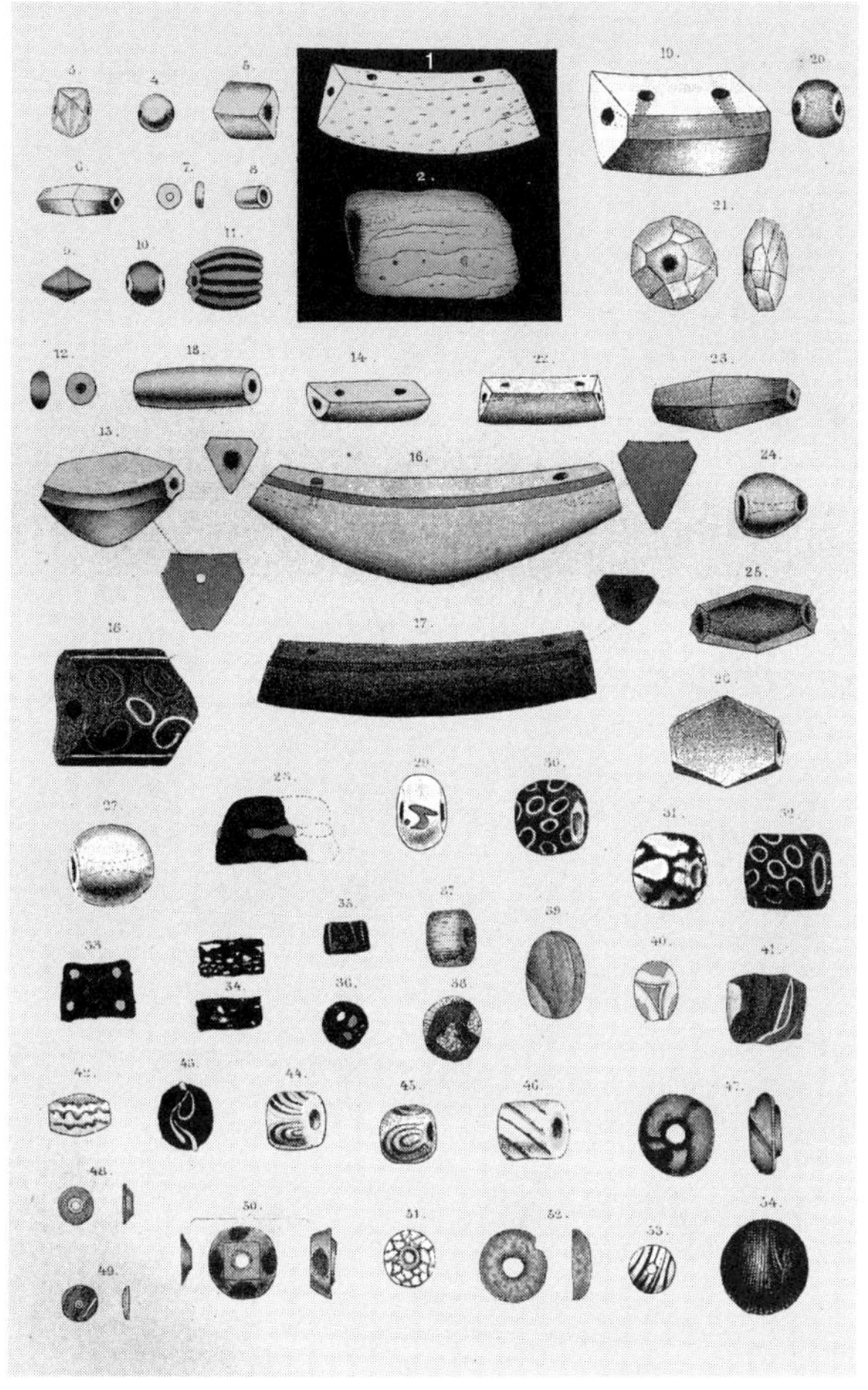

図12-2　パラオ貨として使われたガラスビーズ（Kubary 1889: 129）

西部ミクロネシアのガラスビーズの道

ヤップ北方のマリアナ諸島は、スペインのガレオン交易の中継地として利用され、最も早くからヨーロッパ文化と接触してきた。しかし、民族誌からも考古学調査からもガラスビーズがヨーロッパ人来島以前に存在していた証拠は今のところ見つかっていない。

では、ヤップとパラオのビーズはどこからもたらされたのであろうか。地理的に最も近いフィリピンには、初期金属器時代（紀元前七〇〇～一二〇〇年）に、東南アジア一帯に分布したインド太平洋ビーズがもたらされ、紀元一二〇〇年以降には中国製ビーズも入ってきた。スペインのガレオン船ラ・コンセプシオンは一六三八年にアカプルコへの航海中にグアム沖で沈んだが、積み荷からはマニラで積み込んだ中国製ガラスビーズが見つかっている（Francis 2002）。西カロリン諸島の人々はしばしばフィリピンに漂着した歴史をもつため、偶発的接触を通してガラスビーズを入手していた可能性が高い。

4 二つのガラスビーズのきた道

以上見てきたように、オセアニアのガラスビーズは、主として二つの地域に、それぞれ異なる背景をもってもたらされたという歴史をもつ。まず、ミクロネシアへもたらされたガラスビーズの道は、西部のヤップとパラオ、それにカロリン諸島の一部の島へ通じており、東南アジア島嶼部にルーツが求められる。ヤップとパラオでは首長クラスが所有をコントロールし、社会的に高い価値が付与されていた。

パラオのガラスビーズは、同じような色やサイズのビーズを連ねたものではなく、むしろ不揃いなビーズを、個別に胸に下げる。断面三角形のパラオ貨はとくに価値が高い。パラオ貨が発掘から出土した例はないので、いつごろ伝わったものかよく分からない。

同じようなガラスビーズはヤップ島でも価値あるものとして所有されていたが、その数はパラオに比べて圧倒的に少ない。その背景には石貨をパラオの石灰洞から切り出す許可を得る代償として、ガラスビーズをパラオの首長に支払ったことがある。ヤップではガラスビーズよりも石貨の価値が上回っていたのである。ヤップ島からは完形のガラス製腕輪も報告され、パラオ貨がヤップから伝わった強い傍証となっている（Beauclair 1961）。

西部ミクロネシアのガラスビーズにこれだけ高価値が付加されていた背景には、その供給が非常に限られていたことがある。交易などで定期的に東南アジアから入手していた可能性は低い。そこでヒントになるのはファイス島で出土した大量のガラスビーズである。入手したのはやはり東南アジアからである可能性が高く、とくにフィリピンにはファイスの人々がしばしば漂着することで知られている。ファイスに限らずカロリン諸島のサンゴ島居住民たちは、漂流などの偶然的接触を介して東南アジアからビーズを入手した可能性があり、それがヤップにもたらされた可能性も考えられる。

発掘資料が限られている現在、これ以上の背景は分からないが、首長によってビーズの所有がほぼ独占されることでその社会的な価値が高まったと考えられる。

これと対照的なビーズの道はポリネシアの場合である。一八世紀のヨーロッパ船がもたらしたガラスビーズは、おそらく数量的には鉄製品に比して多かったと思われる。鉄釘やナイフ、斧などは、またたくまにポリネシア社会のもの作りに影響を与えたが、ビーズに関してはほとんどその有用性は不明で、考古学資料から探ることも難しい。ガラスビーズで装身した描写も民族資料には見つからない。これほど価値の低い扱いを受けたのには下記のような理由が考えられる。

①ヨーロッパ人によるガラスビーズの価値づけ

ヨーロッパ人側は交易品のなかで最も価値が低いものとしてガラスビーズを使った。食料などをもってきた人々と直接取引をし、人々は社会階層にかかわらずビーズを入手することができた。もしヨーロッパ人たちがさも貴重品で高価なものであるかのようにビーズに紐を通し、首長にしか渡さなかったならば、首長による独占財としての価値を生み出していたかもしれない。

②ビーズのサイズ

当時のポリネシア社会では上半身を装身するのは首長クラスに限られており、基本的には刺青を施し、さらに大きな珍しいもの、すなわち鯨歯などを儀礼に際して身につけた。もし、アイヌに渡ったガラス玉のように大きなビーズが渡されていたら（第一一章）、社会的価値は違っていたかもしれない。

③ガラスビーズの色

クックたちは、島の人々が強く望んだのはナイフや釘などの鉄製品よりも赤い羽根だったことを記している。「色」は装飾においても身体表現においても重要な要素である。

たとえばタヒチでの交換において、鉄の場合には首長夫人たちは決して自身の身体との交換などはしなかった。ところが、赤い羽根をクック一行がもっていることを知るやいなや、首長が自ら自分の夫人たちを船につれてきて、赤い羽根との交換を申し出たという記述がある。赤い羽根のもつ高い価値は、ソロモン諸島の羽毛貨やハワイの王族を飾る羽毛マントなどを見れば一目瞭然で、ほんの一枚の羽根にも驚喜したというぐらい高い価値をもっていた。赤い羽根の希少価値もあろうが、赤い色のもつ価値でもあった。これは貝ビーズの場合も同様で、イモガイ製の白いビーズに対しウミギクガイの赤いビーズの価値が非常に高かったことからも分かる。もし初期航海者たちがもってきたガラスビーズが赤かったら、そしてサイズも大きなものだったら、そして、首長クラスにしか渡さなかったとしたら、ガラスビーズのポリネシア文化における価値は非常に異なるものになっていたと思われる。

参照文献

印東道子　二〇〇二『オセアニア――暮らしの考古学』朝日新聞社。
印東道子　二〇一四『南太平洋のサンゴ島を掘る』臨川書店。
印東道子　二〇一八「オセアニアの島嶼間ネットワークとその形成過程」小野林太郎・長津一史・印東道子編『海民の移動誌――西太平洋のネットワーク社会』昭和堂、三三四―三六三頁。
クック　一九九二『太平洋探検』上、増田義郎訳、岩波書店。
土方久功　一九九〇『土方久功著作集』一、三一書房。
フォルスター　二〇〇六『世界周航記』上、シリーズ世界周航記五、服部典之訳、岩波書店。
ラペルーズ　二〇〇六『太平洋周航記』上、シリーズ世界周航記七、佐藤淳二訳、岩波書店。
Beauclair, I. 1961.'Ken-pai', a Glass Bracelet from Yap. *Asian Perspectives* 5(1): 113-115.
Beauclair, I. 1963. Some Ancient Beads of Yap and Palau. *Journal of the Polynesian Society* 72(1): 1-10.
Davidson, J. 1984. *The Prehistory of New Zealand*. Auckland: Longman Paul.
Force, R. W. 1959. Palauan Money: Some preliminary Comments on Material and Origins. *Journal of the Polynesian Society* 68(1): 40-44.
Francis, P. Jr. 2002. *Asia's Martime Bead Trade: 300 B.C. to the Present*. Honolulu: University of Hawaiï Press.
Handy, E. S. C. 1971(1923). *The Native Culture in the Marquesas*. B. P. Bishop Museum Bull. 9. Honolulu: Bishop Museum

Press.

Kubary, J. S. 1889. *Ethnographische Beiträge zur Kenntnis Des Karolinen Archipels*. Heft 1. Leiden: Gebroeders van der Hoek.

Maynard, M.(ed.)2010. *Australia, New Zealand and the Pacific Islands*. Berg Encyclopedia of World Dress and Fashion. Oxford: Berg.

Morris, R. J. 1993. Traditional Kūpe'e: The Hawaiian Dog Tooth, Shell, Seed and Cordage Dance Ornaments. In P. J. C. Dark and R. G. Rose(ed.), *Artistic Heritage in a Changing Pacific*. Honolulu: University of Hawaii Press, pp. 47-62.

Osborne, D. 1966. *The Archaeology of the Palau Islands: An Intensive Survey*. Honolulu: Bishop Museum Press.

Ritzenthaler, R. E. 1954. *Native Money of Palau*. Milwaukee Public Museum, Publications in Anthropology, I.

Spriggs, M. 1997. *The Island Melanesians*. Oxford: Blackwell.

Szabo, K. 2010. Shell Artefacts and Shell-working within the Lapita Cultural Complex. *Journal of Pacific Archaeology* 1(2): 115-127.

第13章 オセアニアの貝ビーズ文化

欧米化のなかの婚資と地域通貨

後藤　明

1　メラネシアにおけるビーズ製貝貨

本章ではメラネシアを中心に（一九一頁の図12－1参照）、貝殻製のビーズからなる原始貨幣、いわゆる貝貨および関連する交易品や装飾品を概観したい。本来、金属やガラス素材をもたないオセアニア（メラネシア、ポリネシア、ミクロネシア）の人々が輝きをもった素材として共通に重視したのは貝殻である。

オセアニアで貝貨といわれるものが流通するのはメラネシアとミクロネシアの一部である。ポリネシアのような階層社会になると、社会の平等性が失われ身分が固定的になるので、原始貨幣的な存在は不必要になる。これはM・サーリンズが『石器時代の経済学』で述べた議論である（サーリンズ 一九八四）。

タカラガイの貨幣としての資料は古代中国やアフリカなど世界的に見られるが、ニューギニア本島では海岸で採集されたタカラガイが、割られない状態で内陸まで運ばれ、貨幣や装飾品の一部として使用される。さらに貝殻に限ると、ヘラ状あるいは釣り針状に加工された真珠母貝、あるいはイモガイの丸い蓋に穴をあけた状態でつないで使う事例などが主にミクロネシアから報告されている（Quiggin 1949）。また頂点部を打ち欠いて穴が開いた状態でつないで作った貝貨が、ニューブリテン島東部で使われるタンブアである。使われるのは小さなタカラガイの一種であり、その外形自体がビーズのような形状を呈する。

しかし本章で見ていくのは、特定の貝殻を打ち欠いてディスク状に削り、穴をあけて連ねることによって完成品となるビーズ状貝貨である。使われる貝は白、赤、黒が基本的な色彩であるが、単独で使われる場合と色を組み合わせて使われる場合の両方がある。

またビーズには三ないし四種類のつなぎ方がある。

① ディスクの平らな側面を重ねて連ねる形式。通常のネックレスのようなつなぎ方で、メラネシアではサピサピと称されることが多い形式。

② ①の変形とも考えられるが、タンブアなどに見られるように、堅い黍(きび)などの軸に間隔を開けてタカラガイなどを連ねる形式。

③ ディスクの縁と縁を接して連ねる形式でディワタなどと称される。筆者が観察した範囲ではニューアイルランド島で使われるオウム貝製の白い貝貨はこの形式である。

④ ③の変形とも思われるが、ディスクを一部重ねながら連ねていく形式（Quiggin 1949: 115）。

これらのつなぎ方は最も一般的な「線」を作る方法だが、複数の直線が交差するように組み上げる方法もある。この方法は、後述のランガランガ・ラグーンで作られるなかで最も価値のある貝貨マイフフオ（菱形の網の意味）

の中央部に用いられる方法である。この交差法はマイフオの中央部以外では種々の装身具の一部に用いられる。たとえば胸飾り、ヘッドバンド、あるいは肩飾りの一部分など様々な装身具で採用される。

次にビーズを配置して面を作る方法がある。これは帯のような面を作り出す必要のあるヘッドバンド、アームレットなどに用いられる。ビーズで面を作る方法は幾通りかありうるが、ランガランガの場合は、並んだ列のビーズを交互に矢羽根状に組み上げてゆくのが特徴である。

2　マライタ島ランガランガの貝貨製作

貝ビーズの製作

メラネシアは様々な貝貨および貝殻から作られる装飾品の発達が著しい（e.g. Petri 1936; Quiggin 1949）。その特徴的な製品の一つがビーズ製の貝貨である。南東ソロモン諸島マライタ島のランガランガ・ラグーンは、今日までこの貝ビーズ工芸が行われている地域である（後藤 一九九六、Goto 1996）。長さ約二〇㎞のラグーンに面する村々に住むランガランガの人々にとって、貝ビーズ工芸は、共通の、最も重要な生産手段である。人々は種々の貝殻でビーズ状の貝貨を製作し、婚資や香典、あるいは限定物との交換のような、おそらく接触期以前からの使い方の以外に、それらを売って現金収入をあげている（後藤 二〇〇一ａ）。彼らが作る製品には、ネックレスのような種々の装身具も含まれる。表13－1には現在、加工に使われる主な貝の種類を示してある。

ランガランガの貝ビーズ製作は、基本的に女性によって、荒割り、整形、穿孔（せんこう）、研ぎ出しという工程で作られる（表13－2、図13－1）（後藤 二〇〇二ａ）。しかしボタン工場で丸く切られた貝片を利用するタカセガイと、貝殻そのものを連ねる黒いセエレ貝の場合は穿孔しか行われない。またロムやカカンドゥは表面の襞をとるための研磨、さらにケエには加熱変色という工程が加わる。

荒割りでは鉄槌を片手で持って石台の上で貝殻を割り、蝶番などの不必要な部分を取り除き、できた不定形の破片を容器に入れる。次に、その破片を指で縦につまんで、石の台の上で回転させながら鉄鎚で周りを軽くたたき、丸く整形し、直径一cm程度の貝ディスクを作る（写真13－1）。

次に表面に深い襞のあるロム貝とカカンドゥ貝には研磨が行われる。研磨には二種類の方法があり、世帯によって選択される。一つは伝統的とされる方法で、長さ一五cm前後のかまぼこ型に半裁した石の上に、貝ディスクを付着させて並べる方法である（写真13－2）。この石に両手を添えて体重をかけ、床においた擦り石の上で回転しながら、こすりつけて研磨する。この際、研磨剤に赤褐色の砂を加える。もう一つは新しい方法で、長さ五〇～七〇cmの平たい板の上に窪みを作り、研磨される側を表面にしてディスクを並べ、研ぎ出しにも使う砥石で上から表面を磨く。

次はすべての貝殻に適応される穿孔である。昔は先端に石器をつけたポンプ式ドリルを使っていたが、今は店で買う鉄製のハンドドリルを使う（写真13－3）。

次に砥石による研ぎ出しだが、穿孔したディスクを二～三mの糸に通して、長い木の台の上に伸ばして上から水をかけながら砥石で直径五～六mmの円形になるように研ぐ（写真13－4）。この研ぎ出しには、最初、カンナをかけるような姿勢で、押しながら強く研ぐ段階と、ある程度ビーズ状になってから、大きさや形（円形）を調節するために行う段階の二つの技法がある。この仕事には力を要し世帯の男性が行うことが多い。この作業は砥石を前後に動かすだけのように見えるが、糸に通されたビーズに回転をかけて丸く加工するために、ビーズ紐に対

表13-1　貝ビーズ工芸用の主な貝種

貝名	和名	学名	用途
ロム（romu）	キクザル	*Chama pacifica*	貝貨・装身具
ケエ（ke'e）	アマボウシガイ	*Beguina semiorbiculata*	貝貨・装身具
カカンドゥ（kakandu）	ハイガイ	*Anadara granosa*	貝貨・装身具
クリラ（kurila）	クロタイラギ	*Atrina vexillum*	貝貨・装身具
セエレ（se'ele）・赤	アマオブネガイ	Neritidae sp.	装身具
パープル（purple）	サンゴヤドカリ	*Coralliphila violacera*	装身具
セエレ（se'ele）・黒	アクキガイ	*Cronia sp.*	装身具
トロッカス（trochus）	タカセガイ	*Trochus spp.*	装身具

表13-2　各貝に施される製作工程

	製作工程					
	荒割り	整形	研磨	穿孔	研ぎ出し	加熱変色
ロム	*	*	*	*	*	
ケエ	*	*		*	*	*
カカンドゥ	*	*	*	*	*	
クリラ	*	*		*	*	
セエレ（赤）	*	*		*	*	
パープル	*	*		*	*	
黒のセエレ				*		
トロッカス				*		

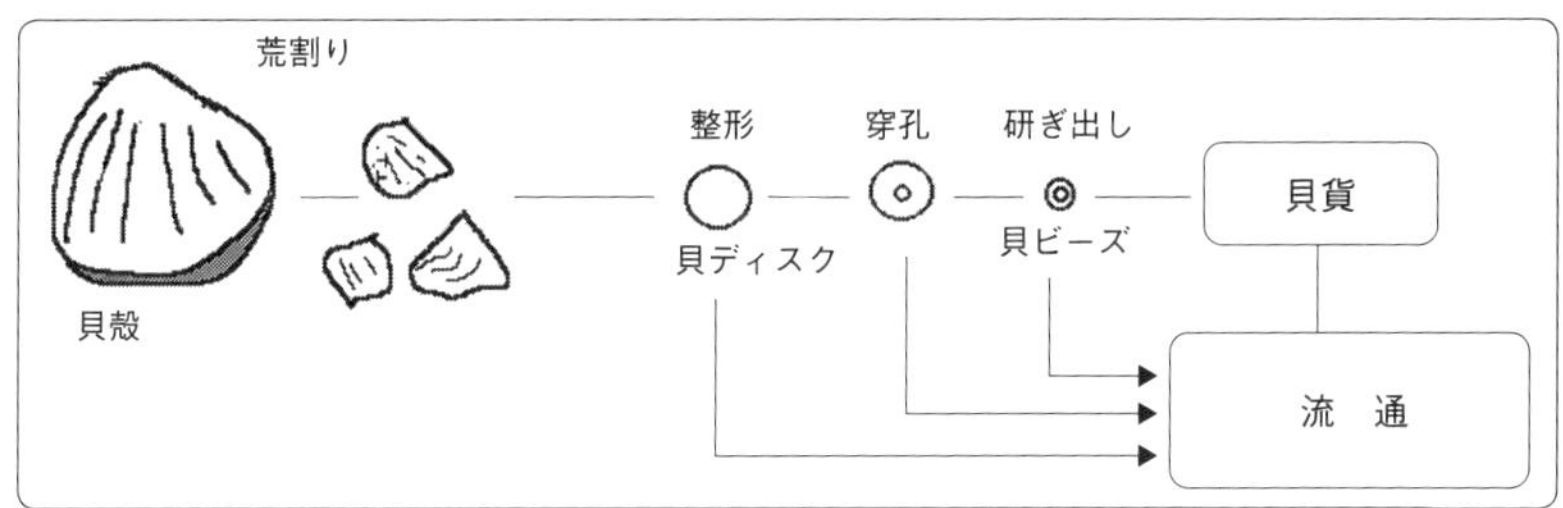

図13-1　貝ビーズの製作工程と流通

出所）いずれも筆者作成。

してやや斜めの方向に砥石を動かす技術が必要である。

さらにケエ貝のディスクの場合、研ぎ出しをしてから、鉄板の上で加熱変色される（写真13－5）。加熱具合によりケエ貝ビーズの価値が決まるという重要な工程で、やり直しはきかない。赤い色がよく出たビーズは貝貨用となるが、発色が悪いあるいは熱しすぎて白くなったビーズは装身具用となる。

このようにして作られた貝ビーズは、貝貨や装身具の素材として用いられる。ランガランガだけで使われる婚資用の貝貨は、白いカカンドゥ貝だけから作られるイサエ・ガリアと、赤・白・黒三色からなるアクワラ・アフの二種類がある（写真13－6）。後者はタフリアエとして島北部のコイオ、クワァラアエおよびラウ地方でも婚資や香典として使われる。

貝ビーズの生産システム

貝ビーズ用の貝殻の入手は、ラグーンから採集するか、他地域で採れた貝殻を購入するかの二通りに分けられる（後藤 二〇〇二a）。ラグーンでの採集が本来の姿であったと思われるが、現在では貝貨用の貝殻の自給率はわずかである。表13－1にあげたなかで、装身具用の貝は自給できるが、貝貨用の貝殻のほとんどは購入する。他地域の人々は、貝殻を乾かして袋に詰めてランガランガの人々に直接売るか、首都ホニアラの市場に持ってきて売る。ランガランガの村人はさらに購入した貝殻を、必要に応じて少量、互いに売買することもある。

一方、ラグーンで貝を採集する場合、深みに生息するロム貝は金を払って潜水の得意な男性に採ってきてもらうこともある。最近使われ始めたトロッカス（タカセガイ）のディスクは、ホニアラにあるボタン工場のディスク状の廃棄物を拾ってきて利用する。このように材料である貝殻を製作者が入手するまで、様々な選択肢が存在

写真13-1　整形作業

写真13-2　研磨作業（カカンドゥ貝）

写真13-3　穿孔作業

写真13-4　研ぎ出し作業

写真13-5　ケエ貝の加熱変色

写真13-6　花婿親族による婚資の支払い儀礼。右側がアクワラ・アフ、左側（親族側）がイサエ・ガリア

する。

さらに貝殻を購入する場合、製作者の世帯成員ないし近親者が買ってくる場合が普通だが、下請け生産の仕組みが作られている村がある。市場で買ってきたケエ貝を袋ごと村の女に与えてビーズを作らせ、ビーズ紐のサフィ四本を取り、残りは製作者の取り分となるというシステムである。一袋からだいたい一三本のサフィができるので、製作者は九本程度を取ることになる。このシステムは、依頼する世帯と、下請けをする女たち両方にとって、貝ビーズを得るための選択肢の一つである。

またビーズの製作の工程の一部をアルバイトとして他人に任せる場合もある。依頼する工程は穿孔か研ぎ出しが多い。また筆者の調査地の村では、村の女性全員が丸一日、カカンドゥ貝の整形までの段階を請け負ったことがあった。別の村の者が材料の貝殻を一袋村に持ってきて、村人たちはそれを一日かけて整形まで加工を行った。得た収入は教会の修理費用にあてた。

さらに村の商店では、穿孔の終わったケエ貝のディスク二〇個を一〇セント硬貨と交換することもできる。子どもは自分で穿孔したディスクを店に持ってきて、お小遣いとして飴玉などを買うのに使う。また各世帯はディスクとの交換で砂糖や塩を少量購入することが多い。逆に、店を経営する世帯ではこうして必要な貝ディスクの一部を入手するのである。

貝貨の主目的である婚資支払いの儀礼のとき、ドゥウナという小規模な返済の儀礼が行われる。これは婚約期間中に花嫁側から花婿側に対して何かなされた好意に返礼する慣習である。返礼は通常ソロモン・ドルの小銭で行われるが、ときには大きな恩に対しては貝貨一本という返礼もある。しかしそれより少額の返済としては未製品のカカンドゥやケエ貝ビーズを通した紐が使われる。さらにそれ以外に村内では、種々の小規模な返済にビーズ紐が使用され、この仕組みも、製作システムの一選択肢なのである。

このように、誰もが製作者であるランガランガ社会において、中間段階の貝ディスクないし貝ビーズは、贈与、交換、あるいは購入（貨幣の代用）といった様々な仕組みのなかで、流通するのである（図13－2）。したがって一個の貝貨や装身具が完成するためには、人々は様々な仕組みのなかで材料の貝殻、そして中間段階の貝ディスクやビーズを入手しているのである。ある人が作っている貝貨や装身具を構成しているビーズは、製作者が自分で加工したものとは限らないのである（後藤 二〇〇二 a）。

貝ビーズ工芸の変容

ソロモン諸島の貝ビーズ工芸も、過去数十年において変容を続けてきている。たとえば、最も高価なロム貝のビーズは、ランガランガで使われる貝貨の中央部に必要である。しかし周辺部の赤の部分はケエ貝が使われる。かつての貝貨の記録や報告（Woodford 1908; Raucaz 1928; Lewis 1929; Petri 1936; Paravicini 1942－45; Belshaw 1959; Cooper 1971; Connell 1977）では、ロム貝についての記載は見つかるが、ケエ貝については記載されていない。ロム貝が希少になるにつれて周辺部ではケエ貝が選択され、代用されていったものと思われる。

さらに高価なロム貝は、質（色）の悪いビーズ以外は、装身具用としてはほとんど使われない。また赤の部分としてケエ貝も装身具に使われるが、ケエ貝自体もかなり高価になっているので、一九八五年頃から赤いセエレ貝が使用されるようになった。一方、赤いセエレ貝は貝貨には使われない。このように同じ「赤」の要素でも、貝貨の中央、周辺部、そして装身具という具合に、製作規範の厳密度に変異が見られる。

さらに装身具では、貝貨では使われない第四の色である紫色のビーズが一九八九年頃から用いられている。この小さい貝はラグーンで採集されるが、食用の価値はなく、名前も「パープル」と呼ばれているように民俗名称もなかった、あるいは忘却された貝である。しかしパープル貝や赤いセエレ貝の場合は、荒割りや整形、研ぎ出しを行う点で、伝統的な貝ビーズ製作のシステムのなかに組み込まれている。一方、穴を頭頂部に開けただけで紐に通される黒いセエレ貝（一九九七年頃から）や、ボタン工場で廃棄されるトロッカス貝のディスク（一九九八年頃から）は、さらに新しい要素として装身具に組み込まれている。なお、過去十数年、ランガランガの貝ビーズ工芸に新しい要素を導入した人物は、どこの村の誰と特定されている。

3 クラの財宝としての貝ビーズ

クラ交換

クラはニューギニア島東方海上、マッシム地域の島々の、広範囲にわたる言語の異なる部族社会を環とし、その圏内を時計回りに赤色の貝ビーズ首飾りソウラヴァ、逆方向に白色の貝製腕輪ムワリの二種類の装身具が贈り物として回り続ける。装身具は財物であり、基本的には一、二年以上は保有せず、より早く次の相手に送らねばならない。この地域では物を所有する者は他の人にそれを分配し、共有することが期待されている。すなわち立派な贈物を早く与える気前よさで富者あるいは有力者としての名声を得る。クラは男が行い、その社会的地位により相手の数は二人から一〇〇人以上と異なる。一度クラの仲間となると、贈物と奉仕の相互交換を伴う終生の関係となる（Leach 1983）。

確認しておくが、財宝はこちらから、贈り物などを持って取りに行くものであって、先方が持ってくるものではない。だから逆に次回は、それに対応する財宝を求めて先方がやってくるのである。またこの際の贈り物はクラの財宝以外のもので、腕輪と首飾りは原則として、けっして両者を比べて、値踏みして、直接交換されるものではない（マリノフスキー 一九八〇：一六一）。

クラについて記載されたマリノフスキーの主著『西太平洋の遠洋航海者』は翻訳があるため、日本の研究者によく知られているが、この訳書は原著の抄訳である。たとえば、原著にはクラ財宝も含めた物質文化の製作について詳しく記述されている章があるが（Malinowski 1922: 267－289, 366－375）、訳書では省略されている（後藤 二〇〇二b）。以下の記述のほとんどは、この省略された部分に依存している。

首飾りと腕輪

シナケタ村人はクラ交易のために近隣のドブー島へ行くが、その際いろいろな原材料や人工物を採集ないし交易で入手して帰る。クラの航海はこのように、重要な材料を採集してくるという目的があるのである。たとえばソァーガソン島では自由に黒曜石が採集でき、また斧を作る玄武岩や装飾用の赤い粘土、石器を磨く砂なども採取された。しかし帰りの航海で最も大事な仕事はカロマ貝をサナロア・ラグーンで採集することである。

この貝はクラの交易に使われる首飾りや他の貴重な飾りを作るのに使われる。しかしこの貝から首飾り用のディスクを作るのは、トロブリアンド諸島でもボヨワ島南部のシナケタ村とヴァクタ島のみである。同じ貝はこれらの村の前でも見つかるが、サナロアで採れる貝の方がずっと質がよい。貝ビーズの製作は基本的にランガランガと同じであるが、ここでは基本的に男性の仕事である。しかし研磨だけは女性の仕事と、ランガランガと対照的である（Malinowski 1922: 370－371）。

この大型のディスクを使った飾りは、貝を採る男とその妻の母系親族との関係維持のために使われる。妻の母系親族は男にヤムイモを収穫時に持ってくるので、彼は返礼の義務を負う。そのために首飾りを作るのである（ibid.: 372）。

内陸の男でも首飾りが必要になると海岸の村に来て食料を払って潜ってもらう。潜って採った男は加工も行う。これには数日かかるが依頼者は毎日お礼の食料を持ってくる。できあがると依頼者は首飾りをもらい、それを妻に渡すと、妻は自分の親族（兄）に、ヤムイモのお礼などの目的でこれを持ってゆく。

シナケタとヴァクタ島だけで作られる大きな貝ビーズは質が高いものとは認められなかったようで、クラ財宝となるもっと薄く小さなビーズは主にクラリングの南部、ロッセル諸島でクラの輪に載せられたようである（ibid.: 374, 507）。

さて本章の主題は貝ビーズであるが、クラの財宝のもう一方、腕輪ムワリについても見ておこう（Campbell 1983）。腕輪はクラの正式集団ではないカバタリア島とカイレウアでのみ作られる（Malinowski 1922: 502）。

男がイモ貝を採ったら妻の兄弟に贈与する。兄弟は返礼にヤムイモ、バナナ、ビンロウジの実、ブタなどを贈り、貝を自分で加工する。シナケタ村の貝ビーズの場合は採る人と加工する人が同じであるが、腕輪の場合、原材料は加工されずに贈与される。

製作過程では、まずとがった先端部などを打ち欠く。その未製品はアンフレット諸島に運ばれ、クラの贈与として残される。それを受け取った男は自分で磨き、その状態で今度はクラのときドブーに運ぶ。さらにドブーの男は穴をあけてウミウサギ、植物の種や貝ディスクをつないで装飾をして完成させる。完成した後、クラの大航海で運ばれる（ibid.: 503）。

4　移動しながら完成するビーズ製財宝

本章では、筆者の調査によるマライタ島ランガランガの貝ビーズおよび貝貨製作と、マリノフスキーらの調査によるクラ交換における貝ビーズの位置づけについて見てきた。さらに筆者は別途、ビスマルク・ニューブリテン島北岸の隣接集団間の民族誌に見える直線的交易システムにおいて、島の東端から来る貝ビーズが、黒曜石の産地である島中央までは黒曜石と逆向きに、また島中央部から西部にかけては黒曜石と同じ方向に交易され、最終的には海を越えてニューギニア本島まで長距離交易される状況を考察したことがある（後藤 二〇〇四）。

そこから見えてくるのは、①製作工程が貝ビーズというパーツの製作とそれを組み合わせた製品の完成という二段階になる。②貝ビーズは規格的であるので、ビーズの段階で、ビーズ単体ないし便宜的に紐に通された状態で流通しうる。したがって、③ビーズの製作者と製品の製作者が同じであるとは限らない。ランガランガで作られたと思われる貝ビーズを使った装身具をニューブリテン島のラバウル付近で筆者は観察したが、それを売っている人は貝ビーズの産地を正確には知らなかった。

さらにフィリピンの貝細工の事例からもいえることは（後藤 二〇〇一b）、④ビーズ製品は通常、多数のビーズを連結させるために、新しい要素が入る余地が大きい。⑤ただし、そのような新要素の導入に関しては、製作ルールの厳しい貝貨のように排除傾向がある場合と、装身具のように比較的寛容な場合の両極の間のどこかで対応がとられるということができる。

参照文献

後藤明　一九九六『海の文化史――ソロモン諸島のラグーン世界』未來社。

後藤明　二〇〇一ａ『民族考古学』勉誠出版。

後藤明　二〇〇一ｂ「フィリピン・ビサヤ海における手工芸生産――小規模経営組織に関する予備報告」『宮城学院女子大学人文社会科学研究所論叢』一〇、二九―五四頁。

後藤明　二〇〇二ａ「技術における選択と意志決定――ソロモン諸島における貝ビーズ工芸の事例から」『国立民族学博物館研究報告』二七（二）、三二五―三五九頁。

後藤明　二〇〇二ｂ「クラ交換の舞台裏――その物質文化的側面」『物質文化』七三、一―一六頁。

後藤明　二〇〇四「黒曜石の旅――民族誌に見るビスマルク諸島・ニューブリテン島産黒曜石の交易」『東南アジア考古学』二四、一―一八頁。

サーリンズ、Ｍ　一九八四『石器時代の経済学』山内昶訳、法政大学出版局。

マリノフスキー、Ｂ　一九八〇「西太平洋の遠洋航海者」寺田和夫・増田義郎訳、泉靖一責任編集『マリノフスキー／レヴィ＝ストロース』中央公論新社。

Belshaw, C. S. 1959. Changes in Heirloom Jewelly in the Central Solomons. *Oceania* 10: 169-184.

Campbell, S. F. 1983. Attaining Rank: A Classification of Kula Shell Valuables. In J. W. Leach and E. Leach(eds.), *Kula New Perspectives on Massim Exchange*. Cambridge: Cambridge Univesity Press, pp.229-248.

Connell, J. 1977. The Bougainville Connection: Changes in the Economic Context of Shell Money Production in Malaita. *Oceania* 43(2): 81-101.

Cooper, M. 1971. Economic Context of Shell Money Production in Malaita. *Oceania* 41(4): 266-276.

Goto, A. 1996. Lagoon Life among the Langalanga. In T. Akimichi(ed.), *Coastal Foragers in Transition*, Senri Ethnological Studies 42. Osaka: National Museum of Ethnology, pp.1-53.

Leach, J. W. 1983. Introduction. In J. W. Leach and E. Leach(eds.), *Kula New Perspectives on Massim Exchange*. Cambridge: Cambridge Univesity Press, pp.1-26.

Lewis, A. B. 1929. *Melanesian Shell Money in Field Museum Collections*. Field Museum of Natural History, Publications 268.

Malinowski, B. 1922. *Argonouts of the Western Pacific*. New York: Rougledge & Sons.

Paravicini, E. 1942-45. Über des Muschelgeld der südöstlichen Salomonen. *Anthropos* 37-40: 158-174.

Petri, H. 1936. Die Goldformen der Südsee. *Anthropos* 31: 509-554.

Quiggin, A. H. 1949. *A Survery of Primitive Money*. Strand: Methuen and Co. Ltd.

Raucaz, S. M. Rev. 1928. *In the Savage South Solomons*. Lyon: The Society for the Propagation of the Faith.

Woodford, C. M. 1908. Notes on the Manufacturing of the Malaita Shell Bead Money of the Solomon Group. *Man* 8: 80-84.

Ⅳ 地域文化の持続と変容
――ビーズからみた現代世界

第14章 東アフリカ牧畜社会の若者文化

ビーズにみる社会と文化の変容

中村香子

1 東アフリカの牧畜社会に開花したビーズ文化

東アフリカに広がる乾燥~半乾燥地帯には、ウシ、ヤギ、ヒツジ、ラクダなどの家畜を放牧しながら暮らしている牧畜民の社会が数多く存在している。たとえばケニアには、マサイやサンブル、レンディーレ、ポコット、トゥルカナといった牧畜民が暮らしているが、彼らは、それぞれに独特の装飾を身につけている。なかでもサンブルは、世界的によく知られているマサイと並んで、色鮮やかなビーズを用いた華やかな装飾を身につけている（口絵15、16）。

サンブルとマサイは、ともにマー語を話し、ウシに高い価値をおいている。この二つの民族には性別と年齢に応じて人々をグループ分けし、それぞれに特有の役割を付与する年令体系があり、「モラン（戦士）」と呼ばれる

写真14-1　1900年代初頭のマサイの女性（Spear and Waller 1993: xiii）

未婚の青年層が存在することも共通している。サンブルとマサイは、装身具も近似している。装身具はマサイやサンブルの人々を「伝統的」なアフリカの人々として強烈に印象づけるが、実はこのビーズはチェコ製である。ガラスビーズは一九世紀の終わりから二〇世紀初頭にヨーロッパからもたらされ、東アフリカの牧畜民たちを魅了した。本章では、サンブルを事例に、東アフリカ牧畜社会において華やかに開花したビーズ文化の趨勢を、様々な社会変容と関連づけながら概観する。

写真14－1は、一九〇〇年代初頭に撮影されたマサイの女性である。現在と同様に肩まで張り出した大きな皿形の首飾りをつけていることが確認できる。しかし、現在のマサイ女性の首飾りとの決定的な違いは、当時は真鍮の針金を渦巻き状に巻いて作られていたことだ。耳飾り、肘上と肘下の腕飾り、くるぶし上の脚飾りにもビーズは用いられていない。こちらも首飾りと同様に真鍮の太い針金が用いられている。

同じ頃、サンブルの女性がマサイと同様に真鍮の太い針金の首飾りを身につけていたことは、二〇〇〇年に私がサンブルで行ったインタビューで確認できた。インタビューは、その当時に生存していたサンブルの最高齢の年齢組、キレコ年齢組に所属する長老に対して行ったものである。その当時には、キレコ年齢組の長老はすでにほとんど死亡していた。彼は、キレコ年齢組の開始の一九二一年には幼すぎたため、年齢組に遅れて加入したという。このことから一九一〇年前後生まれであると推定された（表14－1）。彼は以下のように語った。

テリト年齢組のモランの時代が終わりに近づいた頃、ビーズというものが登場した。それ以前、首飾りの材料は真鍮だった。女性は、真鍮を輪にしたものを幾重にも重ねてつけていた。当時、白人は、われわれのウシと交換に現金を与えた。メリショ年齢組のモランたちはその現金でビーズを買い、娘たちをビーズで飾ることを始めた。ビーズは行商人が売っていた。われわれキレコ年齢組がモランのときには、娘の首飾りはすべてビーズになっていた。娘たちはみなビーズに夢中であった（二〇〇〇年採録）。

サンブル社会では、およそ一五年に一度、新たな年齢組が組織され、この年齢組がモランとなる（表14－1）。このため、人々の語りのなかに登場する過去の事象がいつであるのかは、その当時にどの年齢組がモランであったかを確認することによって比較的容易に特定することができる。上記の長老の語りには三つの年齢組が出てくるが、テリト年齢組がモランだったのは一八九三～一九一二年、続くメリショ年齢組は一九一二～二一年、その後のキレコ年齢組がモランだったのは一九二一～三六年である（Spencer 1965: 321）。この長老の語りによれば、一九一〇年頃からわずか一〇年ほどの間に女性の首飾りの材料は真鍮からガラスビーズへと変化したことになる。初期のビーズは「ソーミ（*soomi*）」と呼ばれた（表14－2）。首飾り

表14-1　サンブルの男性の年齢組名とその年齢組がモランだった時期

年齢組名	モランだった時期
テリト	1893～1912年
メリショ	1912～1921年
キレコ	1921～1936年
メクリ	1936～1948年
キマニキ	1948～1960年
キチリ	1960～1976年
クロロ	1976～1990年
モーリ	1990～2005年
キシャミ	2005年～

出所）筆者作成。

は白と赤、あるいは、白と濃紺のソーミを交互に組み合わせたものだった。ソーミは直径、長さともに五㎜程度の円柱状で、ビーズのカット面は平らであった。

サンブルの女性にとって重要なビーズがもう一つある。「ポロー（*mprro*）」と呼ばれる既婚女性の首飾りに用いられている赤い紡錘形のヴェネチアンガラスのビーズだ。このビーズもソーミとほぼ同時期、もしくは少し前にサンブルにもたらされたと考えられる（表14－2）。ポローは、長さ約一㎝、直系約〇・五㎝の紡錘形で、ビーズ研究者がwound white heartと呼ぶヴェネチアンガラスの赤いビーズである。ストレイト（Straight 2002）は、ポローは一九〇〇年には、サンブルもしくはサンブルに隣接して居住し、サンブルと頻繁な通婚関係のあるラクダ牧畜民レンディーレの女性によって身につけられていたことが確認でき、サンブルの女性たちに好まれ続けたが、一九三〇年以降に入手困難となったと記述している。写真14－2は一九五九年にサンブルで撮影されたものだが、多くの女性が皿型のビーズの首飾りの上にポローをつけている。ポローは赤いガラスビーズそのものを指すが、これを用いて作られた首飾りもポローと呼ばれる。この首飾りは、キリンの尾もしくはドームヤシの繊維にビーズを通したものを輪にして重ね、ヒツジの皮をなめして作った革紐で束ねて作られている。顎の下から胸の中央部分にかけて赤いガラスビーズが縦に並ぶ。まさにポローの一粒一粒を美しく際立たせるようなデザインの首飾りだ。女性が嫁いでいくときに必ず身につけていくものであり、サンブルの花嫁衣装の最も重要なものの一つである。写真14－2の女性たちは真鍮の渦巻き状の耳飾り、右手首にはアルミの腕飾り、さらにポローをつけていることから、既婚女性であると考えられる。

腕飾りや脚飾りの素材が真鍮からビーズに変わるのには、首飾りよりももう少し時間がかかった。二〇〇〇年の時点では、高齢のサンブル女性は真鍮の耳飾りと腕飾りをまだ身につけていたが、若い女性たちは、それらに

表14-2　サンブル女性の首飾りと社会変化

年代	素材	形	ビーズの大きさ	ビーズの色	ビーズと社会変化
1900年以前	真鍮	皿型／輪	—	—	—
1910～45年	ガラスビーズ（ソーミ）	輪	大（円柱形）	赤／白、濃紺／白	モランが未婚の娘との恋人関係の成立のために与える首飾りの材料として一気に普及。植民地政府に家畜と交換に与えられた現金で購入。1936年以降、植民地政府による没収により消失
	ガラスビーズ（ポロー）	ポロー	大（紡錘形）	赤	結婚衣装として重要。1930年代まで入手可能。欧米向けの売却用に行商人に買い占められ、2000年までにかなり消失
1945～70年	ガラスビーズ（キペレン）	皿型／輪	中	赤・黄・青・紺・緑	ソーミに代わって登場。家畜・バターの売却で購入
1970～90年	ガラスビーズ（シードビーズ）	輪	小	赤・緑・青	キペレンに代わって登場。家畜の売却、出稼ぎで得た現金で購入
1990～2005年	ガラスビーズ（シードビーズ）	輪	小	ほぼ赤	家畜の売却、出稼ぎで得た現金で購入
		皿	小	多色（赤白黒オレンジ黄水色緑）	
2005～18年	ガラスビーズ（シードビーズ）	皿	小	多色（赤白黒オレンジ黄水色緑）	学校教育の普及により首飾りの授受による恋人関係は消失。つけたりはずしたりできる皿型の首飾りが主流となり、取り外し不可能な輪型の首飾りはかなり消失

出所）筆者作成。

写真14-2　1959年のサンブルの既婚女性（ポール・スペンサー撮影）

ついて「重すぎる」とか「遅れている」と言い始めていた。肘上から二の腕部分に巻き付ける真鍮の腕飾りは、首飾り同様に女性を美しく見せるための重要な装身具であったが、学校教育の普及などの近代化の影響を受けて、腕飾りが腕に食い込み肌に跡が残ることが「よくない」と考えられ始めていた。また、真鍮の渦巻き状の耳飾りは「既婚女性」であることを示す重要な装身具であったが、これに代わって、ビーズに針金を通して輪状にした耳飾りが誕生し、若い既婚女性たちはこちらを好み始めていた。移行期間には、ビーズの輪状の耳飾りに小さくて軽い真鍮色のリングをつけていたが、次第に真鍮は消えてビーズの輪状の耳飾りが「既婚女性」を示すものに変化した。女性の真鍮の腕飾りは、ビーズのバングルにとって代わられ、様々な色のビーズのバングルを組み合わせてつける人が増加した。

2 アイデンティティの表示と出来事の記憶

二〇世紀初頭にヨーロッパからもたらされたビーズは、マサイやサンブルを含む多くの東アフリカの牧畜民の間に華やかなビーズ文化を開花させた。このことは、この地域の民族間の境界が、この時期に強固で排他的になっていったことと関連している（Klumpp and Krats 1993: 197）。東アフリカの牧畜民は大規模に移動しながら、民族間の対立関係や同盟関係を絶えず更新しつつ、民族としてのまとまりをつくりあげてきた。そのなかで彼らは、相互に似通いながらも明確に異なる「民族衣装」をビーズを用いて創出し、それを身につけることで、民族間の境界を明確化し、民族アイデンティティを強化していったのだと考えられる。彼らにとって、ビーズは色の組み合わせや作り出すモチーフに無限のバリエーションがあり、簡単に差異を作り出すことができる魅力的な素材だった。そして、同時期に浸透した現金経済は、彼らが競うようにしてビーズを買い求め、それによって、多彩で多様な装身具を生み出し続けることを強力に後押ししたのである。

では、具体的に人々はビーズをどのように用いているのだろうか。誰が何のためにビーズを購入し、誰がそれを身につけるのか。また、色やデザインにどんな意味をもたせているのか。サンブルを例に、ビーズが担っている役割を見ていこう。

最も重要なビーズ装飾の役割の一つは、ライフステージの表示であろう。年齢体系とは、年齢や世代を指標として社会の成員をグループ分けし、それぞれに固有の社会的役割を与えるもので、多くの東アフリカの牧畜社会には、それぞれ固有に発達した年齢体系が見られる。サンブルの年齢体系では、人々は「年齢カテゴリー」に分類される。男性は、生まれてから一五～二五歳で割礼を受けるまでは「少年（ライエニ）」、割礼を受けてから三〇～四〇歳で結婚するまでは「モラン」、結婚後は「長老」と呼ばれる。一方、女性は生まれてから一五～二五歳で割礼を受けて結婚するまでは「少女（ンティト）」、結婚してから約二〇年は「ントモノニ」、それ以降は「ンタサット」と呼ばれる。女性は、従来は結婚と同時に割礼を受けていたが、近年では、未婚時に割礼を受ける女性が増加しており、こうした女性は「スルメレイ」と呼ばれる。装身具は、その人がどの年齢カテゴリーに所属するのか、すなわち、どのライフステージにいるのかを示す役割を担っている。

それぞれの年齢カテゴリーにはそれに応じた役割と行動規範が規定されている。少年は少年らしく、モランはモランらしく、長老は長老らしくふるまうことはとても重要である。自らの年齢カテゴリーらしくふるまうことは、彼らの道徳を支える柱となっているばかりでなく、民族のアイデンティティとも強く関連づけて語られる。たとえば、自らの所属する年齢組のモランの時代が終わり、同じ年齢組のほかのメンバーが結婚をして長老になっているにもかかわらず、いつまでも結婚しないでいる男性は、もうモランとは呼べないが、長老になることもできない。彼は、いるべき場所にいない「迷子」になってしまった人として厳しい批判の対象になり「サンプルではない」と誹られることもある。「らしくふるまう」ことが重要とされているということは、つまり割礼と結婚を境に「少年からモランになる」あるいは「モランから長老になる」という変化が一つの年齢組に属する男性すべてに一気に訪れることが望ましく、そのコントラストが明確であることが「美しい生き方」とされている。

身体装飾はこの変化を劇的に演出するうえでとても重要である。たとえば割礼を間近にひかえた少年たちは、炭で真っ黒に染めた衣装をまとい、モランになると、今度は赤い染料で全身を染め上げ、そのうえに色とりどりのビーズの装身具を身につける。「モランとなって初めて人間になる」とも表現されるが、モランになった男性は生まれ変わったかのように、これまでとはまったく異なる行動規範で生きていく。多くの少年たちがいっせいにモランになる姿は、黒から赤への身体の色の変化の強烈なコントラスト、そしてその赤い身体を色とりどりに彩るビーズの装身具によって演出される。そのさまは、さなぎが蝶になって次々に羽ばたき出すかのように美しく鮮やかである。

モランでいる間、男性はビーズの装身具で身を飾り、赤く染めた髪を伸ばす。結婚して長老になると、ほぼすべての装身具をはずし、長髪を切り、少年時代のような地味な装いに戻る。サンプルの男性のなかで、モランだけがビーズで全身を派手に身を飾ることが許されている。少年と長老は、お守りとしてビーズの首飾りをつけることはあっても、モランのようにビーズを多用した装飾を身につけることは「らしくない」ことであり、よくない態度とされる。

モランはまた、女性の装飾においても重要な役割を演じてきた。モランは未婚の娘と社会的に認められた恋人関係を結ぶが、その際に娘に大量のビーズを与える。サンブル社会は八つのクランに分かれており、クランが外婚単位となっているが、この恋人関係は同じクランのなかで結ばれる。すなわち、この恋人関係は結婚には結びつきえない独特の関係である。前述のインタビューでは、キレコ年齢組の長老が「（前略）われわれキレコ年齢組がモランのときには、娘の首飾りはすべてビーズだった。娘たちはみなビーズに夢中であった」と述べていたが、これは、恋人関係を成立させるためにモランがビーズを購入して娘に与えたという意味である。それ以前の、首飾りが真鍮だった時代にも、娘の首飾りは恋人であるモランが用意するものであったが、ビーズがもたらされて以降、すべての年齢組のモランたちは競って大量のビーズを購入して自分の恋人たちをビーズで飾ってきた（中村二〇〇四）。

キレコ年齢組がモランであった時代は、娘の首飾りが真鍮からビーズに変わったばかりの頃だったこともあり、それを身につける娘たちは新しく目にも鮮やかなビーズに夢中になっていたことだろう。そしてそのビーズを調達し、娘を美しく飾る役割を演じていたモランたちもまた、それを非常に誇らしく感じていた。当時の植民地行政官の記録にも、こうした様子が窺われる。この植民地行政官はモランという存在について、暴力で近隣民族から家畜を奪ったり、絶えず仲間同士で諍いを起こしたりする問題の多い不必要な存在であると嘆き、キレコ年齢組の次のメクリ年齢組の時代には、モランを早期に結婚させることによってモランという存在を消滅させようとした（ケニア公文書館所蔵の Annual Report 1936, Laikipia－Samburu District に詳述）。モランは、集まって士気を高める歌を歌って戦いに行くが、こうしたモランの勇敢さを褒め称える歌を、大きなビーズの首飾りをシャンシャンと鳴らしながら歌う娘たちがモランの問題行動を助長させていると考えた植民地行政官は、モランからは槍を、娘たちから首飾りのソーミを没収した。この圧力によって、メクリ年齢組がモランの時代は異例の早さで終わった。当時の様子をサンプルの一人の長老女性は以下のように語った。

メクリ年齢組のモランはソーミを娘たちに与えた。しかし、『白い政府（植民地政府）』はモランが娘にビーズを与えることを禁止した。店や行商人にはソーミを売ることを禁じた。彼らはすべての家をまわり、娘の首からソーミをとって行った。当時私はまだ幼く、モランからビーズをもらっていなかったが、母が私の首につけてくれたわずかなソーミ（母が娘時代に恋人であったメリショ年齢組のモランにもらったものの一部）でさえ彼らはとって行った。ソーミはサンプルから消えてしまった（一九九九年採録）。

しかし、植民地政府の意図したようにはいかなかった。メクリに続くキマニキ年齢組のモランたちは、今度は「キペレン（*kiperen*）」と呼ばれるビーズを競って買い求め、これを娘に与えて恋人関係を結んだ（表14－2）。キペレンは赤、緑、青、紺、黄の五色があり、ソーミよりも少しだけ粒が小さく、直径、長さともに三～四㎜のビーズであった。女性たちは、写真14－2のようにそれぞれの色ごとに輪を作り組み合わせて皿型の首飾りにしたり、ばらばらの輪を幾重にも重ねて首につけたりしていた。キマニキに続くキチリ年齢組の時代の終わり頃になると、モランが娘に与えるビーズは、キペレンから「シードビーズ（seed beads）」へと変化した。シードビーズはキペレンよりもより粒が小さく、直径三㎜、長さ二㎜ほどで、チェコ製である。中国やインド製のものが安価で流入したこともあったが、耐久性と穴の大きさの均一性という点において抜きん出ていたチェコ製が、高価であるにもかかわらず選ばれた。シードビーズはキペレンよりさらに色の種類が多いが、人々はすべての色のなかで赤を最も好むようになり、モランたちは、娘にビーズを与えるときに、赤のビーズを買い、緑をほんの少しそれに添えるようになった。二〇〇〇年前後に私が観察したモーリ年齢組のモランたちは、恋人関係を結ぶために約五kgのチェコ製の赤いシードビーズを娘に与えていた。一部の人はこれに五〇〇gの緑を添えた。このビーズに針金を通して完成するのは一〇kgを超える巨大な赤い首飾りだった。娘たちはとても誇らしげにそれを身につけていた。

ソーミが植民地政府の没収によって消え去った後に登場した新しい種類のガラスビーズ、キペレンは五色と多彩で、ビーズは首飾りだけでなくお守りにも用いられるようになった。お守りには、緑と青、紺が選ばれた。サンブルの人々はこれらの色を「神の色」としたのである。サンブルの神は空にいると考えられている。青と紺は空の色、神がいる場所の色である。また、サンブル語で神は*nkai*というが、この語には「雨」という意味もある。「雨が降る」とは神が地上に降りることである。乾燥地であるサンブルでは、神が地上に降りると大地は緑の草で満たされ、牧畜民の命を支えている家畜は食べ物を得て豊かに肥えて、たくさんのミルクを人間に提供してくれる。大地の緑は豊かさの象徴であり、神が地上に降りたときの色である。人々は特別な願いごとをするときに、幾重にも重なる首飾りのビーズのなかから一筋の緑を選んで、それを握りしめながら神に対して祈りの言葉を発する。子どもの誕生や割礼などの重要な儀礼に使われる特別な装身具も「神の色」で作られる。

前述したように、モランが娘にビーズを与えることによって成立する恋人関係は、クランの内部で結ばれるため、二人は結婚することができない。女性は異なるクランの男性と結婚し、自分の生まれたクランを出ていく。結婚式は女性にとって、恋人や家族、そして自分自身のクランとの別れのときであり、同時に、夫となる人の所属するクランの人間へと生まれ変わるときでもある。女性は恋人からもらった大量のビーズの首飾りを身につけたまま嫁いでゆき、嫁ぎ先では、首飾りの一部をほどいて新しく家族になった女性たちにビーズを少しずつ贈与したり、自分に娘が生まれれば、首飾りからビーズをとって小さな首飾りを作ってやる。通常、娘は四〜五歳で最初の首飾りを母に作ってもらい、その成長にあわせて、母は少しずつビーズを足してやる。その娘に恋人ができれば、今度は恋人が彼女を飾る役を担うのである。

幼い頃、母親が自らの首飾りからビーズをとって作ってくれた小さな首飾りを、女性たちはたいてい首飾りの一番首に近い内側につけているが、このビーズには、母が祖母からもらったビーズも含まれている。すなわちそれは、母の恋人が母に与えたもの、あるいは祖母の恋人が祖母に与えたものである。女性たちは自分が身につけている首飾りのビーズ一粒一粒について、それをどのように入手したのかを驚くほど明確に記憶している。そして、それがもともと、どのクランのどの年齢組の男性がモランだったときに祖母あるいは母に与えたものであったかということに言及し、そのビーズの粒をそのクランと年齢組の名で呼びながら、自分と自分の恋人の思い出、母から聞いた母が娘時代の思い出、そして祖母が娘だった時代の話をとうとうと語り出すのである。

一人のサンプル女性の首飾りのビーズは、自分が未婚時代に同じクランに所属する恋人から贈与され、それを身につけて別のクランへと移動することで、クランからクランへとサンプル社会を横に移動する。そして、母から娘に受け継がれたビーズは、クランからクランという横の移動に加えて、時の流れとともに形成される年齢組という縦の歴史もつないできた。首飾りのビーズは、そのような広がりと奥行きをもちながら、個人の人生を彩る物語の記憶装置としての役割を担ってきたのである。

3 現代的な展開

写真14-3　サンブルのモランの装身具の変化（左は1959年、ポール・スペンサー撮影。右は2016年、筆者撮影）

近年の学校教育の急速な普及は、女性のビーズとの関わり方に大きな変化をもたらした（表14－2）。ビーズを授受することで成立するモランと未婚の娘の恋人関係は、一九七〇年代までは、ほとんどの人が経験していたが、キシャミ年齢組の時代にはほぼ消失した。学校では、ビーズをつけて通うことが禁止されており、学校に通う女性はビーズの首飾りを身につけることはない。ビーズをつけることは学校教育を受けることの拒絶を意味し、同時に学校に通う娘たちはビーズを身につけることを「遅れた」生き方の象徴であると考えるようになった。二〇〇〇年前後には、サンブル女性の生き方は、「ビーズ」か「学校」か、という二者択一となっていた。

一方、男性は、学校教育の経験の有無にかかわらず、女性よりも柔軟にビーズと付き合っている。ふだんは制服を着て学校に通っているモランも、休暇中は全身にビーズをつけてモランであることを楽しむなど、二者択一的な態度にはなっていない。彼らのなかには、出稼ぎ先で観光業に参与することを通して、装身具を観光客に賞賛されたり、それを商品として販売したりする経験をもつ者も少なくなく、自らの文化を客観視する機会を女性よりも早期からもってきた（中村 二〇〇七）。写真14－3は、一九五九年のモラン（キマニキ年齢組）と二〇一六年のモラン（キシャミ年齢組）である。サンプルのモランの装身具は年齢組をおうごとに種類が増加し、モーリ年齢組とキシャミ年齢組の時代には、とくに材料に使われるビーズの量が増大し、多色化を極めた。こうした変化が女性にも見られるようになったのは、キシャミ年齢組の時代が終わりに近づいた頃である。女性への学校教育はさらに普及し、ビーズを身につけない未婚の娘はさらに増加する一方、学校教育を受けた女性も結婚後は、取り外し可能な皿型のビーズを買い求めて、友人の結婚式や教会に行くときの晴れ着として積極的に身につけるようになった。同時に、女性の皿型のビーズも男性のビーズ装飾同様に多色化が進み、取り外しができない赤一色の輪のデザインは消失する傾向にある。

本章では、東アフリカ牧畜社会に開花したビーズ文化の趨勢をサンブル社会を事例として見てきた。ビーズ装飾は、民族や年令体系における地位のアイデンティティと強く結びつけられてきた。現在、様々な社会変化のなかで、人々は装身具のもつ意味、そして色使いやデザインを変化させながら、取り外しのできる「民族衣装」としてのビーズ装飾を軽やかに利用し始めている。つけたりはずしたりが可能となったビーズ装飾は、集団のアイデンティティから、個人のアイデンティティをも示すものへと変化しているということができるだろう。ビーズは布と異なり、すり切れたり色褪せたりしない。ほどいて組み合わせや模様を変えることで容易に差異や新しさを創出できる。こうしたビーズのもつ廃れない美しさに人間は魅了され続けてきた。そして、その美しさは、人間が自分自身であることの誇りを強化し続けてきたのである。次世代のサンブルのモランと女性たちが、今後、ビーズとどのような付き合い方を展開していくのかに注目したい。

参照文献

中村香子　二〇〇四「『産まない性』——サンブルの未婚の青年層によるビーズの授受を介した恋人関係」田中二郎・菅原和孝・太田至編『遊動民』昭和堂、四一二—四三八頁。

中村香子　二〇〇七「牧畜民サンブルの『フェイク』と『オリジナル』——『観光の文脈』の誕生」『アジア・アフリカ地域研究』六（二）、二四—四六頁。

Klumpp, D. and C. Kratz 1993. Aesthetics, Expertise, and Ethnicity: Okiek and Maasai Perspectives on Personal Ornament. In T. Spear and R. Waller (eds.), *Being Maasai: Ethnicity and Identity in East Africa*. Nairobi: East African Educational Publishers, pp.195-221.

Spear, T. and R. Waller eds. 1993. *Being Maasai: Ethnicity and Identity in East Africa*. Nairobi: East African Educational Publishers.

Spencer, P. 1965. *The Samburu: A Study of Gerontocracy in Nomadic Tribe*. London: Routledge & Kegan Paul (reprinted in 2004).

Straight, B. 2002. From Samburu Heirloom to New Artifact: The Cross-cultural Consumption of Mporo Marriage Beads. *American Anthropologist* 104(1): 7-21.

第15章 台湾原住民族の文化の多様性

ビーズにみる過去と現在

野林厚志

1 台湾原住民族とビーズ

台湾の人口の約三%を占めるオーストロネシア系の先住民族の台湾原住民族（以下、原住民族）は、言語や社会関係、慣習や信仰、物質文化やアイデンティティの違いに基づき、現在一六の民族集団が公的に認められている。その大部分は台湾の中央山脈から東、南部にかけて居住し、狩猟活動や焼畑農耕を主な生業としてきた。日本の植民地時代には慣習的な生活がある程度継続していたが、第二次世界大戦後は貨幣経済の浸透とともにその生活は大きく変化していった。

一九八〇年代の後半から原住民族は先住民族としての位置づけを台湾社会に求める運動を展開した。その主張は土地権や文化の権利に関わるものであった。原住民族が土地権を主張する場所は伝統領域と呼ばれ、その多くは山間地域に所在し、慣習的な生業活動や儀礼活動が行われることが多いことから、原住民族文化は自然との深い結びつきが強調されることが少なくない。一方で、原住民族社会は閉じたものではなく、民族間、外部社会との相互交渉が歴史的に繰り返されてきた。

こうした、自然と人間、人間同士をつなぐ物質文化の一つがビーズである。原住民族は様々な自然資源をビーズの素材として選ぶと同時に、対外的な交渉を通じ、周囲の環境からは得られない素材やビーズそのものを入手してきた。そして、新たな意味をビーズやそれを使った装飾品などに与えてきた（口絵38〜40）。

本章では、台湾原住民族の人々が使用してきたビーズを、同一形状のものの一部を穿孔し、糸や紐状のもので連結させたものと広く捉え、それらを素材と社会的機能の両面から解説したうえで、原住民族の創造力と想像力について考えてみたい。それは、自然資源を文化に取り込む人間（ホモ・サピエンス）の力を考えるうえで重要な示唆を与えるものと思われる。

2 様々なビーズの素材――動物、植物、プラスチック、石、金属

台湾原住民族は実に様々な素材をビーズに用いてきた。それらは、おおむね、動物、植物、石、金属の四つに大別できる。

動物

動物に由来する素材で比較的よく用いられるのが哺乳動物の歯牙と貝殻である。

哺乳動物の歯牙はそのままの形で穿孔されて使われることが多い。シカの門歯、イノシシやクマ、イヌの犬歯、ヒトの切歯や臼歯を連結させたり、ガラスビーズの間にこれらをはさんで連結させたりすることも少なくない（写真15－1）。また、イスズミのような大型海水魚の椎骨も用いられる。貝殻では、イモガイの螺層部の最大径の部分を円盤状に切り取ったもの、オウムガイの模様が表面に出るように角板状に切り取ったもの、種類はあまり問わず貝殻を直径数㎜程度の円盤状、円筒状に仕上げたもの、巻貝をその形態を活かすように、一部を穿孔し使用する例がある。

歯牙や貝殻は穿孔のために加工は必要になるものの、形態的に安定しており、長期間の保存が期待できる。一方で、いわゆる軟部組織もビーズのように用いられることは少なくない。毛がついたイノシシの尾や皮がガラスビーズの間にはさみこまれたり、ヤギの毛をよりあわせたものが連結された装身具がある。また、他の地域にはなかなか見られないものとして、スズメバチの頭部をつないだ腕飾りが作られるほか、センザンコウの鱗も素材として用いられている。

写真15-1　タイヤル族の首飾り（国立民族学博物館蔵K3755、筆者撮影）

植物

植物に由来する素材で、原住民族の間で共通して使用されるのがジュズダマである。ジュズダマは一連で連結される場合やスペーサーを使用して多重に連結させた使い方が見られる。そのほかにトウアズキ、モダマ、キバナキョウチクトウの種子もビーズの素材となる。固い殻をもつ種子以外では、カミヤツデ、セキショウ（石菖）の茎を長さを切りそろえ連結させた飾りが見られる。

種子殻や乾燥させた草本は一定期間の使用が期待される。一方で、生花や乾燥させていない葉や蔓をビーズのように利用する例も見られる。生花や葉はもっぱら冠状に連結させたものを、儀礼や婚姻の際に使用することが多い。

また、植物の利用で重要なことは、それらがビーズ本体として利用されるだけでなく、ビーズをつなぐための紐に用いられてきたことであり、伝統的には苧麻（からむし）を撚り合わせた繊維が用いられてきた。

プラスチック

プラスチックは広義の動植物由来の素材に入るかもしれない。ただし、これらはいったん別の製品が作られたものが再利用されたものが多い。言葉を変えれば、外部の文明社会が生態資源から作ったものを原住民族の人たちが文化のなかに取り込んだと説明できるかもしれない。

プラスチック製品でビーズのような使い方をされる代表的な素材がボタンである。使用されるボタンにある特徴がある。それは、白くて直径が一cm前後、そして四穴が多いということである。四穴のボタンを使用する理由の一つは、それらを横並びで固定する際に、四穴を十字に交差させるようにして糸を通していくと十字が並ぶ模様ができるからである。こうしたボタンのなかには、第二次世界大戦前によく使用された、動物の乳から作られる乳白色のカゼインボタンが含まれることがある。

石と金属

原石を加工して使用するカーネリアンや瑪瑙、加工生産品となるガラスビーズが石を利用したビーズの代表である。カーネリアンや瑪瑙を使用するのはもっぱら東海岸のアミ族と、島嶼部に住むヤミ族の二つの集団である。金属製品では、パイワン族の衣装につけられる銀や銀に似せた合金を装飾用にかたどりをしたもの、アミ族やプユマ族の女性の腰帯につける黄銅色の丸鈴や青銅製のクラッパーベル、また、中国や日本の古銭がそのままの形で首飾りや装身具として用いられることも多い。

冶金技術やガラスの製作技術は原住民族社会にはもともとは発達していなかったと考えられることから、こうした鉱物や金属を素材としたビーズはおおむね外部社会から導入されたものと考えてよい。原住民族各集団で使用されている素材や、ビーズの形態が異なることは、各集団が外部集団とそれぞれ異なる交渉があったということを意味している。それは時代によって変化しうることでもある。

このように、社会に存在するビーズを素材から見ていくと、台湾の原住民族は周囲の自然環境のなかからビーズに適した素材を取り込むとともに、交易などを通して外部社会から入手や製作が不可能な物質を取り込んでいることが理解できる。つまり、原住民族のビーズは生態学的資源と文明的物質の両方から構成されているといえるであろう。

3 ビーズの社会的機能

ビーズはそのままの状態では社会的な機能や意味はあまりもたない。連結されたうえで、それをもつべき人物がもつことによって、何かしらの意味づけがなされていく。台湾の原住民族のビーズ製品がもつ意味は大きく分けると、信仰、社会関係、財に関わっている。ただし、特定のビーズが特定の機能を常に有するとは限らないことには留意しておく必要がある。基本的にビーズの果たす役割は、それを所有する個人の何らかの属性を他者に示すということであり、特定の意味を示す役割が徐々に失われてしまい、装飾としての機能が強まる場合も少なくない。一方で、こうしたビーズの基層的な機能に関する記憶が時代をこえて呼び起こされる場合もある。つねに、その時代の社会的な脈絡のなかでビーズが果たしている役割があることを知っておく必要がある

信仰とビーズ

信仰に関わるビーズの機能としてあげられるのが護符である。見えない邪悪なもの、邪視から身を守るものとしてビーズが使用され、とくに子どもに身につけさせる場合が少なくない。

タイワンオオスズメバチ（台湾大虎頭蜂、*Vespa mandarinia*）の頭部を苧麻の糸でつないだものを護符として作り用いていきたのはタイヤル族である。タイヤル族は台湾の北部から中部にかけての山岳地域に住み、狩猟や焼畑農耕を生業としてきた人々である。

中大型で人間にとって脅威となる台湾の哺乳動物はクマとイノシシである。この二種はタイヤル族を含め原住

民族の格好の狩猟対象獣となってきた。捕獲には危険が伴うため、クマやイノシシを数多く捕獲した者は優れた狩猟者として、他者から敬意をはらわれることが少なくない。しかし、どう猛な野生動物とはいえ、これらは狩猟で捕らえることができる。ただし、オオスズメバチが群れで襲ってきたときは立ち向かう術がないとされている。ある意味では、オオスズメバチは最も恐ろしい野生生物である。それゆえ悪霊にも打ち勝つ強い力をもつと考えられ、オオスズメバチの頭部を連結させた腕飾りや首飾りが護符として使用される（写真15－2）。

山間部の耕作地で農作業をする生活が日常的だった時代、ゆりかごのなかに赤ん坊をいれて仕事に連れて行くことが多かった。外の世界には赤ん坊の命を脅かす邪悪な霊が潜み、子どもが泣き出しなかなか止まらなくなるのは、こうした霊が子どもに取りつこうとするからであり、子どもの首や腕にオオスズメバチの頭部の飾りをかけることで、悪霊から守ることができると考えられていた。

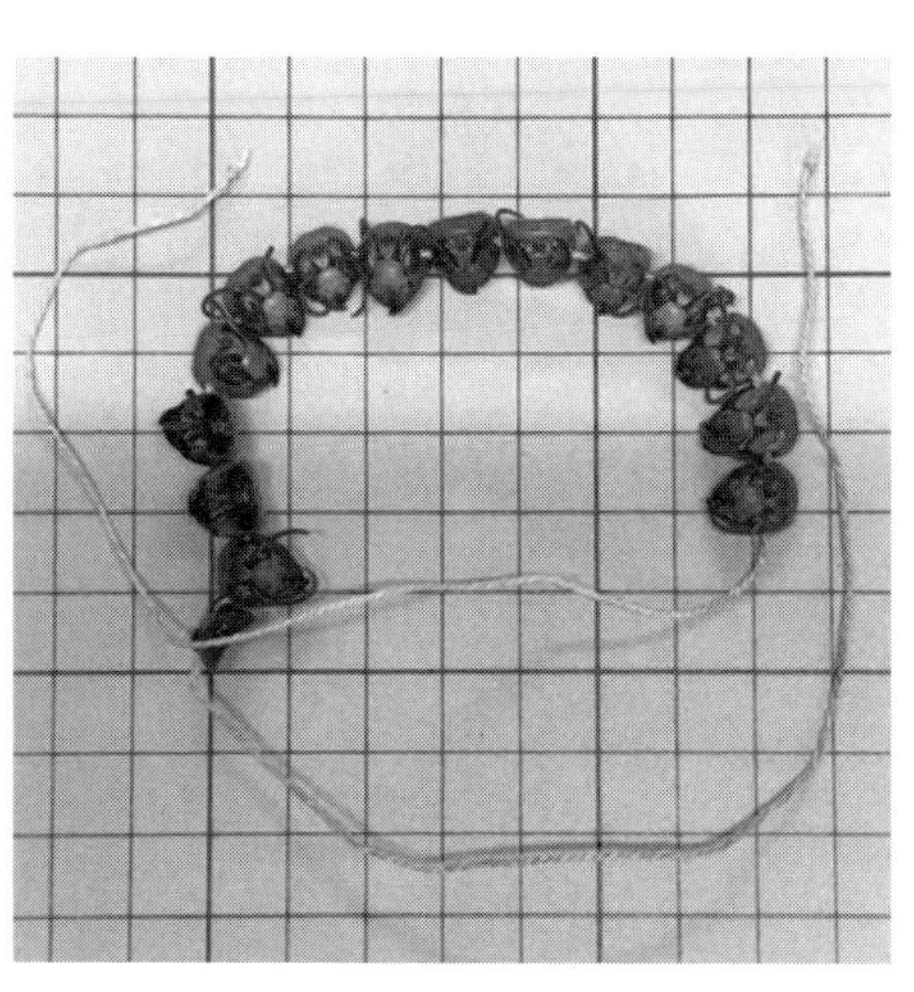

写真15-2　オオスズメバチの頭部を使った乳児用護符（個人蔵、筆者撮影）

原住民族社会には第二次世界大戦後にキリスト教が浸透し、そうした邪悪な霊の存在に肯定的でなくなったが、キリスト教の洗礼を受ける前の乳児にはキリスト教の教えが必ずしもあてはまるわけではなく、現在でもこの護符は洗礼前の子どもには効果があると解釈されている。

タイヤル族や、非常によく似た慣習をもつセデック族、タロコ族に隣接しながら、異なる言語や社会組織をもつブヌン族は、子どもの護符として、セキショウ（*Acorus gramibeus*）

の茎を切断したものを連結させて作ったビーズを使用している。ブヌン族は他の原住民族よりも高い地域にその居住分布域を広げていた集団であり、山岳地域の森林で使用する特別な山言葉や、動植物に対する呪術的な同一性を認める点において、他の原住民族集団とは異なる自然観を有することで知られてきた。

ブヌン族がセキショウの首飾りを使用するのは、子どもの名づけの儀礼を行うときである。セキショウは強い芳香を有し、精油成分には鎮静、健胃作用などが認められており、高熱時の意識障害や小児のひきつけなどに使われる漢方の一種でもある。ブヌン族はセキショウをよいことをもたらすと同時に、子どもの邪視除けにも有効であると考えており、とくに香りの効力が強く意識されている。

財としてのビーズ

原住民族のビーズには、それ自体が貴重な財である場合と、豊かさを象徴する場合とがある。

ビーズ自体が財となる例の一つが、タイヤル族の貝製ビーズが全面に縫いつけられた衣服である（山田 二〇一五、尤瑪他 二〇一五）。原住民族の社会では首狩りの慣習が存在した。首狩りが発生する理由は様々であるが、それに何度も成功した男性は社会のなかで賞賛を受けることが少なくなかった。タイヤル族社会では首狩りも含め、成人男性として満たしておかなければならない条件を満たし、それ以上に秀でた能力があると認められた場合に、貝製のビーズを連結させたものを全面に縫いつけた袖なしの上衣（口絵39）を着用することが認められていた。貝の種類はタイヤル族の間ではシャコガイを材料としてきたと伝承されており、タイヤル族自身がビーズを制作するのではなく、平地に居住しているアミ族が作るビーズを交易などによって入手して利用していたとされている。このビーズの製作は容易ではないことから非常に貴重なものとして扱われており、ビーズ鎖を縫いつりた布は貨幣としても機能していた。それを集めて衣服に縫いつけたものが先述した袖なし上衣である。

豊かさを象徴的に示すビーズ製品の好例としては、ヤミ族の男性が身につけるブタの犬歯を連結させた首飾りをあげることができる。

ヤミ族は台湾本島から東の海上に数十km離れた蘭嶼島に住んでいる原住民族の一集団である。台湾本島の原住民族の行っているような首狩りの習慣はなく、漢族との日常的な接触も相対的には少なかった原住民族である。ヤミ族の社会には共同体全体をまとめるような首長は存在しておらず、年長者を敬う習慣はあるものの、基本的には地位の差が生じるような社会関係は存在しない。こうしたヤミ族社会の規範を作るきっかけとなるのが家屋や漁撈用の船の落成式である。

これらの落成式ではアメリカ北西海岸先住民が行うポトラッチに似た散財が行われる。親戚や友人をはじめ、落成式の参加者には主食であるサトイモや、長い年月をかけて飼養した家畜のブタやヤギの肉が大量にふるまわれる。落成式の規模は主催者の経済力や人脈を反映し、それが社会的な実力として認められる。落成式でと畜したブタの犬歯は連結され男性の装身具に用いられる。犬歯の数は屠ったブタの数を示し、落成式の規模やそれをどれだけ重ねてきたかを示すことができるのである。

社会関係とビーズ

ビーズが社会的地位を示す典型的な例がパイワン族のガラスビーズである（許 一九九二、蛸島 二〇〇五、尤瑪他 二〇一五）（写真15－3）。パイワン族は台湾の南部に居住してきた約九万人余りの二番目に大きな原住民族集団である。パイワン族社会の特徴は首長および貴族と平民とに分かれる階層社会で、同様な階層は隣接するルカ

イやプユマにも見られるが、パイワン族は長子であれば男性でも女性でも首長の地位を継承できる点において独特である。

首長および貴族の優位性はもっぱら呪術的な部分にあり、重要な儀礼をとり行うことができるのは首長や貴族の成員に限られている。また、首長は共同体をまとめたり、再分配したりする役割を果たすことが求められる一方で、貴族や平民はアワなどの収穫物や狩猟で得た獲物の一部を首長に税としておさめる慣習を有してきた。

首長や貴族はその地位や権威を示し、維持していくための手段として、日常の生活では入手しにくいものを希少財として所有してきた。ガラスビーズはそうした希少財の一つである。パイワン族の成員にとって、ビーズとはそれを所有するべき人間がもっていなければいけないものである。たとえば、首長や貴族が所有するビーズと平民がもつことが許されるビーズの間には、模様や形状の差異がみとめられる。波状に様々な色の模様が全体に入ったビーズはミリミリダンと呼ばれ、最も高貴なビーズとされ、首長層の成員がもつことを許されていた。同じように首長がもつことを許されていたビーズには、祖先という意味をもつ、同心円の模様が入った「眼の玉」や方形状に異なる模様を組み込んだ「土地の玉」などがある。地上で粟を炊いたところ、その煙が太陽までのぼ

写真15-3　パイワン族の多様な意味をもつビーズ。左から、1）繊維：巧みな技能、器用さ、2）月の歯：純潔、3）蜻蛉の目：高貴、神の恵み、美徳、4）太陽：首長、高貴、5）手脚：洗練した技術、聡明、6）眼：伝統、祖先、7）孔雀：変わらない愛情、8）櫛：整然の美、9）勇士：勇気、戦いの誉れ、10）土地：財産、豊かさ、11）太陽の涙：永遠、高貴、12）蝶の蛹：勤勉、仕事に励む（個人蔵）

り、太陽の眼に煙が入ったため、太陽がぽろぽろ涙を地上に落とし、それがビーズになったという言い伝えのある「太陽の涙」は、貴族層が身につけてもおかしくないビーズである。身分にかかわりなくもつことが許されたビーズには、戦争や狩猟で功績が著しい男性に与えられる「戦士の玉」や、婚姻時に贈られる永遠の愛を意味した「孔雀の玉」などが知られている。とはいえ、前者は戦功のあった者、後者は既婚者といったぐあいに、所有者の社会的な立場に伴うビーズであることが分かる。

これら多彩色のビーズの利用例は他の原住民族集団にはほとんど見られない。また、台湾の考古学遺跡からの出土例もほとんどないことから、歴史的にもパイワン族に特有のビーズであった可能性が高い。原住民族間でのガラスビーズの相違に着目した陳奇禄は、ビーズに含まれている鉛やバリウムの量や、個々のビーズに与えられている名称などの点から、多彩色のビーズの導入について、パイワン族が台湾へ入ってきたときに携行した場合と、交易によって獲得した場合の二つの可能性を考えている（陳 一九六六、Chen 1988〔1968〕）。漢族の商人やオランダ東インド会社との交易を通じて、中国やジャワで製作されたガラスビーズは、パイワン族が狩猟や採集で得た動物の皮革や漢方の材料となる動植物資源との交換に用いられていた。文化と文明とをつなぐ役割をガラスビーズが果たしていたといってもよいであろう。

情報伝達の手段としてのビーズ

ビーズは可視的であるがゆえに、それらが使われている状況、使用している人物についての情報を見る者に与える。先述したように、パイワン族のガラスビーズは身につけている人の社会階級を示すものであり、ヤミ族のブタの犬歯製の飾りは所有者の儀礼の履歴の証しとなっている。

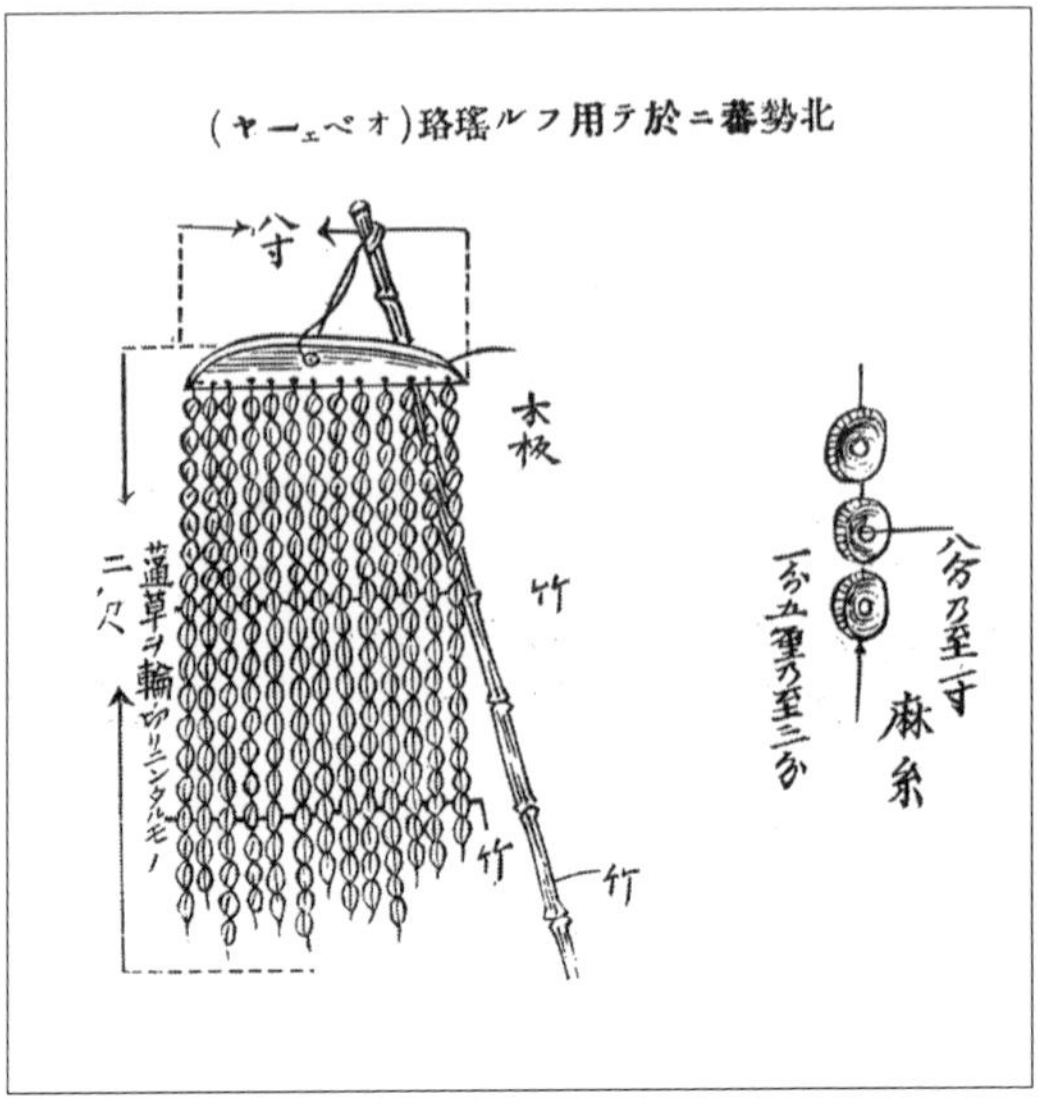

図15-1　タイヤル族の軒下用飾り

出所）臨時台湾旧慣調査会第一部 1915：96。

人物の属性を示すだけでなく、その時々の社会の状況を教えてくれるビーズ飾りも存在する。タイヤル族はかつて首狩りを行う際に、カミヤツデ（*Tetrapanax papyiferius*）の茎を円盤状に加工し、中心部を麻糸で通したものを竹の骨組みにかけて吊る飾りを、家の軒先に吊るす習慣を有していた（図15－1）。首狩りに出かけている際と首級を得ることに成功した際とでは、吊るす飾りの形状が異なっており、見る人たちは首狩りのことを直接口にしなくても、重要な情報が共有される仕組みであった。

また、金属製のビーズは互いにぶつかりあって音をたてる。プユマ族の女性が身につける腰帯には黄銅製の鈴が並べてとりつけられ、腰を上下させて踊ることによって賑やかな音が鳴り響く。これはビーズ飾りではなく楽器だと捉えることもできる。また、ヤミ族の男性が儀礼時に身につける繭型の金属製の板を連ねた首飾りも、男性が歩くことで静かな金属の衝突音を響かせる。ヤミ族の儀礼の季節を感じさせる音である。

このように、ビーズは見るという行為だけでなく、聞くという行為によっても人間に様々なことを伝えていく性質をもっているのである。

4　ビーズに込められた想像力と創造力

これまでに述べてきたことからも分かるように、台湾の原住民族は実に様々なものをビーズの素材として見出し、実に様々な用途のためにビーズ製品を使用してきた。人類が生存に必要なものを自然資源のなかから取り出したものが生態資源であるならば、ビーズは必ずしも生存に不可欠ではないが、社会的な営みを成立させるための非常に「人間臭い」資源として存在し続けてきた。どのような素材をどのように加工し、どのような目的のために使うかは、人間の想像力と創造力が大いに発揮される部分である。

こうした想像力や創造力は、慣習的なビーズの使用に限ったものではない。今を生きる原住民族の人たちも二つの「ソウゾウリョク」に支えられたビーズ文化を展開している。

パイワン族が歴史的に継承してきたビーズの伝統は、外来のものが交易などで社会のなかに入って、階層社会という脈絡のなかで一定の意味をもちながら定着してきた文化要素である。興味深いのは、パイワン族のビーズが日本統治時代に骨董品として見出され、帯留やかんざしなどに再利用されるような人気の土産物であったことである（台湾総督府交通局鉄道部　一九三〇：二八九）。先述したように、パイワン族の多彩色ガラスビーズは、パイワン族が台湾に移住してきた際に携行してきた、もしくは清朝期もしくはそれ以前に交易によって、パイワン族社会のなかに入ってきたものと考えてよい。その場合、奢侈品であるガラスビーズがパイワン族社会から交易のために出ていくことは考えにくいことから、一定の古さをもったガラスビーズがパイワン族社会のなかに保たれてきた可能性は大きい。ある一定の古さが保証された骨董的価値のあるビーズがパイワン族社会のなかに存在

写真15-4　工房でビーズ制作にとりくむパイワン族の呂均氏（筆者撮影）

していたことになる。

第二次世界大戦後、原住民族社会には貨幣経済が浸透し、漢族商人がパイワン族の間で継承されてきた多彩色ビーズを買い取っていき、代わりに衣服に縫いつけるのに適した小さなガラスビーズや安価なプラスチック製のビーズが大量に社会のなかにもたらされた。ビーズは限られた階層の人間が所有する奢侈品ではなくなり、身分の違いによる服飾品や装飾品の違いが見られなくなっていった。

こうした状況に対して、一九七〇年代に南部の屏東県に住むパイワン族の男性が、漢族のビーズコレクターの協力を得ながら自らの手でガラスビーズの制作に成功し、彼の門下生たちがビーズ工房を構えるようになっていった（胡 二〇一二：一一五）。しかし、こうしたビーズの購買層・消費者は主として原住民族の限られた人々であり、外部の市場にもそれほど需要があったとはいえない。ただ、一九八〇年代後半の原住民運動から、一九九四年の憲法改正による原住民族の社会的承認、それに続く原住民族文化の振興という流れのなかで、パイワン族のガラスビーズは原住民族文化を象徴するものとしての印象が強くなり、扱いやすさも手伝い、原住民族スーブニールとして馴染みのあるものとなっていった。とりわけ、台湾社会のなかで社会現象といわれるくらい大ヒットした映画「海角七号」（二〇〇七年上映）に原住民族のビーズが登場したことにより、台湾社会でビーズブームが生じ、ビーズは文化産業としての地位を得るところとなった（野林 二〇一一）。一方で、文化の核としてのビーズに原住民族自身が強い関心をもつ状況が各地で見られるようになっている。

東部地域の台東県太麻里郷でビーズ製作工房を営む呂均氏も、パイワン族のビーズ文化の継承を志す若い世代の一人である。一九八九年に台北で生まれた呂氏は、生後すぐに両親の出身地である台東にもどり、高校生までを地元で過ごした。台中の大学に進学し、卒業後は兵役に就き、除隊後は台北でモデルなどの仕事をしながらも、幼い頃から父親のビーズ作りを見ていたことが影響し、故郷にもどりビーズ制作を学び、二〇一一年から父のビーズ工房を再開した（写真15－4）。氏はパイワン族の間で伝承されてきたガラスビーズの模様を活かしながら、モノトーンの色調のデザインや新たな模様の創作に取り組んでいる。また、工房は自らの創作の場のみならず、老若男女、民族の分け隔てないビーズ製作の教室にもなっている。

父親の技術や思いを大切にしながら、自由な発想や豊かな感性をもって、ビーズを通して新たな伝統作りにたずさわる姿は、民族の文化とは、想像力と創造力とをもって、つねに変化していく生きものだということを教えてくれるのである。

参照文献

台湾総督府交通局鉄道部　一九三〇『台湾鉄道旅行案内』台北：台湾総督府交通局鉄道部。

蛸島直　二〇〇五「台湾先住民パイワンにおけるいわゆるトンボ玉の由来」『愛知学院大学人間文化研究所紀要』二〇、一—二七頁。

野林厚志　二〇一一「今を生きる台湾の人々」『季刊民族学』一三七、三—五六頁。

臨時台湾旧慣調査会第一部　一九一五『番族慣習調査報告書　第一巻』台北：臨時台湾旧慣調査会。

山田仁史　二〇一五「台湾サイシヤット族の珠裙」『郷土博通信』六、五七頁。

許美智　一九九二『排灣族的琉璃珠』台北：稲郷出版社。

胡家瑜　二〇一二「臺灣南島民族玻璃珠飾品的跨文化分析比較——對於形式、價值與物質性的一些思考」『考古人類學刊』七六、九七—一三四頁。

陳奇祿　一九六六「台湾排灣族的古琉璃珠及其伝入年代的推測」『考古人類學刊』二八、一—六頁。

尤瑪・達陸、施秀菊、吳佰祿　二〇一五『彩虹與蜻蜓——泰雅服飾與排灣琉璃珠的對話』台北：国立台湾博物館。

Chen, Chi-lu 1988 (1968). *Material Culture of the Formosan Aborigines*. Taipei: Southern Materials Center, Inc.

第16章 現代アイヌのタマサイ
文化のシンボルとしてのビーズ

齋藤玲子

1 アイヌの首飾り「タマサイ」

アイヌの首飾りは、主にガラス玉を連ねたもので、タマサイと呼ばれる（杉山 一九三六：三二、萱野 一九七八：七八など）。博物館などが所蔵する伝世品は、その玉が大きいもので直径二～五cm前後、不透明な水色と黒色のガラス玉が目立ち、ほかに模様の入ったいわゆるトンボ玉や白・透明の玉が使われているものが多く見られる。ガラス以外では、石（瑪瑙、琥珀、水晶など）、金属（銀、鉛、錫、真鍮など）、陶器、日本や中国の古銭、植物の種子、動物の骨などが連ねてあり、このうち金属は刀装具などを分解して使っているものも多い（杉山 一九三六：四二―五一、函館市北方民族資料館 二〇〇七：三〇―三三、関根 二〇一四：一〇五―一〇九など）。

首飾りの下部、ちょうど胸のあたりにつく飾り板をシトキといい、これがついた首飾り全体をもシトキということがある。シトキには自製のものと日本および大陸産のものがあり、後者には古鏡、鍔（つば）、釘隠、ふすまの引手金具、湯桶の蓋などの転用のほか、最初からシトキ用に作られた真鍮製の円盤などもある。本章では、アイヌの首飾りをシトキの有無にかかわらず、タマサイと呼ぶことにする。

タマサイは女性が盛装時につけるものであり、ふだんは漆器などに入れて宝物として家の上座に安置された（杉山 一九三六：二六など）。タマサイには呪術的な力があると信じられ、病気の治癒や安産祈願の際にも用いられた。熊送り儀礼において、解体され祀られたクマの首などにもかけた。また、飢饉に見舞われたとき、女たちは食料を蓄えている村でタマサイと食料を交換したこともあったという（杉山 一九三六：二八―三二、萱野 一九七八：七九など）。

かつては大切にされてきたタマサイであったが、現在は盛装時につける人は少なくなっている。また、タマサイをはじめとするアイヌ文化にもたらされた交易品についての考古学や歴史学の研究は進展しているものの、民族学・文化人類学的研究はあまり行われていない。近代から現代へと、なぜタマサイは着用されなくなっていったのか、装身具に対しての価値観が変わったのか、研究課題は多く残されている。

まずは、これまでの研究について概観してみよう。北海道では一三～一四世紀のアイヌ文化期初期の墓からタマサイと考えられるガラス玉が出土し、古くは一二世紀のものと比定できる和鏡が同時に発掘されている。一八世紀までの出土品と伝世品の形式学的研究を行った関根達人は、一七世紀以前のタマサイに使われているガラス玉の九割は直径一cm以下と小玉で、ガラス玉とともに銭が多用され、一六～一七世紀のガラス玉は透明性の高い青色が多いという。しかし、一八世紀にガラス玉は一～二cmの中平玉が増え、透明性に欠け空色がかった青へと変化する。以降、文献史料などを加えて推察するに、一八世紀末から一九世紀にかけて、ガラス玉の大型化や黒赤色玉・トンボ玉の増加、シトキの加飾が進んだ可能性が高い、という。古い時代には大陸産のものが樺太経由で入ってきたのに対し、次第に日本産のものが増え、一九世紀に和人（アイヌ以外の本州出身の多数者）の蝦夷地への本格的な進出に伴い、江戸周辺でアイヌ向けに作られたガラス玉が多く入るようになり、タマサイをより華美にし、形式化を促進したのだろうという（関根 二〇一四：一〇七―一〇九）。

ガラス玉は交易品として、あるいは労働の対価として入手され、玉の数が多く大きな首飾りは裕福さを示すものだった。伝世資料は北海道の南部や太平洋岸に多く、江戸後期の漁場労働で得た本州産ガラス玉のタマサイが多数を占めていると推測される。樺太では大玉が少なく、多彩な小玉を複雑につなぎあわせたものなど独自の形態が見られる（児玉 一九六七など）。いずれも入手ルートの違いによるものだが、一連のタマサイのなかには時代の異なるガラス玉や金属製品などが組み合わされていることも多く、様々な産地のものが混在している可能性がある。

中世以降の本州では首飾りや耳飾りなどの装身具が姿を消したため、タマサイはアイヌ文化を特徴づけるものの一つとして、また美的な工芸品として、研究者や収集家などの関心を集め、戦前に解説付きの図録が出版されていた（杉山 一九三六など）。ただ、アイヌの自製のものではないという理由で、研究材料として重視されないこともあったようだ。一九六〇～八〇年頃は、古文献や古老からの聞き取りなどをもとに、形態の比較や使用法などに関する報告や論考がいくつか発表された（児玉 一九六七、児玉他 一九六八など）。八〇～九〇年代になると、アムール川流域の先住民を介してアイヌが毛皮などとの交換に中国産品を得た山丹交易をはじめ、交易の視点からの研究が出てきた（佐々木 一九九六、大塚 二〇〇一など）。一九九〇年代頃からは考古学の分野での研究が進み、発掘されたガラス玉の形態分類や、ガラスの化学的分析も増えてきた（関根 二〇一四など）。今後、時代ごとの産地や交易ルートなどの解明が期待される。

このように考古学や歴史学分野でのタマサイの研究は、発掘調査の精度向上や遺物の分析と古文献の解読などによって進んでいるが、タマサイを身につける人の減った現代において、文化人類学的な研究はもはや不可能なのだろうか。明治以降の写真資料の研究やタマサイの継承に関する聞き取り調査など、可能なアプローチがあるのではないか。近現代のタマサイの変遷とその位置づけについて、微力ながら迫ってみたい。

2 近現代のアイヌの生活とタマサイ

タマサイは女性の宝物とされ、母から娘へあるいは姑から嫁へと受け継がれるものであった（杉山 一九三六：二六、萱野 一九七八：七九など）。しかし、現在は儀式や祭りなどでタマサイをつけている人はあまり見かけない。先祖からタマサイを継承していない人が多いようである。明治時代の同化政策でアイヌ独自の文化は否定的に見られ、盛装する機会も減るなかで、手放す人があったことは容易に想像できる。

江戸時代後半の一八世紀に和人の絵師らによるアイヌの風俗画が増え始めた頃、盛装した女性の胸元にはタマサイが描かれていた。明治時代になると、記録写真や土産用の絵はがきが出回るようになり、やはりそのなかにタマサイをつけた女性たちを見ることができる。「アイヌ風俗」「アイヌの生活」などと題された絵はがきは、明治後期から大正・昭和と人気の土産品で、アイヌ文化の特徴を際立たせるため、チセ（家屋）の前に立つ男女を写したものや、熊送りの儀式のようすを解説するものも多く、盛装した人々が写っている。一方、穀類の杵搗きやござ編みなどの場面で、作業には邪魔なはずのタマサイをつけていたりして、撮影のために整えた身なりであっ

写真16-1　絵はがきに使われた杵搗きの場面。女性は2人ともタマサイをつけている（木下清蔵撮影、国立民族学博物館蔵）

て、日常生活を捉えたものではないことも分かる。

写真16－1の絵はがきの原板は、白老町の木下清蔵（一九〇一～一九八八）が撮影したものである。木下が撮影したアットゥシ（樹皮繊維製の布）織りの場面は、同じ日の同じ人物と推定されるのに、角度の違うカットでタマサイをつけているものと外しているものとがある。木下が大正から昭和期にかけて撮影した写真集には、日常生活でタマサイをつけている写真がある一方で、儀式や祭りの場でもすべての女性がタマサイをつけているわけではないことが分かる写真もある。一九五五年に町政施行記念行事として行われたイオマンテ（熊送り儀礼）には、多数の人が写っているが、タマサイを掛けている女性は半分以下のようである（アイヌ民族博物館 一九八八）。こうした写真資料の検討は進んでいるとは言い難く、撮影された時代や地域、場面やその背景などを考慮しながら、物質文化を研究することは可能と考える。

タマサイは、盛装する機会がなくなっていくなかで、現金を得るために手放す人も多かったものと推察される。古物商などが集めてつなぎ直したりして、ガラスの愛好家や研究者などの手に渡り、その後、博物館に収蔵されるようになったものも多い。先にあげた杉山のコレクションは多くが戦災で失われたが、児玉作左衛門と馬場脩の収集したものは市立函館博物館に、児玉の収集品はアイヌ民族博物館（二〇一八年閉館）にもあり、小林泰一の収集したものは日本民芸館に所蔵されていて、いずれも大正・昭和初期から収集が始められたものだ。彼らの著作によれば、所有者のアイヌから直接購入したものや譲られたものもあれば、古物商から買ったものもあり、その値段が記録されていることもある（馬場 一九七九、小林他 一九九四、函館市北方民族資料館 二〇〇七）。

さて、タマサイは儀式に参加するときの盛装のみならず、葬儀の際にも使われていた。かつて副葬されていたことは先述の通りである。萱野は、一九三五年頃の祖母のタマサイのことを、次のように書いている。アイヌには、成人した男性の遺体のそばには刀を置き、女性の場合にはタマサイを置いて「遺体を飾る」習慣があるが、近所の女性が亡くなったとき、本人のものがなかったので、祖母が一〇連くらいのタマサイを貸した。ところが遺体の胸から外すのを忘れて埋葬してしまい、一度埋葬した遺体を掘り起こすことなどアイヌにはまったく考えられないことなので、誰もこの玉を取り戻してくれる人はおらず、祖母は毎日泣いていたが、わずかなお金をもらって泣き寝入りさせられたそうだ。その後も祖母は思い出しては悔やんでいたという（萱野 一九七八：七九）。

多くの玉を連ねたタマサイの出番は少なくなったが、ガラス玉はまじないなどで使われ続けていた。たとえば、一九六五年頃の聞き取りによると、「アイヌ玉一～四個を、黒糸と白糸をより合わせたものに通して、手首にしばりつけるのである。これは長患いや空手のような病気のとき、また怪我をさける魔除のため、諸種の願いごとや失せもの捜しのとき、また女はツスをするときに、まじないのためや霊感をのりうつらせるために用うる」（児玉他 一九六八：四〇）。これは日高の三石と静内の例だが、テクンタマと呼ばれる手首の飾りは、他の地域でも

写真16-2　左は成人用、右は小児用のテクンタマ。三石富沢集落のもの（児玉他 1968：40）

報告されている（写真16－2）。

なお、このテクンタマはガラス玉だけが力をもっているのではなく、黒と白の糸をより合わせたものが重要である。この糸に小さな鍔を通して首から下げたり、イケマ（アイヌ語でペヌプ）の根を輪切りにして乾燥させたものを玉飾りのようにして下げたりすることもよくあったと書かれている。後述するが、今でもイケマはお守りとしてよく使われている。

3 現代におけるタマサイ——聞き取りからみえてきたこと

筆者が勤める国立民族学博物館では、毎年、（公社）北海道アイヌ協会の会員によって、収蔵資料の安全な保管と後世への確実な伝承を目的としたカムイノミ（祈りの儀式）が行われている。女性の参列者は例年五～一〇人ほどだが、筆者が赴任してからの九年で、タマサイをつけた方は一人だった。久保久美子さんは、旭川市出身で苫小牧市在住。タマサイを祖母から譲り受けたとき嬉しさはなく、使うことがあるのだろうかと思ったそうだ。しかし時代は変わり、カムイノミの儀式に参加するようになったので、しまいこんでいたものを夫がきれいに直してくれ、今は持っていて良かったという（齋藤 二〇一七）。

続けて、タマサイを受け継いでいる方を紹介しよう。阿寒の出身で現在は平取町二風谷在住の萱野りえさんは、父の山本文利さんから、曾祖母・広野ハルさん（一八八四〜一九六三）が所有していたタマサイを譲り受け、大切にしている。一つは大きなシトキのついたもので、広野さんがつけている写真が残っている。もう一つは水色の大きな親玉がついている（写真16－3、4）。りえさんは、これらのタマサイを、舞台で歌や口承文芸を披露するなど特別なときにつけるという。持ち歩くと壊してしまう恐れもあり、またかなり重く、長さもシトキがお腹あたりまで下がってくるので、頻繁にはつけていないそうだ（タマサイが長すぎるため、知人の女性は背中側を安全ピンなどで留めて長さを調節している、と教えてくれた）。

タマサイを受け継いでいない方からも話を聞いた。浦河町の遠山サキさん（一九二八〜二〇一八）は、アイヌ文化の伝承者として著名である。遠山さんが親族たちと歌や踊りを披露したライブの映像で、ガラス玉の首飾りをしていたのを知っていた。しかし聞くと、子どものころ自宅にタマサイはあったかもしれないが、家族がつけ

写真16-3　広野ハルさんの写真。白黒写真にあとから色づけしたもので、実物のタマサイとは色彩が異なる（萱野りえさん提供）

写真16-4　萱野りえさんのタマサイ。紐が切れて綴り直したそうで、広野さんがつけているときとガラス玉の位置などが違う（2018年10月、筆者撮影）

ていた記憶はないという。貧乏だったので、手放してしまったのではないかと思う、とのことだった。後年、伝承活動をするようになってから、知人の紹介でガラス玉を入手して作り、儀式や人前で歌を披露したりする際につけるようになったそうだ。一方、三女の堀悦子さんは、タマサイを作ったものの、「フチと呼ばれるようになってから、つけるもの。まだ、私には早い」との思いから、しまったままだという。堀さんは、若い頃からアイヌ文化に親しみ、母のサキさんについて伝承活動を続けてきたため、アットゥシ織りや刺繍をはじめとするものづくり、料理、歌や踊りなど、広くアイヌの伝統文化に精通しているが、六〇代の今も高齢女性の敬称であるフチと呼ばれるには「まだ」とおっしゃる。また、本物のタマサイは重くて踊るときに邪魔になるので、歌うだけのフナはタマサイをつけられるが、「私はまだまだ踊らなきゃならないから」ともおっしゃった。

写真16-5　乾燥させたイケマの根（ペヌプ）を見せてくれた堀さん（2018年10月、筆者撮影）

「その代わり」と見せてくれたのが、イケマの根（ペヌプ）を輪切りにして金属の棒に刺して乾燥させたものだ（写真16－5）。先述の通り、ペヌプは、伝統的にお守りとして紐を通して首からかけたりして身につけていた。堀さんは、このペヌプを数珠つなぎにして、よくつけているそうだ。

ごくわずかな事例であるが、祖先のタマサイを受け継いだ人も複雑な思いを抱き、もってはいても壊さぬようにと気軽にはつけられない状況があり、また、もつようになっても、タマサイをするにふさわしくなるまでつけないと慎む人もいることが分かった。紙幅の都合で、お話を伺いながら紹介できなかった例もある。今後も、タマサイをもつ人・もたぬ人、つける人・つけない人とともにインタビューを重ねる必要があると考えている。

4 タマサイのこれから

現在、古いタマサイを入手するのは容易ではない。古物商やオークションなどでは、玉やシトキが大きく、何連にもなっているようなものは数十万円の値がつく。新しく手に入る材料で作ろうにも、適当な大きさと色のガラス玉はふつうの店では売っておらず、シトキに使えそうなものもほとんどない。それでも、手芸店などで扱われているビーズや、ベルトのバックルなどを使って、タマサイを作る人もいる。

アイヌ刺繍を継承する団体「チシポの会」（白老町）は、製作した着物を展示する際、手作りのタマサイも展示している（写真16－6）。ミニチュアの衣装は、板で作ったマネキンに着物を着せ、タマサイとニンカリ（耳飾り）をつけている。「タマサイを紹介したいが、本物がないので。これは展示用で、儀式のときに身につけることはない」という。見た目も華やかで、よいアイディアだと感心した。

アイヌ文化は、そのときどきで入手できるものをうまく取り入れてきたのが特徴ともいえるので、手芸用品で作られたものも現代のタマサイとして認められてよいはずだ。しかし、どうしても古いタマサイには及ばないというのも事実だ。

かつてのような大きなガラス玉を作る人はいないのだろうかと考えていたとき、「タマサイ・プロジェクト」

写真16-6　チシポの会によるアイヌ・アート展。大阪人権博物館にて（2016年11月、筆者撮影）

の話を耳にした。

二〇一八年一一月一〇日、奈良市で行われた「アイヌに学ぶ六／歌と踊りと伝統行事――フンベシスターズを迎えて」のイベントで、原田公久枝さん（札幌市）に立派なタマサイがプレゼントされた。このプロジェクトは、寮美千子さんらが二〇一七年に高橋ひとみさん（千歳市）にプレゼントしたのが最初だ。作家の寮さんは、アイヌの昔話を子ども向けに書いて出版する仕事などに携わるなかで、アイヌ文化の伝承活動をする人たちから話を聞くようになり、タマサイをもっている人が少ないことを知った。そこで、タマサイはもともとアイヌが和人などから入手したものだから、和人が作ってプレゼントをしてもよいだろうと思いついたそうである。アイヌ文化についての講話や歌や踊りを披露してもらった感謝の気持ちとして、参加者にカンパを募り、ガラス玉はガラス工芸家の岡那孝幸さん（神戸市）が製作し、シトキは骨董を買って組み合わせたものだ。その出来栄えはみごとで、博物館に収蔵されている資料も新しいときはこのように輝いていたのだろうと、思わせられた（口絵44）。

寮さんとパートナーの松永洋介さん、岡那さんは国立民族学博物館で二〇一七年春に開催された特別展「ビーズ――つなぐ　かざるみせる」に展示されていた様々なタマサイを見たり、関連事業の公開研究会「北東アジアのガラス玉の道――アイヌのタマサイを中心に」に参加したりして、タマサイについての知識を深められたという。その後、筆者が原田さんと知り合いになり、新しいタマサイの贈呈の場に立ち会うこともできたのは、ガラス玉がつないだ縁だろうか。

美術愛好家らに注目され、書籍や展示で紹介されることも多いタマサイだが、アイヌ女性の間では徐々に受け継がれなくなっていった。考古学や歴史学の研究は進んでいるものの、現状についての調査はあまり行われておらず、タマサイについて語るとき、時がとまったままのような説明でよいのかとの思いがあった。今でも研究すべきこと、聞いておくべきことは多く残されており、新たな動きも出てきている。現代のタマサイのあり方は多様である。しかし、アイヌ文化の継承者らが、今もタマサイに特別な思い入れをもち、大切なものと位置づけていることは間違いない。

謝辞

タマサイに関するお話を聞かせてくださった皆様、そして写真の掲載を快諾くださった方々に心より感謝申し上げます。最後に聞かせていただいたお話が、タマサイについてとなってしまった遠山サキ フチのご冥福を心よりお祈りいたします。

参照文献

アイヌ民族博物館　一九八八『近代白老アイヌのあゆみ――シラオイコタン　木下清蔵遺作写真集』。
大塚和義編　二〇〇一『ラッコとガラス玉――北太平洋の先住民交易』国立民族学博物館。
萱野茂　一九七八『アイヌの民具』すずさわ書店。

児玉とみ　一九六七「樺太アイヌの首飾りについて」『北海道の文化』一一、北海道文化財保護協会、四三―五五頁。
児玉作左衛門・伊藤昌一他　一九六八「アイヌ服飾の調査」『アイヌ民俗資料調査報告』北海道教育委員会、二七―八九頁。
小林泰一・桜井清彦・柳宗理　一九九四「座談会　アイヌ玉のことなど」『民藝』五〇一、一二―一九頁。
齋藤玲子　二〇一七「母から娘へ受け継がれるアイヌのタマサイ」池谷和信編『ビーズ――つなぐ　かざる　見せる』国立民族学博物館、八〇―八一頁。
佐々木史郎　一九九六『北方から来た交易民――絹と毛皮とサンタン人』日本放送出版協会。
杉山寿栄男　一九三六（一九九一復刻）『アイヌたま』北海道出版企画センター。
関根達人　二〇一四『中近世の蝦夷地と北方交易――アイヌ文化と内国化』吉川弘文館。
函館市北方民族資料館編　二〇〇七『タマサイの美――函館コレクション』函館市文化・スポーツ振興財団。
馬場脩　一九七九『北方民族の旅』北海道出版企画センター。

第17章

タイの若者文化と土製ビーズ

流行と衰退が映す社会の変容

中村真里絵

1 土製ビーズの特徴

人類史において、ビーズは古くから人間の身体を飾るために広く用いられており、その素材は貝や骨、植物、石、土、ガラスなど多岐にわたる。できあがったビーズ製品の共通する特性としては以下の二つが考えられる。一つが装飾性で、身につけた人間の身体や工芸品を飾り立てるものである。もう一つが社会性で、身につけた人々の民族性などのアイデンティティを示す指標や、希少な素材のビーズを着用することで威信を示す指標となるものである。これらの特性を考慮すると、ビーズは美しく輝いた装飾性の高い見栄えのするものや希少性の高いものがおのずと好まれることになる。

しかし、本章で取り上げるタイの土製ビーズは、これらの特性に当てはめると、華やかなものではなく石やガラスと比べて地味で見劣りがする。さらに、ありふれた粘土を焼いて作れることから希少性においても劣る。そのため、着用したところで美しさや威信を獲得するわけではない。これらの点から、土製ビーズは様々な素材で作られる美しいビーズのなかでも周縁に位置づけられると考えられる。

土製ビーズの材料となる可塑性に富んだ粘土は、多様なデザインに柔軟に対応することができ、土器からビーズまで様々なものを作ることができる。土製ビーズは、基本的に粘土が入手できるところであればどこでも生産が可能で、古くから存在してきたことが分かっており、縄文時代においても古代エジプトにおいても存在した(大坪 二〇一五)。しかし、石製ビーズやファイアンス製のビーズのように、その時代を代表するような遺物としてメジャーになることはなく、そうした状況は現在に至るまで大きく変わることはなかった。

しかし、一九八〇年代の一時期に、東南アジアのタイでこの土製ビーズがむしろ好んで着用されていたことがある。それらの土製ビーズは、タイ東北部の焼物産地ダーン・クウィアン村で作られたものである。私がそこで調査を始めたのは二〇〇四年である。このとき、この村の人々が実に様々な製品を作っていることに驚いた。パーツを複数合わせて作る噴水、フクロウやネコの形をした室内外用の飾り物など、大型製品が大部分を占めるなか、土製ビーズを用いたネックレスや腕輪、ベルト、キーホルダーなどの小物も作られていた。前者は、ガーデニング用や室内用の装飾品として、後者は近くにある遺跡の観光帰りに村に立ち寄った観光客が土産物や記念品として手軽に買い求めるものであった。調査に入った時点で、ビーズの小物類は全体の生産量のなかではごく一部であり、作っている人も少なかったため、調査の主要関心となることはなかった。しかし、バンコクで現在の焼物作りについて在タイ日本人向けに調査報告を行った際に、バンコクに長期滞在をしていたある日本人女性から、「ダーン・クウィアンといえば、まずは(土製ビーズの)ネックレスやベルトが思い浮かぶ」という指摘を受けた。

それほど、かつては流行していたという。この土製ビーズの流行とはどのようなものだったのだろうか。

本章では、多様な素材のビーズのなかでも周縁にある土製のビーズが、なぜ一九八〇年代の一時期、タイにおいて流行したのか、現地調査で得たデータやヒット映画を参照しながら、当時の社会的状況から読み解いていく。そのうえで土製ビーズの特徴について考察する。

2 土製ビーズの製作

誕生

図17-1　ダーン・クウィアン村の位置

現在、土製ビーズを製作しているダーン・クウィアンは、タイ東北部ナコンラーチャシーマー県チョクチャイ郡に位置し、東北部随一の焼物産地としてタイ人の間で知られている（図17－1）。ダーン・クウィアンでは、焼成温度が七〇〇度程度の素焼き土器から一千度を超える焼締陶まで作られていることから、ここでは包括して「焼物」と呼ぶ。この焼物作りの起源は、およそ二五〇～三〇〇年前にモン・クメール系の人たちがこの土地に焼物作りを伝えたことに遡るといわれているが、当初、土製ビーズは作られていなかった。

コラート台地に位置する東北部は、鉄分を多く含むラテライト状の土壌であるため農業生産率が低く、タイのなかでも最も貧しい地域といわれてきた。人々の主たる生業は稲作であったが、一九六〇年代以降の貨幣経済の浸透に伴い、換金作物栽培への切り替えや出稼ぎ労働に従事する者が増加した地域でもある。ダーン・クウィアンの村人の生業も、もともとは稲作であり、焼物作りは農閑期の副業であった。それが生業へと変化したのは、一九七〇年代後半から一九八〇年頃のことである。村人たちは従来、水甕、貯蔵用壺、料理用鉢などの日用品を作っていたが、この頃に焼物作りの多様化が進み、様々なものを作るようになっていった（中村 二〇一三、二〇一五）。

焼物の多様化の間接的なきっかけは、一九七〇年代後半、タイにおいて学生や知識人を中心に現行の軍事政権に対して民主化運動がさかんになったことである。学生活動家たちのなかには、政府の弾圧をのがれる目的や急速な近代化に対する自然回帰の指向のもと「森（田舎）へと入っていく（カオ・パー）」人々がいた。その学生らが、このダーン・クウィアンにも流入した。彼らは、滞在している間に村人が作った模様のないシンプルな日用品だった焼物の表面に花の図柄や幾何学模様を線刻した。すると、これまでの水甕などに付加価値が生じ、高値で売れるようになり、これが村人の間に広まっていった。こうした出来事が日用品から装飾品への移行と、作る製品の多様化を導いていった（中村 二〇一三、二〇一五）。

土製ビーズの誕生も、こうした学生たちの遊び心に端を発している。ダーン・クウィアンのビーズ作りを紹介する記事には、一九七〇年頃にスダラットという学生が「粘土でビーズを最初に作った」と紹介されている（The Center for Bead Research 1990: 11）。現在、この女性はダーン・クウィアンに在住していないが、私も調査中に似たような話を聞いた。街から流入してきた学生たちは、短期間で大きな焼物を成形するといった技術は習得できなかったが、表面に模様を描いたりビーズを作ったりすることはできた。彼らが村にいる間、こうしたものを作ることに楽しみを見出していたことが、土製ビーズの誕生の契機であった。ダーン・クウィアンの土製ビーズは日用品としての焼物の副産物として生まれたのである。

製作

現在ダーン・クウィアンに行っても、ビーズを製作している人を目にすることはほとんどない。しかも専業で製作している人となると探すのは難しい。私の一〇年来のインフォーマントでもある女性Tにビーズ製作者の女性Dを紹介してもらい、インタビューが実現した。Tは元学生運動家で、ダーン・クウィアンに流入した後、「アムデーン」という焼物の店を開いた。彼女も昔は土製ビーズを作っていたが、ビーズの価格が下がってからは作るのをやめてしまった。一方、Dは現在も専業で土製ビーズを用いたネックレスや腕輪、ピアスを作って販売し、生計を立てている。彼女は腕がよく、独創的なビーズのネックレスを作る。Dの略歴を示すと次のようになる（二〇〇七年三月二日インタビュー）。

一九六〇年生まれのDは、この村でネックレスを製作し、生計を立てている。彼女は学生運動で活躍した人々よりも数年若い世代である。他県で生まれた彼女は、バンコクにある名門タマサート大学法学部で学んでいたとき、友人をたよってアムデーンに遊びに来たことがあった。村の多数の女性たちがビーズを作っていたのを真似て、家を借り、ビーズを作って売るようになった。その後、一九八二年に土地を買って本格的に住むことになった。一九八五年前後はビーズ製品がヒットしており、多くの人がビーズ作りをしていた。一九八七年に彼女は、フランス人がオーダーしたビーズのネックレスに、それまで以上に細かい模様を刻んだ。一九八九年にその作風で作ったビーズのネックレスがバンコクの経済省が開催したイベントで賞を得た。そのような細工は手間がかかるため他の村人は作らなかった（写真17－1）。

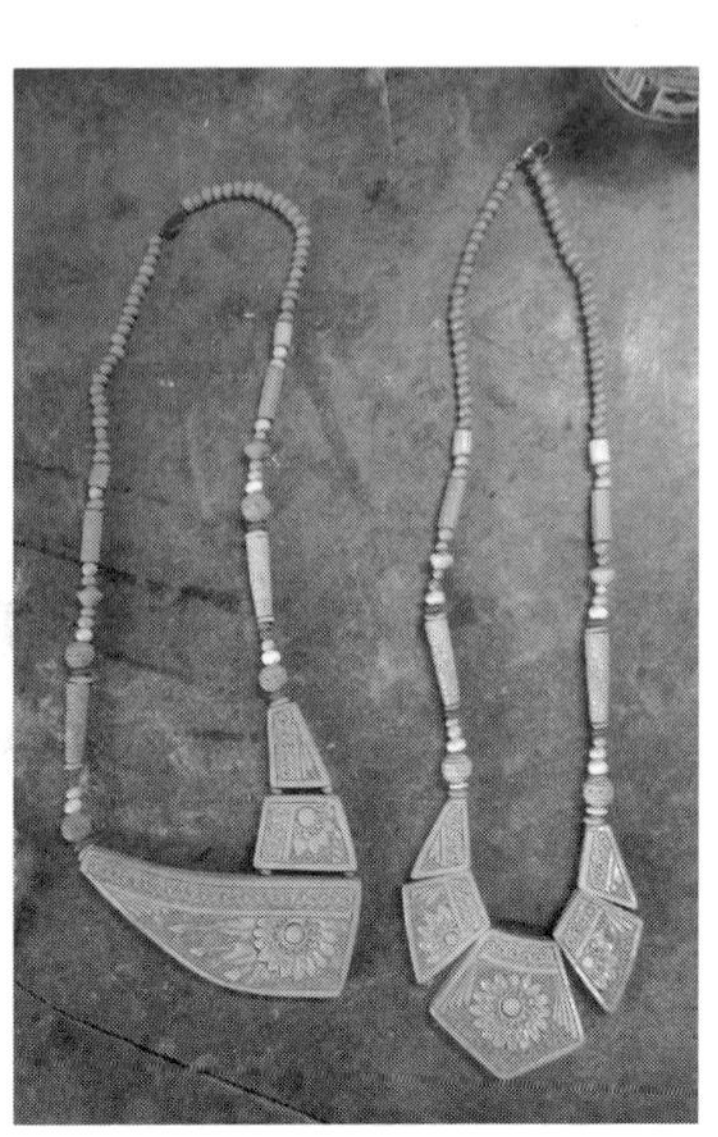

写真17-1　Dが作った独創性の高い土製ビーズのネックレス（筆者撮影）

彼女は勉強好きではあったが、会社で働いてお金を稼ぐことに興味がなかった。タマサート大学の同世代の友人にはNGOの活動をする人もいれば、家でパン屋を始めた人やお菓子を作って売っている人、洋服の仕立て屋をする人など、個性的な人が多くいたため、彼女のような生活もそれほど珍しくない。現在彼女は、娘が大学を卒業しバンコクで働いているため、夫と気ままに暮らしている。とくに大きく稼ぐことはないが、好きな時間に起きてほどほどに食べていける現在の暮らしに不満はない。

彼女がビーズを作る場所は二階建ての家屋の一階である。そこに置いた大きな机で作業をする。部屋の一角にわずかに販売スペースを確保しているが、ほとんどが注文に応じて作っている。彼女によると、ビーズ作りはそう難しくなく、やろうと思えば一日のうちに成形から焼成までの工程を終わらせることも可能だという。その工程を簡単に紹介したい。

ダーン・クウィアンの土製ビーズは、二種類の素地を使用している。一つは、近場の田から採掘された粘土と砂を二対一の割合で混ぜたもので、これはダーン・クウィアンで焼物を作るのに一般的に使われているものと同じである。ビーズに必要な素地は少量であるため、自分で素地作りはせずに近所の焼物を作っている職人から少しずつ購入している。もう一つは町から購入してきた白い素地である。

写真17-2　土鍋に土製ビーズを入れて七輪で焼成する（筆者撮影）

成形は、粘土が手にくっつかないように油を塗りながら作業をする。昔はココナッツオイルを使っていたが、今は油であればなんでも使う。そして、手で素地を丸めるか、あるいは細長く棒状にしたもの、あるいは型を使って成形したものに針金を通して穴をあける。形を整えたら、ビーズのパーツによっては、ペンの先端や彫刻刀、手作りの型など多種類の道具を使って表面に模様をつけていく。そして針金をはずして数時間乾燥させたのちに、七輪の上にビーズをたくさん入れた土鍋をのせ、炭で焼成して完成する（写真17－2）。

二種類の素地を使って、それぞれ三色のビーズ、計六色のビーズを作ることができる。ダーン・クウィアンの素地の場合は、そのまま使う褐色、これに赤い絵の具をまぜて作る赤褐色、焼成時に籾殻を入れて作る黒色の三色ができる。白い粘土の場合は、そのまま使う白色、これに赤い絵の具をまぜて作るピンク色、焼成時の仕上げに籾殻を入れて作るグレーの三色ができる。黒とグレーのビーズだけは、缶詰の空き缶にビーズを入れたうえで土鍋に置き、籾殻を入れるタイミングを測りながら、必ず七輪で焼成しなくてはならない。その他の色は楽なのでガスバーナーを使って焼成することもできる。この六色以外にも、ビーズのデザインによっては、ビーズの表面に油性のペンを用いて模様を描くこともある。できあがったビーズは、テグスを通して、ネックレスやブレスレット、キーホルダー、モビールなど、様々な製品へと作り上げられていく。これらは数十バーツから二〇〇バーツ程度（一バーツ＝約三円）の安価で販売される。

ダーン・クウィアンの土製ビーズは、机で成形し、七輪で焼成できるため、窯のような大型の設備投資をする必要もなく、誰でも気軽に作り始めることができる。限られたスペースで、誰でも始められる土製ビーズ作りは、その誕生からまたたくまに村人の間に広まった。

着用

このように作られるダーン・クウィアンの土製ビーズであるが、実は東北部の人々の間には一般的にこのビーズの装飾品を身につける習慣はない。先述のTに昔のことを聞くと、彼女が土製ビーズを作り始めた当初、自作のネックレスを着用していたら、「Tさんは頭がおかしくなったのか、あんな価値のないものを身につけて」と村人から笑われたことがあると、私に語ってくれた。この言葉からも、村人たちもそれらを日常的に着用する装飾品として捉えていなかったことが分かる。

東北部に限られた話ではないが、タイでは一般的に金製アクセサリーが重宝される。二四金に近い品質の金製品はお金に困ったときに現金に替えることができるため、婚資には現金だけでなく必ず金製品が必要である。花嫁は婚資の一部である金のネックレス、指輪、腕輪を可能なかぎり身につけて結婚式に臨む。そのため村人は、金のように価値のある装飾品を身につけるのではなく、安価な土製ビーズの装飾品を身につけるTを笑ったのである。

私が調査をしていた二〇〇四年から二〇〇六年の間も、村人たちが日常的にビーズを着用するのを見たことはない。着用しているのを見たのは、祭りのときに村人が伝統衣装を身につけた際、装飾品としてダーン・クウィアンで作られた土製ビーズをつけていたときだけである。それも昔の村での生活を再現する劇の演出のための小道具であり、かつて実際に使っていたわけではない。

めずらしい事例としては、世界遺産に登録されている東北部のウドンタニー県のバーンチェン遺跡に居住する一部の村人たちで、土製ビーズではなく石製やガラス製のビーズをつけるのを好んでいる。遺跡から出土した遺物である石製ビーズやガラス製ビーズをお守りのように大切にして日常的に身につけている人や、祭りなど特別な機会に民族衣装と合わせて身につける人がいる。しかし、これはむしろ例外で、総じて東北部の人々は素材を問わずビーズを身につける文化とは親和性が低かったといえる。

ビーズは、アクセサリーを作る以外にも、布地に括りつけて使用することができる。タイ北部からラオスにかけて住むアカ族や、ミャンマーとタイ北部に住むカレン族は、ジュズダマの植物ビーズを民族衣装に括りつけて装飾性を高めている（落合 二〇一四）。しかし、タイ東北部でビーズを衣装に括りつけることはほとんど見られない。このことは、東北部において装飾性の高い織物が単独で衣装に用いられることと関連するのかもしれない。

現在、人々は、ジーンズやシャツといった洋服を身につけている。高齢者のなかには、下半身に伝統的な一枚布を体に巻き付けるパートゥム（腰巻布）を、上半身に簡単なシャツを身につける人もいる。それらは、かつては女性たちが軒下で自給自足的に織り上げたものを使用していた。東北部の織物のなかでも「マッドミー」と呼ばれる絣織（かすりおり）は美しい紋様で知られている。結婚式や正装の場で着用するのを好まれるタイシルクも、美しく、光沢が鮮やかな織物である。これらの絣紋様や色彩で華やかになるため、織物にビーズを括りつけるような装飾は見られないのではないだろうか。

3 土製ビーズの流行

それでは、これらの土製ビーズが一九七〇年代後半に誕生し、一九八〇年代に流行していったのは、どのようなことが契機になっていたのだろうか。ここに二つの契機を紹介したい。

一九八四年の映画『ナムプーは死んだ』

土製ビーズがブームとなった契機の一つは、映画『ナムプーは死んだ（*Nampoo*）』（ユッタナー・ムクダーサニット監督）がヒットしたことである。一九八四年に公開されたこの映画は、女流小説家のスワンニー・スコンターが自身の息子の死を受けて執筆した原作を映画化した、有名な映画である。二〇〇三年にはテレビドラマとしてリメイクされている。

この映画は、一九八〇年代にタイで大きな社会問題となっていた若者の麻薬使用がテーマとなっており、冒頭は麻薬にむしばまれた主人公の男子高校生ナムプーが中毒症状によって死ぬ場面から始まる。その後、ナムプーが生前にどのような生活を送っていたかが描かれていく（Yuthana 1984）。この主人公を演じたのが歌手で俳優のアンポーン・ランプーンであった。映画のなかで、彼や友人が着用していたネックレスがダーン・クウィアンの土製ネックレスであった。ロングヘアのナムプーは、黒い土製の丸玉と管玉（くだたま）を組み合わせて作られたネックレスを、白いシャツと紺色の半ズボンの制服に合わせて身につけ、ナムプーの友人は六色を配したネックレスを身につけていた（写真17－3）。

映画の大ヒットを機にこのネックレスは「ナムプー・ネックレス（soi Namphu）」と呼ばれ、若者たちはこれを着用するようになった。当時の若者たちは男女を問わずこのビーズを着用しており、現在五〇代のある大学教員も、当時の流行について、クラスメイトのうち何人かは必ずこのネックレスを身につけていたと、述懐している。

写真17-3　ダーン・クウィアンの土製ビーズのネックレスをつけたナムプー（左）（Five Star Production より許可を得て掲載）

一九八〇年代の「生きるための歌」

村人へのインタビューによると、ダーン・クウィアン製のネックレスでもう一つ流行ったのが「カラバオ・ネックレス（soi Kharabao）」と呼ばれるものである。これはタイの往年のフォークロックバンド、カラバオが身につけたことによって有名になった。「カラバオ」はタガログ語で「水牛」を意味し、彼らは水牛の頭をバンドのシンボルマークにしている。この、水牛を粘土で象ったものをビーズのネックレスの中央に配置したものがカラバオ・ネックレスである。カラバオの音楽は、「生きるための歌」を意味する「プレーン・プア・チーウィット（phleng phuea chiwit）」という、農村の貧しい生活に思いを寄せた歌詞や反政府的な歌詞をロックにのせて歌ったメッセージ性の強いジャンルである。「生きるための歌」は一九七〇年代の反政府運動の時代から始まり、カラバオは、このジャンルの草分け的存在であったカラワンとともに一九八〇年代に人気を博した（ウィサラク 一九八三）。ダーン・クウィアンの土製ネックレスの紹介記事にも、フォークバンドのカラバオやカラワンが着用したことで有名になったと書かれている（The Center for Bead Research 1990: 10-11）。

以上のようにダーン・クウィアンで製作された土製ビーズのネックレスは、映画の主人公や歌手が着用したことを契機にタイ国内の他の地域へと流通していった。たとえば、バーンチェン遺跡で土産物店を営む女性は、この当時、週末ごとにバンコクのウィークエンドマーケットに物を売りに通っていた。その帰り道にダーン・クウィアンに立ち寄り、このナムプー・ネックレスとカラバオ・ネックレスをたくさん仕入れて帰ったことを記憶している。それらは、遺跡見学にやってきた少年や青年たちによく売れたという（図17－1の地図を参照のこと）。

この頃、土製ビーズ製品のバリエーションとしてピアスやブレスレット、ベルトが作られ、若者だけではなく大人の女性たちにも、その人気が広がっていった。先述したバンコクに長期滞在する日本人女性の発言は、この時代の土製ビーズのアクセサリー全般の流行のことを指していたと思われる。実際のところは不明であるが、この頃のダーン・クウィアンでは二千人以上の職人がビーズ製品を作っていたという記述もあり、かなりの村人がビーズ作りに従事していたことは間違いないだろう（The Center for Bead Research 1990: 11）。大きな施設も技術もいらないビーズ作りは、初期投資も技術習得期間もいらない、手っ取り早くお金を稼ぐ手段であった。それだけに、流行になればなるほど作り手が増え、たくさん作った。しかし供給過多になると価格競争が激しくなり、作っても大した利益を得ることができなくなった。やがて村人はビーズ作りに熱中することもなくなり、流行も収束していった。

流行が去ってからもビーズは一定数作られているが、決してメインの製品ではない。現在の焼物のなかでの売れ筋は、五〇～八〇cmほどの土製人形であるが、これらの製品は大がかりな煉瓦製焼成窯を使い、さらには成形にいくつもの工程がいるため、ビーズと比べると誰でも簡単に作れるものではない。

現在、ビーズ製品の製作を担っているのは、外からやってきた女性Dのように大がかりな設備を持たない人や別の仕事の片手間にする人、重労働に従事するのが難しい高齢者、病弱な人など限られた人たちである（c.f. Chumnakom 1999: 104）。二〇〇五年にインタビューした女性Yもその一人であった。ダーン・クウィアンで生まれ育った彼女は、すでに他界してしまったが当時三〇代半ばで、子どもの頃にポリオを患った影響で足が不自由であった。彼女は母親と同居し、内職でビーズの小物類を作っていた。彼女はビーズそのものを作っていたわけではなく、村人がもってきたパーツにテグスを通して、注文に合わせてネックレスやキーホルダーの人形などを作っていた。「ダーン・クウィアンでは、大きな収入はなくても、こうした自分にもできる仕事があるから、生きていける」と言っていた。だからこそ「この村に生まれた自分はラッキーだ」とも語っていた。ビーズ製作はこうした人たちの生活を支えている側面もある。

写真17-4　店番をしながらビーズにテグスを通す（筆者撮影）

4 土製ビーズに映し出されたもの

現在もダーン・クウィアンでは土製ビーズ製品が作られているものの、特定の売れ筋商品はなく、細々と作られている程度である。土製ビーズは、技術的には簡単なものの、きらびやかなビーズの製品が多いなかで、今も周縁におかれている。かつて流行をけん引したナムプー・ネックレスやカラバオ・ネックレスも、現在は作られていない。これらは二つともシンプルかつ素朴で、華やかさとは無縁のネックレスであった。これらのネックレスが一九八〇年代のタイの若者の間で流行したのは決して偶然ではない。土製ビーズの誕生とその流行となった社会背景には、一九七〇年代から八〇年代のタイ国家の動向が関わっていた。当時は、輝かしい高度経済成長を続ける一方で、そのひずみから若者の麻薬、ＨＩＶ患者の増加、経済格差など、多くの社会問題があらわになった時代でもある。

ネックレスの流行の火つけ役となったのは、麻薬中毒患者の高校生を演じた俳優や、変わりゆく社会を憂い、貧しい農民を思って歌う歌手たちであった。その地味だが存在感のあるたたずまいのネックレスは、まずはやるせなさを抱える若者や反体制的な考えを強める青年らに受け入れられていたのである。

冒頭で、ビーズ製品が着用する人の社会性を示す指標となることを述べた。華やかではない土製ビーズを着用することは、ビーズの特徴である装飾性や威信をアピールすることとは対極にあるように見える。しかし一方で、この土製ビーズの地味さこそが、タイの発展の影の部分に共鳴した若者たちにとって、自分たちの存在や社会問題を間接的に示す一つの指標になりえたのではないだろうか。

参照文献

池谷和信　二〇〇一『世界のビーズ』千里文化財団。
ウィサラク、スントンシー　一九八三『カラワン楽団の冒険――生きるための歌』荘司和子訳、晶文社。
大坪志子　二〇一五「九州玦状耳飾の研究」『九州考古学』九〇、二一―四〇頁。
落合雪野　二〇一四「種子からパーツへ」落合雪野・白川千尋編『ものとくらしの植物誌――東南アジア大陸部から』臨川書店、七三―九一頁。
中村真里絵　二〇一三「土器つくりの現在と専業化プロセス――タイ東北部土器生産地ダーン・クウィアンの事例から」『物質文化――考古学民俗学研究』九三、七三―八六頁。
中村真里絵　二〇一五「焼物職人の誕生――タイ東北部農村地域の事例から」『多民族社会における宗教と文化』一八、三七―四八頁。
Chinnakorn, E. 1999. *Dan Kwean Pottery*. Benja International LTD Part, Bangkok.
The Center for Bead Research 1990. *The Margaretologist* 5(2): 10-11.
Yuthana Mookdasanit 1984. *Nampoo*(『ナムプーは死んだ』). Five Star Production, Thailand.(映画)
(ウェブサイト)
Five Star Production, http://www.fivestarproduction.co.th/en/the-story-of-nampu/(アクセス二〇一九年六月二七日)

第18章 日本で華開くビーズ文化

ガラスビーズ・ビーズバッグ・ビーズ織り

池谷和信

1 ビーズブームの到来か

現在日本では、ビーズブームがやってきたのかと錯覚するほど、ビーズがあふれている。ビーズのパーツ屋やアジアン雑貨の店を見ると様々な色や大きさのガラスビーズが並び、それらを購入して自分だけの作品を作るビーズ好きの人々がいる。一〇〇円ショップでも人工真珠やプラスチックビーズなどを見ることができる。さらに『Bead Art』や『ビーズ friend』のような雑誌が刊行されており、趣味としてビーズを愛する人々が多いことが分かる。一方で、高級な真珠やダイヤモンド（この場合は、穴をあけずにプラチナで接合）のネックレスを身につける宝石好きの人々もいる。このように現代の日本において人々とビーズとの関わり方は多様である。

本章では、近代日本におけるビーズの歴史を展望したあとに、ガラスビーズ生産やビーズバッグの利用を中心に現代日本における多様なビーズ利用の状況について紹介する。これまで、ビーズバッグの紹介はされてきたが（似内 二〇一四、池谷 二〇一九）、その入手方法や利用についての詳細な報告は見られない。しかしながら、戦後の高度経済成長期には、真珠の首飾りが庶民の間でも広く見られた。その一方で、着物にビーズバッグを持つということが流行したりした。そこで本章では、ビーズバッグについては筆者による独自の調査結果を提示する。

ここで簡単に、日本列島におけるビーズの歴史をふりかえっておく。本書でもアイヌのビーズについて言及しているように（第一一章および一六章）、北海道では先史時代から現在まで人々の暮らしのなかでビーズは欠かせないものであった。一方、琉球においては、ノロなどの宗教的職能者がビーズを身につけていたが、庶民の間に広まっていたわけではない。そして本州では、縄文時代から古代まではビーズは社会的地位を示すなど不可欠のものであったが（第三章および七章ほか）、律令制が導入された奈良時代から千年近くの間、仏具としての数珠の利用を除いて、ビーズの文化は発達しなかった。しかしながら江戸時代に入り、北海道のアイヌの人々の需要などのために江戸や大阪でガラス製トンボ玉が作られるようになる。これら江戸玉は、一つのトンボ玉に金魚の姿が描かれたものから日の丸が描かれたものまで、多様である（加納 二〇一一）。後期には、イタリア・ヴェネチアのビーズに類似したモチーフのトンボ玉も作られていた。

2 日本のビーズ――栄えたビーズ、衰えたビーズ

伝統ビーズの現在

江戸時代から続くと推察される伝統的なビーズは、衰退の危機にある。まず、国内各地のお寺で見られる数珠

回しの伝統が衰退しつつある。現在においても京都・百万遍の知恩寺のものはよく知られている。これには直径数cmの樹木を素材とする珠が使われている。知恩寺には、一〇八〇の珠が連ねられ、長さが一一〇mにも及ぶ大念珠が掲げられている。仏教で一〇八は重要な数字である。しかし現在では、この珠の材料であるサクラ材の供給が困難になりつつあり、また京都では職人の後継者も不足しているという。

また、黒サンゴ製のビーズでは、その実態はどうなっているのであろうか。宝石サンゴといわれる赤サンゴが有名だが、黒サンゴも世界各地で工芸品の素材として利用されてきた（遠藤 二〇一七）。日本では、日本海沿いのカレイの延縄漁の網に偶然かかった黒サンゴが利用されてきた。これは海松細工と呼ばれ、明治以降の山陰地方に見られる。このなかには数珠として利用されるものもあり、現在では数少なくなっているが、鳥取市に黒サンゴの数珠を製作する職人がいる。

そして、近年では新たにガラス玉に漆を塗ったビーズが秋田や金沢で生まれ、工芸品として販売されている。また、個性豊かなトンボ玉を制作するアーティストが国内各地で生まれている。

現代のビーズ生産

次に、ガラスビーズの生産業者について述べる。現在の日本には、広島県に二社、大阪市に一社、ガラスビーズ生産をしている会社がある（池谷編 二〇一七）。これらは主に海外へガラスビーズを輸出してきた。なかでも大阪の松野工業（一九三五年創業、もとはビーズ玉の製造）が作るマツノビーズはガラスの色合いが独特で、イスラム圏の女性の衣装に利用されている。現在、中東のドバイの商人などを通して世界中に広がっている。またアメリカ人がマツノビーズに注目して、ネパールの首都カトマンズ近郊の農村に紹介し、地元の人々がビーズブレスレットを製作し、国内外で販売している。これはフェアートレードであり、地元の女性の収入向上に貢献している。

一方で広島のトーホーは、戦後の一九五一年に生まれたガラスビーズ生産の会社で、広島市内で「ガラスの里」(二〇一八年一二月閉鎖)を経営していた。ここでは、ビーズ文化に関する展示があり、トンボ玉作りを体験することもできた。またトーホーは、現在、欧米やアジア諸国を中心に海外へビーズを輸出している。トーホーの特徴は、赤、青、緑、黄、茶などの基本色を中心に、ツヤやメッキなどの有無を加えて、一三〇〇種類ものガラスビーズを作っていることだ。これらは、世界の多様な需要に応じて生まれたもので、色の多様性を示している。

筆者は、二〇一八年にガラスビーズ生産の工程を現地の工場で観察する機会を得た(写真18-1)。まず、オーストラリアから輸入された砂などに再生ビーズを混ぜてガラスの素を作る。次に、これを高温にして芯を溶かして穴をあけ、長い管を作る。それを一m余りの長さに切ってビーズの管にする。さらに穴の大きさを統一させて完成品に近づけていく。その後、メッキや光沢をつけて多様なビーズを作る(写真18-2)。

ところで戦後の日本では、真珠の首飾りが庶民に広く普及した。もともとヨーロッパでは、ペルシャ湾などで採取される天然真珠が首飾りやドレスの刺繍などに利用されていた(松月 二〇〇二)。そのため高額であった。一方で戦前の日本では、三重県鳥羽市の御木本幸吉が世界で初めて真珠の養殖に成功した。その結果、真珠の価格が下がり庶民でも購入できるものになっていった。高度成長期には、メディアによる宣伝などの影響もあって、家庭の主婦層に広く普及していった。現在も、各家庭で母から娘に受け継がれ、結婚式などの式典で真珠の首飾りは成人女性にとって欠かせないものになっている。なお、中国においても養殖真珠は作られており、さらに安価な真珠が出回っているのが現状である。

写真18-1　国内でのビーズ生産（トーホー株式会社の工場で。2018年11月16日、筆者撮影）

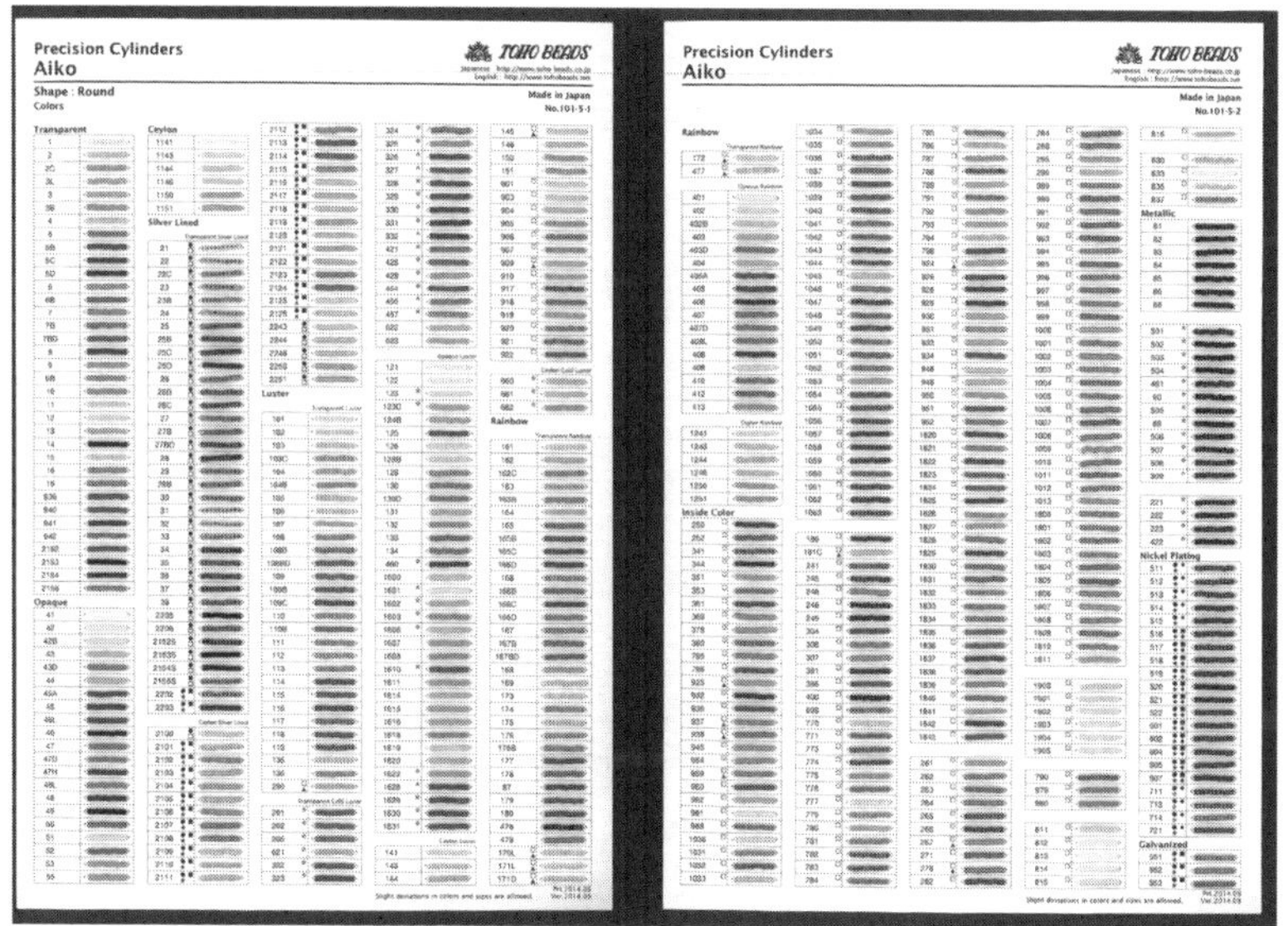

写真18-2　多様なガラスビーズ。現在、1300種がそろっている（トーホー株式会社）

3 いろいろなビーズ

ビーズバッグ

ビーズバッグとは、ビーズ刺繍によってほぼすべての表面がビーズで覆われたバッグである。ヨーロッパでは衣装にビーズ刺繍をする伝統があり、それがビーズバッグにも転用されたと見られている。日本では明治以降、ビーズではなく糸で刺繍が施されたバッグが存在していた。花や生き物などがモチーフに使われており、その伝統はビーズバッグにも引き継がれている。

ビーズバッグは昭和三四〜三五年に流行の最盛期を迎え、昭和四〇年代も当時の流行を取り入れた様々な柄や形のビーズバッグが作られた（似内 二〇一四：四四）。昭和三〇〜四〇年代のものにはチェコ製のガラスビーズを使ったバッグもある。昭和五〇年代に入るとメタルビーズ織りのバッグが注目される。また、織り用に開発されたデリカビーズのバッグが生まれた。当時、ビーズバッグは着物とあわせることが多かった。このため成人式や結婚式のために着物とセットで親に買ってもらうことが多かった。また、結婚祝いの贈り物にも使われた。現在、母から受け継いだが、自分の後に受け継いでくれる人がいない場合もあるという。

国立民族学博物館は、二〇一七年三〜六月に特別展『ビーズ――つなぐ・かざる・みせる』を開催したが、その時点ではビーズバッグの所蔵品はなかった。この特別展では借用品を展示したのだが、ヤフーニュースなどネットニュースをきっかけにSNSで話題となり、その後、全国三九人の方々から、計七六個のビーズバッグの寄贈を受けた（表18－1）。それらは昭和四〇〜五〇年代のものが多く、大阪・心斎橋のデパートなど百貨店で購入

表18-1　寄贈されたビーズバッグ

地域	人数	個数	都道府県	人数	特徴	
関東	19	31	青森	1	年代	40～50年前（昭和40年～50年代）のものが多い（80年前（昭和13年）のものも）
関西	23	45	茨城	2	場所	購入場所は百貨店が多い
合計	42	76	埼玉	1	入手経路	①成人式や結婚式への参加などの折に着物とセットで親に買ってもらう ②結婚祝いなどの贈り物 ③母から受け継いだが、今後受け継いでくれる人がいない
			千葉	2		
			東京	5		
			神奈川	5		
			静岡	1		
			京都	2		
			大阪	10		
			奈良	3		
			兵庫	6		
			徳島	1		
			合計	39		

出所）筆者作成。

されたものが多い。さらに興味深いのは、母親から譲り受けたり父親に購入してもらったりというように、その入手方法に家庭内の人間関係が表れている点である（口絵44～46）。

ビーズ織りとワイアービーズ

ビーズ織りは、広義では上述したビーズバッグも含まれるが、狭義ではビーズ織機を使用したものである。一般に、織機には縦糸と横糸があるので、それを交互にクロスすることで面状の織りができあがる（佐古 二〇一四）。糸に多数のビーズをつないでから織ることで、ビーズ織りができあがる。ビーズ織りの作品としては、江戸時代の浮世絵をモチーフに使ったものがよく知られている。なかには、横が一六八cm、縦が一九一cm、重量が一四kgにもなる歌舞伎の衣装をイメージしたものまで国内のアーティストによって生まれている（日本放送出版協会編 二〇〇九）。これには約二一〇万粒のガラスビーズが使われており、三ヵ月の日数を費やしたという。

ワイアービーズは、ワイアーを使用して作品の骨格を作り、そのワイアーに多様な色のガラスビーズを通すことで、より繊細で美しいビーズ作品に仕上げるものである。

これには二つの流れを見出すことができる。まず、国内のビーズフラワーが知られている（小山 二〇一七）。ワイアーの特性を生かして桜や藤などをモチーフにしたビーズによる立体アートが作られている。もう一つは、アフリカで学習してきた日本人による工芸品である。ジンバブウエでは、約三〇年前に針金から作品を作る技術とビーズの技術がまじりあい、ワイアー・アンド・ビーズアートが生まれた（北窓・北窓 二〇一七）。制作のマニュアルはなく、作り手の自由なアイデアで作られている点が興味深い。その作品は、アフリカの動物などをモチーフにすることが多い。現在、大阪をベースにしてこのアートに従事する人々がいる。

ペーパービーズ

ペーパービーズは、ビーズの革命である。これまでビーズは穴をあけてつなぐものがほとんどであったが、これはペーパーを使って穴を作る。その起源は明らかではないが、一九世紀のイギリスのヴィクトリア朝には存在したことが知られている。現在、ウガンダ、ボツワナ、南アフリカほか、広く途上国で作られて民芸品として販売されている。

現在、パキスタンで作られたものが日本に輸入されている。それには日本のＮＧＯの活動が関与している。パキスタンにおける、災害で職を失った女性たちへの経済的支援の一環でもある。ウルドゥー語で書かれた雑誌や新聞や包装紙などをくるくる巻いて作るもので、ニスなどを塗ってツヤを出すこともあるが、何も塗らなくても紙でできているとは思えないものが多い。

近年ペーパービーズは、国内の小学生や中学生のビーズ体験で利用されることがある。素材が新聞広告などで入手が容易である点、また短時間でビーズの組飾りを作ることができる点など、教材として便利である。広告の色合いや模様の組み合わせを工夫して、製作者それぞれが個性的な作品を作ることができる。

4 グローバル化時代と日本のビーズ

グローバル化時代に突入して、世界中で国境を越えたモノや人の移動が活発化している。オーストリアのスワロフスキー社（一八九五年創立）のビーズは、日本でも人気がある。これはガラスの一種であるが、透明度が高い素材に精確なカットを施すことで生まれる美しい輝きが特徴である。そのため世界中のデザイナーに愛用されている。先に紹介した日本産の松野工業のビーズは、国内ではあまり知られていないが、中東の女性の衣服に欠かせない。ペーパービーズもまた世界中に広がりつつある。このようにビーズの世界は、グローバル化によって世界中の素材がますます容易に入手できるようになってきたが、地域や個人の好みを反映して素材や作品が等質にならない点が特徴である。

同時に近年では、ビーズアートショーの人気が高い。たとえば横浜や神戸、名古屋では年に数回、ジャパンビーズソサエティの主催によってビーズアートショーが開催されている。ショーでは一〇〇軒近いブースが設置され、多種多様な現代のビーズが販売される。また、ビーズアーティストによる講演や実演、さらにスワロフスキー社によるビーズコンテストの上位入賞者の作品展も開かれている。ここは、まさに日本のビーズ情報が一堂に集まる場になっている。ショーには、平日にもかかわらず多数の人々（多くは女性）が集まってくる。この背景には、

写真18-3　機械化されたビーズ刺繍（筆者撮影）

趣味の世界で手作りへの見直しがあると考えられる。

二〇一八年一一月から新たな方式でビーズ生産が始まっている。それは、すべてが機械によるビーズ刺繍の誕生で（写真18－3）、ミシンメーカーとビーズメーカーが協力して開発したものである。現時点では、二色のビーズによる刺繍が、一度にできる限界だという。つまり、糸による刺繍をビーズに置き換えたのであるが、それには帯状の破片にビーズを埋め込むテープの開発が欠かせなかった。現在、この機械は中国に輸出され、中国のアクリルメーカーによってビーズ刺繍製品が開発途上である。今後、同時に多色の刺繍ができるように、さらなる技術の開発が期待されている。

最後に、現代の日本ではあまり行われていないが、今後の可能性があるものとして再生ビーズに言及しておこう。もともと再生ビーズは、ガラスを一度溶かして再加工するものであり、古代の日本や中世のアフリカにおいて製作されていた。そして現在では、西アフリカのガーナでこの技術が維持され、多数の工芸品が作られている。

ガーナではごみ捨て場のガラス瓶などが再生ビーズの原料になっている。その作品はカラフルで美しく、再生ガラスだと聞かないとその原料が分からないほどである。現在、地球の資源が限られていることを考えると、廃品を使う循環型の資源利用として注目される。

以上のように、現代日本におけるビーズの特徴は、素材の多様化、技術の進展、趣味の世界の拡大などにまとめることができる。つまりグローバル化時代の現代日本におけるビーズには、世界中の多様なものを利用しながら各個人の多様な美意識が表現されていると考えられる。

参照文献

池谷和信　二〇一九「ビーズに秘められた可能性八　ビーズバッグ」『Bead Art』三一、六六―六八頁。
池谷和信編　二〇一七『ビーズ――つなぐ　かざる　みせる』国立民族学博物館。
遠藤仁　二〇一七「黒サンゴ」池谷和信編、前掲書、一九頁。
加納弘勝　二〇一一『世界のビーズ・地域の織物――人びとの願いとアイデンティティ』文化書房博文社。
北窓恵利香・北窓綾平　二〇一七「ワイヤー・アンド・ビーズアート――アフリカから日本へ」池谷和信編、前掲書、一二六―一二七頁。
小山茂樹　二〇一七「ビーズフラワー」池谷和信編、前掲書、一二八頁。
佐古孝子　二〇一四『はじめてのビーズ織りアクセサリー』マガジンランド。
似内恵子　二〇一四『和のビーズと鑑賞知識――ビーズバッグの意匠、制作技術、由来から着物との取り合わせまで』誠文堂新光社。
日本放送出版協会編　二〇〇九『図録サコタカコ作品展――ビーズの織りなす美の世界』。
松月清郎　二〇〇二『真珠の博物誌』研成社。

おわりに——人類の美の起源を探る

本書のねらいは、冒頭でも述べたように、古今東西におけるビーズ（Beads）と人との関わり方を紹介することから人類の美の起源を探ることでした。全体を一読してみると、各章のベースとなる研究分野は、対象とする時代に応じて先史学・考古学、エスノヒストリー、文化人類学などと異なるものの、実に多くの点に気づかされます。

今から一〇～一二万年前に、どうして人類はビーズを身に着け始めたのでしょうか。意外にも海の貝殻が内陸部に運ばれて内陸の人々が装うために利用していました。ビーズ誕生の当初から、人類は美しさのためだけにビーズを求めたのではなく、希少なものを持つことへのあこがれがあり、人類の交易の広がりなどと関係するのかもしれません（第Ⅰ部）。その後、ビーズの素材が貝殻や動物の歯などから石やガラスに変わり、そのため入手や加工に労力が増して、社会的に地位の高い人にとっての美の追求のためにビーズは使われていました（第Ⅱ部）。さらに、歴史上、世界各地で異なる文明や民族同士が最初に接触した際にガラスビーズが利用されていた点から、色や光に対する美しさへの要求は人類に共通するものに見えます（第Ⅲ部）。そして現在、日本のある会社にて一三〇〇種類ものガラスビーズが生み出されている点などは、人類による多様な色や美しさへのあくなき追求としても見て取れます（第Ⅳ部）。

その一方で、ビーズに興味のない社会もあることは事実です。たとえば、長い時間のなかでわが国のビーズ利用を見ると、奈良時代にビーズ使用が中止されたように利用と放棄が繰り返されています。しかしながら、どうして人類はビーズを使用しなくなるのかという課題にはあまり答えていません。ただ人文学がますます細分化されている現在、人類とビーズの関わり方の探求は、ホモ・サピエンス史を新たに構築するためにも不可欠です。今後、さらなる挑戦と展開が必要になるでしょう。

本書は、国立民族学博物館共同研究会『世界のビーズをめぐる人類学的研究』（二〇一六年一〇月～二〇一八年三月）による成果です。この会では、本書の寄稿者以外にも多数の方々による討論によって知的刺激を受けることができました。同時に、国立民族学博物館特別展示『ビーズ――つなぐ・かざる・みせる』（二〇一七年三～六月）の多数の関係者にもお礼を申し上げます。館内では、研究成果を展示で紹介することが基本理念ですが、展示によって新たな研究課題を見いだせました。また、本書は文部科学省科学研究費補助金（パレオアジア文化史学）と人間文化研究機構・北東アジア地域研究（民博拠点）の成果の一部です。本書の編集作業の過程においては、昭和堂の松井久見子氏の多大なる尽力を得ました。なお、本書出版にあたり、館外での出版を奨励する国立民族学博物館の制度を利用しました。

二〇二〇年二月

池谷和信

■執筆者一覧（執筆順）

池谷和信（いけや かずのぶ）
　＊編者紹介参照

門脇誠二（かどわき せいじ）
　名古屋大学博物館講師。専門は先史考古学、西アジア考古学、石器研究

河村好光（かわむら よしみつ）
　石川考古学研究会。専門は日本考古学

山本直人（やまもと なおと）
　名古屋大学大学院人文学研究科教授。専門は日本考古学（縄文時代）

木下尚子（きのした なおこ）
　熊本大学人文社会科学研究部教授。専門は考古学、貝交易研究、装身具研究

田村朋美（たむら ともみ）
　奈良文化財研究所研究員。専門は保存科学、文化財科学

遠藤　仁（えんどう ひとし）
　人間文化研究機構総合人間文化研究推進センター研究員／秋田大学大学院国際資源学研究科客員研究員。専門は民族考古学、南・西アジア地域研究

谷澤亜里（たにざわ あり）
　九州大学総合研究博物館助教。専門は日本考古学（弥生・古墳時代）

山花京子（やまはな きょうこ）
　東海大学文化社会学部准教授。専門は古代エジプト史

末森　薫（すえもり かおる）
　国立民族学博物館機関研究員。専門は保存科学、中国仏教美術史、文化遺産学

戸田美佳子（とだ みかこ）
　上智大学総合グローバル学部助教。専門は生態人類学、地域研究（中・西部アフリカ）、障害学

大塚和義（おおつか かずよし）
　国立民族学博物館名誉教授、総合研究大学院大学名誉教授。専門はアイヌ民族学、博物館学、物質文化論

印東道子（いんとう みちこ）
　国立民族学博物館名誉教授、総合研究大学院大学名誉教授。専門はオセアニア先史学、人類学

後藤　明（ごとう あきら）
　南山大学人文学部教授。専門は文化人類学、考古学

中村香子（なかむら きょうこ）
　東洋大学国際学部准教授。専門はアフリカ地域研究、人類学

野林厚志（のばやし あつし）
　国立民族学博物館教授。専門は人類学、民族考古学、フォルモサ研究

齋藤玲子（さいとう れいこ）
　国立民族学博物館准教授。専門は文化人類学、アイヌおよび北方地域先住民文化研究

中村真里絵（なかむら まりえ）
　国立民族学博物館外来研究員。専門は文化人類学、タイ地域研究

■編者紹介

池谷和信（いけや かずのぶ）

国立民族学博物館教授、総合研究大学院大学教授。専門は環境人類学、人文地理学、アフリカ研究、地球学、生き物文化誌学。

主な著作に『狩猟採集民からみた地球環境史――自然・隣人・文明との共生』（編著、東京大学出版会、2017年）、『ビーズ――つなぐ　かざる　みせる』（編著、国立民族学博物館、2017年）、『世界のビーズ』（千里文化財団、2001年）など。

ビーズでたどるホモ・サピエンス史
――美の起源に迫る

2020年3月31日　初版第1刷発行

編　者　池谷和信
発行者　杉田啓三

〒607-8494　京都市山科区日ノ岡堤谷町3-1
発行所　株式会社　昭和堂
振替口座　01060-5-9347
TEL（075）502-7500／FAX（075）502-7501
ホームページ　http://www.showado-kyoto.jp

印刷　モリモト印刷

ISBN978-4-8122-1927-0

＊乱丁・落丁本はお取り替えいたします。

Printed in Japan